SIGMUND FREUD

OBRAS COMPLETAS

SIGMUND FREUD

OBRAS COMPLETAS VOLUME 6

TRÊS ENSAIOS SOBRE A TEORIA DA SEXUALIDADE, ANÁLISE FRAGMENTÁRIA DE UMA HISTERIA ("O CASO DORA") E OUTROS TEXTOS (1901-1905)

TRADUÇÃO PAULO CÉSAR DE SOUZA

14ª reimpressão

COMPANHIA DAS LETRAS

Copyright da tradução © 2016 by Paulo César Lima de Souza

Grafia atualizada segundo o Acordo Ortográfico da Língua Portuguesa de 1990, que entrou em vigor no Brasil em 2009.

Os textos deste volume foram traduzidos de *Gesammelte Werke*, volume v (Londres: Imago, 1942). Os títulos originais estão na página inicial de cada texto. A outra edição alemã referida é *Studienausgabe*, Frankfurt: Fischer, 2000.

Capa e projeto gráfico
warrakloureiro

Imagens das pp. 3 e 4, obras da coleção pessoal de Freud:
Vênus, Roma, séc. I ou II d.C., 12,5 cm
Deusa Bastet, Egito tardio, 600-332 a.C., 16,9 cm
Freud Museum, Londres

Preparação
Célia Euvaldo

Índice remissivo
Luciano Marchiori

Revisão
Huendel Viana
Ana Maria Barbosa

Dados Internacionais de Catalogação na Publicação (CIP)
(Câmara Brasileira do Livro, SP, Brasil)

Freud, Sigmund, 1856-1939.
  Obras completas, volume 6 : três ensaios sobre a teoria da sexualidade, análise fragmentária de uma histeria ("O caso Dora") e outros textos (1901-1905) / Sigmund Freud ; tradução Paulo César de Souza. — 1ª ed. — São Paulo : Companhia das Letras, 2016.

  Título original : Gesammelte Werke.
  ISBN 978-85-359-2783-2

  1. Freud, Sigmund, 1856-1939 2. Psicanálise 3. Psicologia 4. Psicoterapia I. Título.

16-06034   CDD-150.1952

Índice para catálogo sistemático:
1. Sigmund, Freud : Obras completas   150.1952

Todos os direitos desta edição reservados à
EDITORA SCHWARCZ S.A.
Rua Bandeira Paulista, 702, cj. 32
04532-002 — São Paulo — SP
Telefone: (11) 3707-3500
www.companhiadasletras.com.br
www.blogdacompanhia.com.br
facebook.com/companhiadasletras
instagram.com/companhiadasletras
twitter.com/ciadasletras

SUMÁRIO

ESTA EDIÇÃO 9

TRÊS ENSAIOS SOBRE A TEORIA DA SEXUALIDADE (1905) 13

PREFÁCIO À SEGUNDA EDIÇÃO 14
PREFÁCIO À TERCEIRA EDIÇÃO 14
PREFÁCIO À QUARTA EDIÇÃO 16

I. AS ABERRAÇÕES SEXUAIS 20
    1. DESVIOS NO TOCANTE AO OBJETO SEXUAL 21
    2. DESVIOS RELATIVOS À META SEXUAL 40
    3. OBSERVAÇÕES GERAIS SOBRE AS PERVERSÕES 55
    4. O INSTINTO SEXUAL NOS NEURÓTICOS 59
    5. INSTINTOS PARCIAIS E ZONAS ERÓGENAS 66
    6. EXPLICAÇÃO DA APARENTE PREDOMINÂNCIA DA SEXUALIDADE
       PERVERSA NAS PSICONEUROSES 69
    7. INDICAÇÃO DO INFANTILISMO DA SEXUALIDADE 71

II. A SEXUALIDADE INFANTIL 73
    [1] O PERÍODO DE LATÊNCIA SEXUAL DA INFÂNCIA
       E SUAS INTERRUPÇÕES 78
    [2] AS MANIFESTAÇÕES DA SEXUALIDADE INFANTIL 82
    [3] A META SEXUAL DA SEXUALIDADE INFANTIL 87
    [4] AS MANIFESTAÇÕES SEXUAIS MASTURBATÓRIAS 90
    [5] A PESQUISA SEXUAL INFANTIL 103
    [6] FASES DE DESENVOLVIMENTO DA ORGANIZAÇÃO SEXUAL 107
    [7] FONTES DA SEXUALIDADE INFANTIL 111

III. AS TRANSFORMAÇÕES DA PUBERDADE 121
    [1] O PRIMADO DAS ZONAS GENITAIS E O PRAZER PRELIMINAR 122
    [2] O PROBLEMA DA EXCITAÇÃO SEXUAL 129
    [3] A TEORIA DA LIBIDO 135
    [4] DIFERENCIAÇÃO DE HOMEM E MULHER 138
    [5] A DESCOBERTA DO OBJETO 142

RESUMO 155

**ANÁLISE FRAGMENTÁRIA DE UMA HISTERIA
("O CASO DORA", 1905 [1901])** 173

PREFÁCIO 174
I. O QUADRO CLÍNICO 183
II. O PRIMEIRO SONHO 246
III. O SEGUNDO SONHO 284
POSFÁCIO 307

O MÉTODO PSICANALÍTICO DE FREUD (1904) 321
PSICOTERAPIA (1905) 331
**MEUS PONTOS DE VISTA SOBRE O PAPEL DA SEXUALIDADE
NA ETIOLOGIA DAS NEUROSES (1906)** 348
**PERSONAGENS PSICOPÁTICOS NO TEATRO
(1942 [1905 OU 1906])** 361
TEXTOS BREVES (1903-1904) 370
RESENHA DE *OS FENÔMENOS PSÍQUICOS COMPULSIVOS*,
DE L. LÖWENFELD 371
TRÊS COLABORAÇÕES PARA O JORNAL *NEUE FREIE PRESSE* 376
RESENHA DE *LUTANDO CONTRA OS BACILOS DO CÉREBRO*,
DE GEORG BIEDENKAPP 376
RESENHA DE *O MISTÉRIO DO SONO*, DE JOHN BIGELOW 377
OBITUÁRIO DO PROF. S. HAMMERSCHLAG 378

ÍNDICE REMISSIVO 380

ESTA EDIÇÃO

Esta edição das obras completas de Sigmund Freud pretende ser a primeira, em língua portuguesa, traduzida do original alemão e organizada na sequência cronológica em que apareceram originalmente os textos.

A afirmação de que são obras completas pede um esclarecimento. Não se incluem os textos de neurologia, isto é, não psicanalíticos, anteriores à criação da psicanálise. Isso porque o próprio autor decidiu deixá-los de fora quando se fez a primeira edição completa de suas obras, nas décadas de 1920 e 30. No entanto, vários textos pré-psicanalíticos, já psicológicos, serão incluídos nos dois primeiros volumes. A coleção inteira será composta de vinte volumes, sendo dezenove de textos e um de índices e bibliografia.

A edição alemã que serviu de base para esta foi *Gesammelte Werke* [Obras completas], publicada em Londres entre 1940 e 1952. Agora pertence ao catálogo da editora Fischer, de Frankfurt, que também recolheu num grosso volume, intitulado *Nachtragsband* [Volume suplementar], inúmeros textos menores ou inéditos que haviam sido omitidos na edição londrina. Apenas alguns deles foram traduzidos para a presente edição, pois muitos são de caráter apenas circunstancial.

A ordem cronológica adotada pode sofrer pequenas alterações no interior de um volume. Os textos considerados mais importantes do período coberto pelo volume, cujos títulos aparecem na página de rosto, vêm em primeiro lugar. Em uma ou outra ocasião, são reunidos aqueles que tratam de um só tema, mas não foram publicados sucessivamente; é o caso dos artigos sobre a técnica psicanalítica, por exemplo. Por fim, os textos mais curtos são agrupados no final do volume.

Embora constituam a mais ampla reunião de textos de Freud, os dezessete volumes dos *Gesammelte Werke* foram sofrivelmente editados, talvez devido à penúria dos anos de guerra e de pós-guerra na Europa. Embora ordenados cronologicamente, não indicam sequer o ano da publicação de cada trabalho. O texto em si é geralmente confiável, mas sempre que possível foi cotejado com a *Studienausgabe* [Edição de estudos], publicada pela Fischer em 1969-75, da qual consultamos uma edição revista, lançada posteriormente. Trata-se de onze volumes organizados por temas (como a primeira coleção de obras de Freud), que não incluem vários textos secundários ou de conteúdo repetido, mas incorporam, traduzidas para o alemão, as apresentações e notas que o inglês James Strachey redigiu para a *Standard edition* (Londres, Hogarth Press, 1955-66).

O objetivo da presente edição é oferecer os textos com o máximo de fidelidade ao original, sem interpretações de comentaristas e teóricos posteriores da psicanálise, que devem ser buscadas na imensa bibliografia sobre o tema. Informações sobre a gênese de cada obra também podem ser encontradas na literatura secundária. Para questionamentos de pontos específicos e do próprio conjunto da teoria freudiana, o leitor deve recorrer à literatura crítica de M. Macmillan, A. Grünbaum, J. Van Rillaer, H. J. Eysenck e outros.

Após o título de cada texto há apenas a referência bibliográfica da primeira publicação, não a das edições subsequentes ou em outras línguas, que interessam tão somente a alguns especialistas. Entre parênteses se acha o ano da publicação original; havendo transcorrido mais de um ano entre a redação e a publicação, a data da redação aparece entre colchetes. As indicações bibliográficas do autor foram normalmente conservadas tais como ele as redigiu, isto é, não foram substituídas por edições mais recentes das obras citadas. Mas sempre é fornecido o ano da publicação, que, no caso de remissões do autor a seus próprios textos, permite que o leitor os localize sem maior dificuldade, tanto nesta como em outras edições das obras de Freud.

As notas do tradutor geralmente informam sobre os termos e passagens de versão problemática, para que o leitor tenha uma ideia mais precisa de seu significado e para justificar em alguma medida as soluções aqui adotadas. Nessas notas são reproduzidos os equivalentes achados em algumas versões estrangeiras dos textos, em línguas aparentadas ao português e ao alemão. Não utilizamos as duas versões das obras completas já aparecidas em português, das editoras Delta e Imago, pois não foram traduzidas do alemão, e sim do francês e do espanhol (a primeira) e do inglês (a segunda).

No tocante aos termos considerados técnicos, não existe a pretensão de impor as escolhas aqui feitas, como se fossem absolutas. Elas apenas pareceram as menos insatisfatórias para o tradutor, e os leitores e profissionais que empregam termos diferentes, conforme suas diferentes abordagens e percepções da psicanálise, devem sentir-se à vontade para conservar suas opções; que cada qual seja "feliz à sua maneira", como disse aquele famoso rei da Prússia, citado por Freud.

P.C.S.

TRÊS ENSAIOS SOBRE A TEORIA DA SEXUALIDADE (1905)

TÍTULO ORIGINAL: *DREI ABHANDLUNGEN ZUR SEXUALTHEORIE*. PUBLICADO PRIMEIRAMENTE EM VOLUME AUTÔNOMO: LEIPZIG E VIENA: DEUTICKE, 1905, 87 PP. TRADUZIDO DE *GESAMMELTE WERKE* V, PP. 163-286, E DE *STUDIENAUSGABE* V, PP. 37-145.

PREFÁCIO À SEGUNDA EDIÇÃO

O autor não se ilude acerca das lacunas e obscuridades desta pequena obra, mas resistiu à tentação de nela inserir os resultados de pesquisa dos últimos cinco anos, estragando-lhe a unidade e o caráter de documento. Portanto, reproduz o texto original com alterações mínimas e se contenta em acrescentar algumas notas de rodapé, que se distinguem das anteriores por um asterisco. De resto, é seu firme desejo que este livro envelheça rapidamente, pela aceitação geral daquilo que trouxe de novo e pela substituição de suas imperfeições por teses mais corretas.

Viena, outubro de 1909.

PREFÁCIO À TERCEIRA EDIÇÃO

Após observar durante uma década a recepção e o efeito que este livro teve, eu gostaria de acrescentar à sua terceira edição algumas observações preliminares, voltadas para os mal-entendidos e as expectativas inatingíveis que suscitou. Ressalte-se, antes de tudo, que a exposição nele encontrada parte inteiramente da experiência médica cotidiana, a qual os resultados da investigação psicanalítica devem aprofundar e tornar cientificamente significativa. Os *Três ensaios sobre a teoria da sexualidade* não podem conter senão o que a psicanálise obriga a supor ou permite confirmar. Por isso, está fora de questão que eles venham a ser ampliados para formar uma "teoria da sexualidade", e é compreensível que não se manifestem acerca de vários problemas importantes da vida sexual. Mas não se creia, por causa disso, que tais capítulos omitidos desse grande tema sejam desconhecidos do autor, ou tenham sido por ele negligenciados como coisa secundária.

O fato de este livro depender das observações psicanalíticas que induziram à sua redação se mostra não apenas na escolha do material, mas também no seu arranjo. É sempre mantida determinada sucessão de instâncias: os fatores acidentais são colocados na frente, os fatores disposicionais são deixados em segundo plano e o desenvolvimento ontogenético é considerado antes do filogenético. Pois o elemento acidental desempenha o papel principal na análise e é quase inteiramente subjugado por ela. O elemento disposicional somente aparece atrás dele, como algo que é despertado pelas vivências; no entanto, sua avaliação leva muito além do campo de trabalho da psicanálise.

É semelhante a relação entre ontogênese e filogênese. A primeira pode ser vista como repetição da segunda, na medida em que esta não seja modificada por uma vivência mais recente. A disposição filogenética se faz notar por trás do evento ontogenético. No fundo, porém, a disposição é justamente o precipitado de uma vivência mais antiga da espécie, vivência à qual vem se acrescentar, como soma dos fatores acidentais, a mais nova vivência do indivíduo.

Além da dependência geral da pesquisa psicanalítica, devo ressaltar como característica deste meu trabalho a independência proposital em relação à pesquisa biológica. Evitei cuidadosamente introduzir expectativas científicas provenientes da biologia sexual geral ou da de espécies animais particulares neste estudo, relativo à função sexual do ser humano e possibilitado pela técnica da psicanálise. Minha meta, de toda forma, era verificar o quanto se pode conhecer sobre a biologia da vida sexual humana com os meios da pesquisa psicológica. Pude indicar pontos de contato e concordâncias que resultaram dessa investigação, mas não precisei desviar-me de meu curso quando o método psicanalítico, em vários pontos importantes, levou a opiniões e resultados que se afastavam consideravelmente daqueles baseados apenas na biologia.

Nesta terceira edição fiz bastantes acréscimos, mas decidi não marcá-los com sinais próprios, como na edição anterior. O trabalho científico em nosso campo reduziu agora o seu ritmo de progresso, mas eram indispensáveis determinados acréscimos a este livro, para que permanecesse em sintonia com a literatura psicanalítica mais recente.

Viena, outubro de 1914.

PREFÁCIO À QUARTA EDIÇÃO

Agora que cessou a tempestade da guerra podemos verificar, com satisfação, que o interesse pela investigação psicanalítica permaneceu incólume no mundo. Mas nem todas as partes da teoria tiveram o mesmo destino. As colocações e indagações puramente psicológicas da psicanálise, sobre o inconsciente, a repressão, o conflito que leva à doença, o ganho derivado da doença, os mecanismos da formação de sintomas etc., gozam de reconhecimento crescente e são consideradas inclusive por aqueles que a ela se opõem em princípio. A porção da teoria que confina com a biologia, cujos fundamentos são dados neste pequeno livro, continua a suscitar o mesmo antagonismo e levou inclusive pessoas que durante certo tempo haviam se ocupado intensamente da psicanálise a abandoná-la e adotar novas concepções, em que o papel do fator sexual na vida psíquica normal e patológica seria novamente restringido.

Entretanto, não posso me decidir a crer que essa parte da teoria psicanalítica se distancie muito mais que a outra da realidade a ser descoberta. A recordação e a verificação sempre renovada me dizem que ela nasceu de observações igualmente cuidadosas e despreconcebidas, e não é difícil explicar tal discrepância no reconhecimento público. Em primeiro lugar, os começos da vida sexual humana aqui descritos podem ser confirmados apenas por aqueles pesquisadores que tenham paciência e habilidade técnica suficientes para levar a análise até os primeiros anos da infância do paciente. E com frequência não há possibilidade de fazer isso, pois a prática médica exige uma resolução aparentemente mais rápida do caso. Os que não são médicos praticantes da psicanálise não têm acesso a esse campo, nem possibilidade de formar um juízo que não seja influenciado por suas próprias aversões e preconcepções. Se as pessoas fossem capazes de aprender com a observação direta das crianças, estes três ensaios poderiam muito bem não ter sido escritos.

Mas também é preciso lembrar que algumas coisas deste livro — a ênfase na importância da vida sexual em todas as realizações humanas e a tentativa de ampliação do conceito de sexualidade — sempre constituíram os mais fortes motivos para a resistência à psicanálise. Necessitando de lemas altissonantes, os críticos chegaram a falar do "pansexualismo" da psicanálise e a fazer a objeção absurda de que ela explica "tudo" pela sexualidade. Poderíamos nos espantar com isso, se fôssemos capazes de esquecer como os fatores afetivos tornam os indivíduos confusos e esquecidos. Pois há algum tempo o filósofo Arthur Schopenhauer fez ver aos homens o quanto seus atos e esforços são determinados por impulsos sexuais, no sentido habitual do termo, e é impossível que tantos leitores pudessem apagar inteiramente do espírito uma admoestação tão forte! No que toca à "expansão" do conceito de sexualidade, que a análise de crianças e dos assim chamados perversos tornou necessária, todos os que olham desdenhosamente para a psicanálise, de uma posição de superioridade, deveriam ter em mente como a sexualidade ampliada da psicanálise se aproxima do *Eros* do divino Platão (cf. Nachmansohn, *Freuds Libidotheorie verglichen mit der Eroslehre Platos* [A teoria freudiana da libido comparada com a teoria do Eros, de Platão], *Internationale Zeitschrift für Psychoanalyse*, III, 1915).

Viena, maio de 1920.

I. AS ABERRAÇÕES SEXUAIS[1]

A existência de necessidades sexuais no ser humano e nos animais é expressa, na biologia, com a suposição de um "instinto sexual".* Nisso faz-se analogia com o instinto de nutrição, a fome. A linguagem corrente não tem uma designação correspondente à palavra "fome"; a ciência emprega *"libido"*.[2]

---

1 As informações contidas no primeiro ensaio foram retiradas das conhecidas publicações de Krafft-Ebing, Moll, Moebius, Havelock Ellis, Schrenck-Notzing, Löwenfeld, Eulenburg, I. Bloch e M. Hirschfeld, e dos trabalhos do *Jahrbuch für sexuelle Zwischenstufen* [Anuário de estágios sexuais intermediários], editado por este último. Como o restante da bibliografia sobre o tema é apresentado nessas obras, pude poupar-me referências detalhadas. [Acrescentado em 1910:] Os conhecimentos sobre invertidos, alcançados com a pesquisa psicanalítica, baseiam-se em comunicações de I. Sadger e em minha própria observação.

*No original, *Geschlechtstrieb*, formado de *Geschlecht*, "sexo", e *Trieb*; note-se que este último termo, tão discutido na psicanálise, é aqui usado tanto para o ser humano como para os animais. Há quem recorra sistematicamente a "impulso" para traduzir *Trieb*, evitando "instinto" e "pulsão"; mas nesta coleção ele já é usado para *Regung*, *Drang*, *Impuls* e, às vezes, *Strebung*; apenas excepcionalmente o empregamos para *Trieb*. Uma discussão desse termo e de suas possíveis traduções se acha em Paulo César de Souza, *As palavras de Freud: O vocabulário freudiano e suas versões*. São Paulo: Companhia das Letras, 2ª ed. revista, 2010. [As notas chamadas por asterisco e as interpolações às notas do autor, entre colchetes, são de autoria do tradutor. As notas do autor são sempre numeradas.]

2 [Nota acrescentada em 1910:] A única palavra equivalente em alemão, *Lust* [prazer, desejo], é ambígua, infelizmente, pois designa tanto a sensação da necessidade como a da satisfação.

I. AS ABERRAÇÕES SEXUAIS

A opinião popular tem ideias bastante definidas sobre a natureza e as características desse instinto sexual. Ele estaria ausente na infância, apareceria na época da puberdade, ligado ao processo de maturação desta, e se revelaria nas manifestações da irresistível atração que um sexo exerce sobre o outro; e sua meta seria a união sexual, ou, pelo menos, as ações que se acham no caminho para ela.

Mas temos motivos para ver nessas informações um quadro infiel da realidade; a um exame mais atento, elas se mostram plenas de erros, imprecisões e conclusões precipitadas.

Vamos introduzir duas expressões técnicas: se denominarmos *objeto sexual* a pessoa da qual vem a atração sexual, e *meta sexual* a ação à qual o instinto impele, a observação, cientificamente filtrada, indica numerosos desvios no tocante aos dois, objeto sexual e meta sexual, e a relação entre eles e a norma suposta requer uma investigação aprofundada.

1. DESVIOS NO TOCANTE AO OBJETO SEXUAL

A teoria popular do instinto sexual tem uma bela correspondência na fábula poética da divisão do ser humano em duas metades — homem e mulher —, que buscam unir-se novamente no amor. Resulta em grande surpresa, então, saber que existem homens para os quais o objeto sexual não é a mulher, mas o homem, e mulheres para as quais esse objeto não é o homem, mas a mulher. Tais pessoas são chamadas *Konträrsexuale*,* ou melhor, invertidos [*Invertierte*], o fato sendo o da *inversão*. O número dessas pessoas é considerável, embora haja dificuldades em estabelecê-lo com precisão.³

A) A INVERSÃO

COMPORTAMENTO DOS INVERTIDOS As pessoas em questão se comportam de maneira diversa em diferentes aspectos.

a) São *absolutamente* invertidas, ou seja, seu objeto sexual pode ser apenas do mesmo sexo, enquanto o sexo oposto não é jamais objeto de anseio sexual para elas, deixando-as frias ou mesmo lhes causando aversão. Sendo homens, essa aversão os torna incapaz de perfazer o ato sexual normal ou de nele sentir prazer.

b) São invertidos *anfígenos* (hermafroditas psicossexuais), isto é, seu objeto sexual tanto pode pertencer ao mesmo sexo como ao outro; falta o caráter de exclusividade à inversão.

c) São invertidos *ocasionais*, ou seja, em determinadas condições externas — entre as quais se acham,

---

* Termo antigo, agora em desuso, que significa algo como "de sexualidade contrária".

3 Sobre essas dificuldades, assim como as tentativas de verificar a proporção dos invertidos, ver o trabalho de M. Hirschfeld no *Jahrbuch für sexuelle Zwischenstufen*, 1904 ["Statistische Untersuchungen über den Prozentsatz der Homosexuellen", "Investigações estatísticas sobre a percentagem de homossexuais"].

I. AS ABERRAÇÕES SEXUAIS

primeiramente, a inacessibilidade do objeto sexual normal e a imitação — podem tomar uma pessoa do mesmo sexo como objeto sexual e ter satisfação com ela no ato sexual.

Além disso, os invertidos variam bastante em seu julgamento sobre a peculiaridade de seu instinto sexual. Alguns veem com naturalidade a inversão, tal como o indivíduo normal vê a direção de sua libido, e afirmam energicamente que é tão legítima quanto a normal. Outros, porém, rebelam-se contra o fato da sua inversão, sentindo-a como obsessão patológica.[4]

Outras variações dizem respeito às circunstâncias de tempo. A particularidade da inversão num indivíduo pode datar desde o início, até onde sua memória alcança, ou haver sido notada por ele apenas em determinado período antes ou após a puberdade.[5] Essa característica pode se conservar por toda a vida, recuar temporariamente ou representar um episódio no caminho para o desenvolvimento normal; e pode também se manifestar só tardiamente na vida, após o transcurso de um longo período de atividade sexual normal. Também já se

---

4 Tal revolta contra a compulsão à inversão poderia ser a precondição para a influência mediante o tratamento por sugestão [acrescentado em 1909:] ou a psicanálise.

5 Vários autores já destacaram, acertadamente, que não são confiáveis os dados autobiográficos dos invertidos sobre a época em que surgiu a tendência à inversão, pois eles podem ter reprimido de sua memória as evidências de sua sensibilidade homossexual. [Acrescentado em 1909:] A psicanálise confirmou essa suspeita nos casos a que teve acesso e alterou decisivamente sua anamnese, ao preencher a amnésia da infância.

observou uma oscilação periódica entre o objeto sexual normal e o invertido. De particular interesse são os casos em que a libido se altera no sentido da inversão, depois que o indivíduo teve uma experiência dolorosa com o objeto sexual normal.

Em geral, essas diferentes séries de variações coexistem de maneira independente. Quanto à forma extrema, pode-se quase sempre supor que a inversão está presente desde uma época tenra e que a pessoa se sente em harmonia com sua peculiaridade.

Muitos autores se negariam a reunir num conjunto os casos aqui enumerados, preferindo ressaltar as diferenças em vez das semelhanças entre esses grupos, algo relacionado ao juízo que favorecem a respeito da inversão. No entanto, por mais que se justifiquem as diferenciações, não se pode ignorar a existência de inúmeros graus intermediários, de modo que a constituição de séries praticamente se impõe por si mesma.

CONCEPÇÃO DA INVERSÃO O primeiro entendimento da inversão consistiu em vê-la como um indício inato de degeneração nervosa, e se harmonizava com o fato de os observadores médicos a terem encontrado primeiramente em doentes nervosos ou em pessoas que davam a impressão de sê-lo. Nessa caracterização há duas coisas que devem ser apreciadas separadamente: o caráter inato e a degeneração.

DEGENERAÇÃO A degeneração está sujeita às críticas que se fazem ao uso indiscriminado do termo. Tornou-

I. AS ABERRAÇÕES SEXUAIS

-se costume atribuir à degeneração todo tipo de manifestação patológica que não seja claramente traumática ou infecciosa. A classificação que Magnan* propôs dos degenerados tornou possível a aplicação do conceito de degeneração até mesmo a uma excelente configuração geral do funcionamento nervoso. Assim sendo, pode-se perguntar que utilidade e que novo conteúdo possui realmente o diagnóstico de "degeneração". Parece mais adequado *não* falar de degeneração:

1) quando vários desvios sérios da norma não se apresentarem simultaneamente;

2) quando as capacidades de funcionamento e de existência não parecerem seriamente comprometidas.[6]

Vários fatos demonstram que os invertidos não são degenerados no sentido legítimo:

1) Encontramos a inversão em pessoas que não exibem outros desvios sérios da norma.

2) O mesmo ocorre em pessoas que não têm a capacidade de funcionamento prejudicada, pelo contrário, que se distinguem por elevado desenvolvimento intelectual e cultura ética.[7]

---

* Valentin Magnan (1835-1916): psiquiatra francês.

6 Com que reserva deve ser feito o diagnóstico de degeneração, e que pouca importância prática ele tem, pode-se ver nas seguintes palavras de Moebius (Über Entartung, *Grenzfragen des Nervens- und Seelenlebens*, 3, 1900): "Se agora olhamos para o vasto campo da degeneração, sobre o qual aqui lançamos algumas luzes, logo compreendemos que é de escasso valor diagnosticar a degeneração".

7 É preciso conceder aos porta-vozes do "uranismo" que alguns dos homens mais proeminentes de que temos notícia eram invertidos, talvez invertidos absolutos.

3) Se não consideramos os pacientes de nossa experiência médica e buscamos abranger um círculo mais amplo, deparamos, lançando o olhar em direções distintas, com fatos que não permitem conceber a inversão como sinal de degeneração.

a) É preciso levar em conta que a inversão era um fenômeno frequente, quase uma instituição dotada de funções importantes, em povos antigos que estavam no apogeu de sua cultura;

b) ela se acha bastante disseminada em muitos povos selvagens e primitivos, e costuma-se limitar o conceito de degeneração à alta civilização (I. Bloch); mesmo entre os povos civilizados da Europa, o clima e a raça tiveram a mais forte influência na difusão e na atitude ante a inversão.[8]

O CARÁTER INATO Compreensivelmente, sustentou-se o caráter inato apenas da primeira e mais radical categoria de invertidos, e isso com base nas asseverações, feitas por eles próprios, de que em nenhum momento da vida o seu instinto sexual demonstrou outra tendência. Já a existência das duas outras categorias, em especial da terceira, é difícil de conciliar com a ideia de um caráter inato. Por isso os defensores dessa concepção tendem a separar de todos os demais o grupo dos in-

---

8 No entendimento da inversão, a abordagem patológica foi substituída pela antropológica. Tal mudança foi mérito de Iwan Bloch (*Beiträge zur Ätiologie der Psychopathia sexualis* [Contribuições à etiologia da psicopatia sexual], 2 partes, 1902-3), que também ressaltou o fato da inversão nos povos cultos da Antiguidade.

I. AS ABERRAÇÕES SEXUAIS

vertidos absolutos, o que implica renunciar a uma concepção universalmente válida da inversão. De acordo com eles, a inversão seria, numa série de casos, uma característica inata; em outros, poderia ter surgido de outra forma.

A concepção oposta a essa é a outra, segundo a qual a inversão é uma característica *adquirida* do instinto sexual. Ela se apoia nas considerações seguintes:

1) Em muitos invertidos (também absolutos) pode-se demonstrar que houve, bem cedo na vida, uma impressão de natureza sexual que deixou, como consequência duradoura, a inclinação homossexual.

2) Em muitos outros, é possível indicar influências externas propiciadoras ou inibidoras, que levaram, em época mais remota ou mais recente, à fixação da inversão (convívio apenas com pessoas do mesmo sexo, vida em comum na guerra ou em prisões, perigo das relações heterossexuais, celibato, fraqueza sexual etc.).

3) A inversão pode ser eliminada por sugestão hipnótica, o que seria espantoso numa característica inata.

Desse ponto de vista, pode-se contestar a certeza de que haja uma inversão inata. Pode-se objetar (Havelock Ellis)* que um exame mais detido dos casos aduzidos em favor da inversão inata provavelmente revelaria também uma vivência da primeira infância determinante para o direcionamento da libido, que apenas não foi conservada na memória consciente do indivíduo, mas que poderia ser trazida à recordação mediante a influên-

---

* H. Ellis, *Studies in the Psychology of Sex*, v. 2, "Sexual inversion", 3ª ed., Filadélfia, 1915.

cia adequada. Segundo esses autores, a inversão poderia ser designada apenas como uma variação frequente do instinto sexual, que pode ser determinada por certo número de circunstâncias externas da vida.

Mas a certeza assim aparentemente conquistada tem fim com uma observação contrária: a de que muitas pessoas, comprovadamente, tiveram as mesmas influências sexuais (também na primeira infância: sedução, masturbação mútua), sem que se tornassem invertidas e assim permanecessem duradouramente. Desse modo, somos obrigados a supor que a alternativa inato-adquirido é insuficiente ou não cobre todas as circunstâncias presentes na inversão.

EXPLICAÇÃO DA INVERSÃO A natureza da inversão não é explicada nem com a hipótese de que seria inata nem com a outra, de que seria adquirida. No primeiro caso, é preciso explicitar o que nela é inato, a menos que se admita a crua explicação de que um indivíduo nasce com o instinto sexual ligado a um objeto sexual determinado. No outro caso, a pergunta é se as muitas influências acidentais bastam para explicar a aquisição, sem que algo na pessoa lhes venha ao encontro. Negar este último fator é impossível, pelo que expusemos anteriormente.

O RECURSO À BISSEXUALIDADE Para explicar a possibilidade de uma inversão sexual, desde Frank Lydston, Kiernan e Chevalier recorreu-se a uma linha de ideias que entra em nova contradição com a opinião popular. Segundo esta, um indivíduo é homem ou mulher. Mas a

I. AS ABERRAÇÕES SEXUAIS

ciência conhece casos em que as características sexuais aparecem borradas, dificultando assim a determinação do sexo; primeiramente no campo da anatomia. Os genitais dessas pessoas reúnem caracteres masculinos e femininos (hermafroditismo). Em casos raros, os dois tipos de aparelho sexual se desenvolveram lado a lado (hermafroditismo verdadeiro); geralmente há atrofia em ambos os lados.[9]

O importante nessas anomalias é que facilitam, de modo inesperado, a compreensão do desenvolvimento normal. Pois um certo grau de hermafroditismo anatômico faz parte da norma; em nenhuma pessoa normalmente desenvolvida, homem ou mulher, faltam traços do aparelho do outro sexo, que continuam a existir sem função, como órgãos rudimentares, ou foram modificados para assumir outras funções.

A concepção que resulta desses fatos anatômicos há muito conhecidos é a de uma predisposição originalmente bissexual, que no curso do desenvolvimento se transforma em monossexualidade, com alguns resíduos do sexo atrofiado.

Era plausível transpor essa concepção para o âmbito psíquico e entender a inversão, em todas as suas variantes, como expressão de um hermafroditismo psíquico. A fim

---

9 Cf. as últimas exposições detalhadas do hermafroditismo somático: Taruffi, *Hermaphroditismus und Zeugungsunfähigkeit* [Hermafroditismo e incapacidade de procriar], trad. alemã de R. Teuscher, 1903 [original italiano: *Ermafroditismo*, Bolonha, 1902], e os trabalhos de Neugebauer incluídos em vários volumes do *Jahrbuch für sexuelle Zwischenstufen*.

de resolver a questão, bastava apenas que a inversão coincidisse regularmente com os sinais psíquicos e somáticos do hermafroditismo.

Mas essa expectativa não se cumpriu. Não é possível imaginar laços tão íntimos entre a androginia psíquica suposta e a androginia anatômica demonstrável. O que se encontra nos invertidos é, com frequência, uma diminuição do instinto sexual (Havelock Ellis) e uma ligeira atrofia anatômica dos órgãos. Com frequência, mas de modo algum invariavelmente, ou mesmo predominantemente. Assim, devemos reconhecer que inversão e hermafroditismo somático independem um do outro.

Além disso, deu-se grande importância às características sexuais ditas secundárias e terciárias, enfatizando seu reiterado aparecimento nos invertidos (H. Ellis). Também nisso há muito de pertinente, mas não se pode esquecer que as características sexuais secundárias e terciárias de um sexo aparecem frequentemente no outro, produzindo insinuações de androginia, sem que o objeto sexual se apresente modificado como pede a inversão.

O hermafroditismo psíquico ganharia em consistência, se a inversão do objeto sexual fosse acompanhada ao menos de uma mudança paralela dos demais atributos psíquicos, instintos e traços de caráter, conforme a alteração típica do outro sexo. Entretanto, podemos esperar uma inversão de caráter desse tipo, com alguma regularidade, apenas nas mulheres invertidas; nos homens, a plena masculinidade psíquica é compatível com a inversão. Insistindo-se em postular um hermafroditismo psíquico, deve-se acrescentar que em vários âmbitos as suas mani-

I. AS ABERRAÇÕES SEXUAIS

festações mostram mínimos sinais de serem mutuamente condicionadas. O mesmo vale, de resto, para a androginia somática; segundo Halban,[10] também as atrofias de órgãos e os caracteres sexuais secundários ocorrem, em boa medida, independentemente uns dos outros.

A teoria da bissexualidade foi enunciada de maneira rudimentar por um porta-voz dos invertidos masculinos: "cérebro de mulher em corpo de homem". Mas não conhecemos as características de um "cérebro de mulher". Substituir o problema psicológico pelo anatômico é desnecessário e injustificado. A tentativa de explicação de Krafft-Ebing parece mais bem concebida do que a de Ulrichs, mas não difere essencialmente desta; segundo ele, a constituição bissexual dá ao indivíduo tanto centros cerebrais masculinos e femininos como órgãos sexuais somáticos. Tais centros se desenvolvem apenas na época da puberdade, em geral por influência da glândula sexual, que é independente deles na constituição. Mas o que afirmamos sobre o cérebro masculino e feminino vale para os "centros" masculinos e femininos, e nem mesmo sabemos se é lícito supor locais delimitados no cérebro ("centros") para as funções sexuais, tal como para a linguagem, digamos.[11]

---

10 J. Halban, "Die Entstehung der Geschlechtscharaktere"[A gênese das características sexuais], *Archiv für Gynäkologie*, v. 70, 1903; ver também a bibliografia que ali se encontra.

11 O primeiro a recorrer à bissexualidade para explicar a inversão deve ter sido (conforme uma notícia bibliográfica no sexto volume do *Jahrbuch für sexuelle Zwischenstufen*) E. Gley, que em janeiro de 1884 publicou um ensaio, "Les abérrations de l'instinct sexuel", na *Revue Philosophique*.

No entanto, dois pensamentos subsistem após essa discussão: que também se deve considerar uma predisposição sexual na inversão, embora não saibamos em que ela consiste além da configuração anatômica, e que

---

De resto, é digno de nota que a maioria dos autores que liga a inversão à bissexualidade acentua esse fator não apenas nos invertidos, mas em todos os que se tornaram normais, e coerentemente veem a inversão como o resultado de um transtorno no desenvolvimento. Assim já se pronuncia Chevalier (*Inversion sexuelle*, 1893). Krafft-Ebing ("Zur Erklärung der konträren Sexualempfindung" [Explicação da sensibilidade sexual contrária], *Jahrbücher für Psychiatrie und Neurologie*, v. XIII), diz que há grande número de observações "que provam ao menos a persistência virtual deste segundo centro (do sexo subordinado)". Um certo dr. Arduin ("Die Frauenfrage und sie sexuellen Zwischenstufen" [A questão da mulher e os estágios sexuais intermediários]) afirma, no segundo volume do *Jahrbuch für sexuelle Zwischenstufen* (1900), que "em cada pessoa se acham elementos masculinos e femininos" (cf. na mesma publicação, v. I, 1899: "Die objektive Diagnose der Homosexualität", do dr. M. Hirschfeld, pp. 8 ss.), "apenas — conforme o sexo a que pertençam — uns estão desproporcionalmente mais desenvolvidos do que outros, no que toca aos indivíduos heterossexuais [...]".

Para G. Herman (*Genesis, das Gesetz der Zeugung* [Gênese, a lei da procriação], v. IX, *Libido und Mania*, 1903), é certo que "em toda mulher estão contidos germens e atributos masculinos, e em cada homem, germens e atributos femininos" etc.

[Acrescentado em 1910:] Em 1906, W. Fliess (*Der Ablauf des Lebens* [O curso da vida] reivindicou a autoria da ideia de bissexualidade (no sentido de uma *dualidade sexual*).

[Acrescentado em 1924:] Nos círculos não especializados, a tese da bissexualidade humana é tida como obra de O. Weininger, filósofo prematuramente falecido, que tomou essa ideia como base de um livro um tanto irrefletido (1903 [*Geschlecht und Charakter*, "Sexo e caráter"]). As referências acima devem mostrar como essa pretensão é pouco fundamentada.

I. AS ABERRAÇÕES SEXUAIS

se trata de distúrbios que afetam o instinto sexual em seu desenvolvimento.

OBJETO SEXUAL DOS INVERTIDOS A teoria do hermafroditismo psíquico pressupõe que o objeto sexual do invertido é o oposto daquele do indivíduo normal. O homem invertido estaria, como a mulher, sujeito ao encanto proveniente dos atributos masculinos do corpo e da alma, ele se sentiria como uma mulher e buscaria um homem.

Mas, embora isto seja válido para toda uma série de invertidos, está longe de evidenciar uma característica geral da inversão. Não há dúvida de que grande parte dos invertidos masculinos conserva o caráter psíquico da masculinidade, traz relativamente poucas características secundárias do outro sexo e busca traços psíquicos propriamente femininos em seu objeto. Se assim não fosse, permaneceria incompreensível por que os prostitutos masculinos que se oferecem aos invertidos — hoje como na Antiguidade — copiam as mulheres em todos os aspectos exteriores da vestimenta e da postura; essa imitação deveria ofender o ideal dos invertidos. Entre os gregos, em que aparecem entre os invertidos os homens mais masculinos, está claro que não era o caráter masculino do garoto, mas sua semelhança física com a mulher, assim como os seus atributos psíquicos femininos, a timidez, a reserva, a necessidade de instrução e ajuda, que acendiam o amor do homem. Tão logo o menino se tornava um homem, cessava de ser um objeto sexual para o homem e tornava-se talvez ele próprio um amante de garotos. Nesse caso, como em muitos outros, o objeto sexual não é o mesmo sexo, mas a união de características de ambos os sexos, como que o compromisso entre um impulso que anseia pelo homem e um que anseia pela mulher, mantida a condição da masculinidade do corpo (dos genitais), o reflexo da própria natureza bissexual, por assim dizer.[12]

12 [As palavras finais, após a vírgula, foram acrescentadas em 1915. Nota acrescentada em 1910:] Até o momento a psicanálise não apresentou um esclarecimento completo da origem da inversão, mas desvelou o mecanismo psíquico de sua gênese e enriqueceu consideravelmente a colocação do problema. Em todos os casos investigados, constatamos que os futuros invertidos passam, nos primeiros anos da infância, por uma fase de intensa, mas breve fixação na mulher (geralmente a mãe), e, após superá-la, identificam-se com a mulher e tomam a si próprios como objeto sexual, ou seja, partindo do narcisismo, buscam homens jovens e semelhantes a si mesmos, que querem amar assim como a mãe os amou. Além disso, com frequência vimos que supostos invertidos não eram absolutamente insensíveis ao encanto da mulher, mas continuamente transpunham a excitação por ela despertada para um objeto masculino. Desse modo repetiam, durante toda a vida, o mecanismo pelo qual sua inversão havia surgido. Seu compulsivo anseio pelo homem revelou-se determinado pela incessante fuga da mulher.

[Nota acrescentada em 1915:] A investigação psicanalítica se opõe decididamente à tentativa de separar os homossexuais das outras pessoas, como um grupo especial de seres humanos. Estudando outras excitações sexuais além daquelas manifestadas abertamente, ela sabe que todas as pessoas são capazes de uma escolha homossexual de objeto e que também a fizeram no inconsciente. De fato, ligações afetivas libidinosas com pessoas do mesmo sexo não têm, como fatores da vida psíquica normal, papel menor — e, como motores do adoecimento, têm papel maior — do que aquelas que dizem respeito a pessoas do outro sexo. Para a psicanálise, isto sim, a escolha objetal independent do sexo do objeto, a possibilidade de dispor livremente de objetos masculinos e femininos, tal como se observa na infância, em estados primitivos e épocas

I. AS ABERRAÇÕES SEXUAIS

antigas, parece ser a atitude original, a partir da qual se desenvolvem, mediante restrição por um lado ou por outro, tanto o tipo normal como o invertido. Na concepção da psicanálise, portanto, também o interesse sexual exclusivo do homem pela mulher é um problema que requer explicação, não é algo evidente em si, baseado numa atração fundamentalmente química. A decisão sobre o comportamento sexual definitivo ocorre somente após a puberdade e é o resultado de uma série de fatores ainda não apreendidos em seu conjunto, alguns de natureza constitucional, outros, acidental. Sem dúvida, certos fatores entre esses podem ter maior peso, de modo a influenciar o resultado na sua direção. Em geral, contudo, a pluralidade dos fatores determinantes é refletida na diversidade de efeitos no comportamento sexual manifesto dos indivíduos. Nos tipos invertidos, sempre se constata o predomínio de constituições arcaicas e mecanismos psíquicos primitivos. A vigência da *escolha narcísica de objeto* e a *manutenção* do significado erótico da *zona anal* aparecem como suas características essenciais. Nada se ganha, porém, quando separamos, com base nessas particularidades constitucionais, os tipos invertidos extremos dos demais. O que neles parece ser fundamento suficiente também se evidencia na constituição de tipos de transição e em pessoas manifestamente normais. As diferenças nos resultados podem ser de natureza qualitativa, mas a análise mostra que as diferenças nas precondições são apenas quantitativas. Entre as influências acidentais na escolha de objeto, achamos digna de nota a frustração (o amedrontamento sexual precoce) e também observamos que a presença dos dois genitores tem papel importante. Não é raro a ausência de um pai forte na infância favorecer a inversão. Por fim, cabe exigir que se distinga rigorosamente, no âmbito conceitual, entre a inversão do objeto sexual e a mescla de características sexuais no sujeito. Também nessa relação é inegável certo grau de independência.

[Nota acrescentada em 1920:] Sobre a questão da inversão, Ferenczi apresentou uma série de ideias significativas no ensaio "Zur Nosologie der männlichen Homosexualität (Homoerotik)", *Internationale Zeitschrift für Psychoanalyse*, v. 2, (1914). Ele desaprova, com razão, o fato de se reunir sob o nome de "homossexualidade" — que ele propõe substituir por um melhor, "homoerotismo" — certo número de estados muito diferentes e de valor desigual, tanto do ponto de vista orgânico como psíquico, por terem em comum o sintoma da inversão. Solicita uma clara distinção entre dois tipos pelo menos: o do *homoerótico no sujeito*, que se sente e se comporta como mulher, e o *homoerótico no objeto*, que é viril e apenas troca o objeto feminino por um do mesmo sexo. O primeiro ele reconhece como verdadeiro "estágio sexual intermediário", no sentido de Magnus Hirschfeld, enquanto designa o segundo — de maneira menos feliz — como neurótico obsessivo. A revolta contra o pendor à inversão, assim como a possibilidade de influência psicológica, haveria somente no caso do homoerótico no objeto. Ainda reconhecendo esses dois tipos, pode-se acrescentar que em muitas pessoas se acham mescladas uma parte de homoerotismo de sujeito e uma medida de homoerotismo de objeto.

Nos últimos anos, trabalhos de biólogos, em particular de Eugen Steinach, lançaram viva luz sobre as precondições orgânicas do homoerotismo e das características sexuais em geral. Com o experimento da castração seguida do implante de gônadas do outro sexo, conseguiu-se transformar machos em fêmeas e vice-versa, em diferentes espécies de mamíferos. A transformação atingiu, mais ou menos completamente, os caracteres sexuais somáticos e a conduta psicossexual (ou seja, erotismo de sujeito e de objeto). Considera-se que o veículo dessa força determinante do sexo não é a parte da gônada que forma as células sexuais, mas o assim chamado tecido intersticial do órgão (a "glândula da puberdade").

Num caso determinado, obteve-se a mudança sexual também num homem, que havia perdido os testículos em consequência de uma tuberculose. Na vida sexual ele havia se comportado femininamente, como homossexual passivo, e mostrava acentuados caracteres sexuais femininos de natureza secundária (quanto ao crescimento de cabelos e barba, e gordura nas mamas e coxas). Após o implante de um testículo oculto de outro homem, ele começou a se comportar de modo masculino e a voltar sua libido normalmente para as mulheres. Ao mesmo tempo, desapareceram os caracteres

I. AS ABERRAÇÕES SEXUAIS

Mais inequívoca é a situação no caso da mulher, em que as invertidas ativas têm, com bastante frequência, características somáticas e psíquicas do homem e buscam a feminilidade no objeto sexual — embora também aqui um conhecimento mais aprofundado possa revelar maior variedade.

META SEXUAL DOS INVERTIDOS O fato importante a se reter é que de maneira nenhuma se pode falar de meta sexual única na inversão. Nos homens, o intercurso *per anum* [pelo ânus] não coincide absolutamente com a inversão; a masturbação é, também com frequência, a meta exclusiva, e restrições na meta sexual — chegando à simples efusão sentimental — são inclusive mais frequentes do que no amor heterossexual. Também nas mulheres as metas sexuais das invertidas são variadas, parecendo ser privilegiado o contato com a mucosa da boca.

CONCLUSÃO Não somos capazes de esclarecer satisfatoriamente a origem da inversão com o material de que dispomos no presente, mas podemos ver que essa

---

somáticos femininos (A. Lipschütz, *Die Pubertätsdruse und ihre Wirkungen* [A glândula da puberdade e seus efeitos], Berna, 1919).

Não seria justo afirmar que essas notáveis experiências colocam a teoria da inversão sobre nova base e delas esperar, precipitadamente, um caminho para a "cura" geral da homossexualidade. W. Fliess enfatizou, corretamente, que tais conhecimentos experimentais não invalidam a teoria da constituição bissexual geral dos animais superiores. Parece-me provável, isto sim, que outras investigações desse tipo venham a fornecer uma confirmação direta da bissexualidade suposta.

investigação nos conduziu a uma percepção que pode se tornar mais significativa para nós do que a solução daquele problema. Chama a nossa atenção o fato de havermos concebido a ligação entre o instinto sexual e o objeto sexual como mais estreita do que é na realidade. O conhecimento obtido em casos considerados anormais nos diz que neles há apenas, entre instinto sexual e objeto sexual, uma soldagem, que arriscamos não enxergar devido à uniformidade da configuração normal, em que o instinto parece já trazer consigo o objeto. Assim, somos levados a afrouxar a ligação entre instinto e objeto que há em nossos pensamentos. É provável que o instinto sexual seja, de início, independente de seu objeto, e talvez não deva sequer sua origem aos atrativos deste.

B) PESSOAS SEXUALMENTE IMATURAS
E ANIMAIS COMO OBJETOS SEXUAIS

Enquanto as pessoas cujos objetos sexuais não pertencem ao sexo normalmente apropriado — ou seja, os invertidos — apresentam-se ao observador como um grupo de indivíduos talvez de pleno valor em outros aspectos, os casos em que pessoas sexualmente imaturas (crianças) são escolhidas como objetos sexuais surgem de antemão como aberrações individuais. Apenas excepcionalmente as crianças são os objetos sexuais exclusivos; em geral, assumem esse papel quando um indivíduo medroso e que se tornou impotente resolve adotar esse

I. AS ABERRAÇÕES SEXUAIS

substituto ou quando um instinto urgente (inadiável) não consegue, no momento, tomar um objeto mais apropriado. Em todo caso, é esclarecedor quanto à natureza do instinto sexual o fato de ele admitir tanta variação e tal diminuição do seu objeto, algo que a fome, que se atém muito mais energicamente a seu objeto, só permitiria num caso extremo. Consideração semelhante valeria para o intercurso sexual com animais, que não é nada raro na população do campo, sobretudo, no qual a atração sexual como que supera a barreira entre as espécies.

Por razões estéticas, bem se gostaria de atribuir essas e outras graves aberrações aos doentes mentais, mas não seria correto. A experiência mostra que esses não têm distúrbios do instinto sexual diferentes dos observados em pessoas normais, em raças e classes inteiras. Assim, observa-se o abuso sexual de crianças entre professores e cuidadores com inquietante frequência, mas apenas porque eles têm mais oportunidades para isso. Os doentes mentais exibem uma aberração dessas apenas intensificada ou, o que é particularmente significativo, tornada exclusiva e posta no lugar da satisfação sexual normal.

Essa curiosa relação das variações sexuais com os degraus que vão da saúde à doença mental é algo que dá o que pensar. Eu diria que o fato em questão indica que os impulsos da vida sexual estão entre aqueles que mesmo normalmente são os menos controlados pelas atividades psíquicas superiores. Quem é mentalmente anormal em algum outro aspecto, de uma perspectiva social ou ética, também costuma sê-lo na vida sexual, segundo a minha experiência. Mas muitos são anormais na vida sexual e em todos os outros pontos estão conformes à média, acompanharam em sua pessoa a evolução cultural humana, cujo ponto fraco permanece a sexualidade.

Como resultado mais geral destas considerações, porém, destacaríamos a percepção de que em grande número de condições e numa quantidade extraordinária de indivíduos a espécie e o valor do objeto sexual passam a segundo plano. O essencial e constante no instinto sexual é outra coisa.[13]

2. DESVIOS RELATIVOS À META SEXUAL

Considera-se meta sexual normal a união dos genitais no ato denominado copulação, que leva à resolução da tensão sexual e temporário arrefecimento do instinto sexual (satisfação análoga à saciação da fome). Mas no ato sexual mais normal já se notam os rudimentos que, desenvolvidos, levarão aos desvios que são denominados *perversões*. Há certas relações intermediárias com o objeto sexual (que se acham no rumo da copulação), como tocar e olhar, que são reconhecidas

---

13 [Nota acrescentada em 1919:] A diferença mais profunda entre a vida amorosa no mundo antigo e no nosso estaria em que os antigos ressaltavam o instinto mesmo, e nós enfatizamos o objeto. Eles celebravam o instinto e se dispunham, em nome dele, a enobrecer inclusive um objeto inferior, enquanto nós menosprezamos a atividade instintual em si, achando que apenas os méritos do objeto a desculpam.

I. AS ABERRAÇÕES SEXUAIS

como metas sexuais provisórias. Essas atividades são, por um lado, acompanhadas elas próprias de prazer e, por outro lado, aumentam a excitação, que deve durar até a obtenção da meta sexual final. E um desses contatos, aquele entre as mucosas dos lábios das duas pessoas, alcançou, com o nome de beijo, grande valor sexual em muitos povos (entre eles os mais civilizados), embora as partes do corpo nele envolvidas não pertençam ao aparelho sexual, constituindo a entrada para o tubo digestivo. Eis aqui elementos, então, que permitem relacionar as perversões à vida sexual normal e que podem ser utilizados na classificação delas. As perversões são *a) extensões** anatômicas das áreas do corpo determinadas para a união sexual; ou *b) permanecimentos* nas relações intermediárias com o objeto sexual, que normalmente seriam percorridas com rapidez, no rumo da meta sexual final.

* No original, *Überschreitungen*, do verbo *überschreiten*, que significa literalmente "transpassar", ir além dos limites. As versões estrangeiras consultadas apresentam: *transgresiones*, *trasgresiones*, *prevaricazioni*, *transgressions* [com o original no pé da página], *extend* [recorreu-se a um verbo, mas no título que vem em seguida foi usado o substantivo, *extensions*]. Além daquelas normalmente utilizadas nesta coleção (a espanhola de López-Ballesteros, a argentina de J. L. Etcheverry, a italiana da ed. Boringhieri e a *Standard* inglesa), dispusemos da tradução francesa de Philippe Koeppel, *Trois essais sur la théorie sexuelle*, Paris: Folio/Gallimard, 1987. Já o neologismo *permanecimentos* é tradução literal de *Verweilungen* (do verbo *verweilen*, "demorar-se, permanecer"); as outras versões empregaram *detenciones*, *demoras*, *indugi*, *arrêts*, *linger over* [também se recorreu a um verbo].

A) EXTENSÕES ANATÔMICAS

SUPERESTIMAÇÃO DO OBJETO SEXUAL A valorização psíquica que se confere ao objeto sexual, como meta desejada do instinto sexual, apenas em casos raríssimos se limita aos seus genitais, mas se estende a todo o seu corpo e possui a tendência de abranger todas as sensações que vêm do objeto sexual. A mesma superestimação se irradia para o âmbito psíquico, mostrando-se como cegueira lógica (fraqueza de julgamento) ante as realizações e perfeições psíquicas do objeto sexual e submissão crédula aos julgamentos que dele partem. Assim, a credulidade do amor se torna uma fonte importante, embora não a primeira, da *autoridade*.[14]

É essa superestimação sexual que não se concilia facilmente com a restrição da meta sexual à união dos genitais e contribui para elevar à condição de metas sexuais atividades que envolvem outras partes do corpo.[15]

---

14 Não posso deixar de recordar, neste ponto, a crédula submissão dos indivíduos hipnotizados ante o seu hipnotizador, que me faz suspeitar que a essência da hipnose deve se achar na inconsciente fixação da libido na pessoa do hipnotizador (mediante o componente masoquista do instinto sexual). [Acrescentado em 1920:] S. Ferenczi relacionou essa característica da sugestionabilidade ao "complexo parental" (1909 [no ensaio "Introjektion und Übertragung", "Introjeção e transferência"]).

15 [A nota seguinte — assim como a passagem do texto a que se refere — foi modificada e deixada na presente forma em 1920:] Deve-se notar, porém, que a superestimação sexual não se desenvolve em todos os mecanismos da escolha de objeto, e que mais adiante conheceremos outra explicação, mais direta, para o papel sexual de outras áreas do corpo. O fator da "fome de estímulos", apresentado

I. AS ABERRAÇÕES SEXUAIS

A importância do fator da superestimação sexual pode ser mais bem estudada no homem, pois apenas a sua vida amorosa se tornou acessível à pesquisa; a da mulher ainda está envolvida numa obscuridade impenetrável, em parte devido ao estiolamento causado pela civilização, em parte devido à convencional reserva e insinceridade das mulheres.[16]

UTILIZAÇÃO SEXUAL DA MUCOSA DOS LÁBIOS E BOCA
A utilização da boca como órgão sexual é considerada perversão quando os lábios (ou língua) de uma pessoa entram em contato com os genitais da outra, mas não quando as mucosas dos lábios das duas se tocam. Nesta exceção está o vínculo com o normal. Quem abomina as outras práticas — provavelmente comuns desde os primórdios da humanidade — e as vê como perversões, cede a uma clara *sensação de nojo*, que o impede de aceitar uma meta sexual desse tipo. Mas frequentemente os limites desse nojo são convencionais; quem beija sofregamente os lábios de uma moça bonita, por exemplo, talvez sinta nojo em usar a escova de dentes da moça, embora não haja motivo para supor que sua própria

---

por Hoche e Bloch para explicar a extensão do interesse sexual a outras partes do corpo que não os genitais, não me parece merecer tal importância. Os diferentes caminhos pelos quais a libido anda se relacionam como vasos comunicantes desde o início, e é preciso considerar o fenômeno do fluxo colateral [cf. seção 6, adiante].

16 [Nota acrescentada em 1920:] Em casos típicos, constata-se na mulher a ausência de uma "superestimação sexual" do homem, mas quase nunca ela deixa de mostrá-la em relação ao filho que gerou.

cavidade bucal, da qual ele não se enoja, é mais limpa que a dela. Nota-se aqui o elemento do nojo, que é um obstáculo à superestimação libidinal do objeto sexual, mas que pode ser superado pela libido. Nele podemos discernir uma das forças que provocaram a limitação da meta sexual. Em geral, elas se detêm antes dos genitais em si. Mas não há dúvida de que também os genitais do outro sexo podem ser objeto de nojo, e que esse comportamento está entre as características de todos os histéricos (sobretudo das mulheres histéricas). A força do instinto sexual se compraz em afirmar-se na superação desse nojo.

UTILIZAÇÃO SEXUAL DO ORIFÍCIO ANAL Quanto ao emprego do ânus, vê-se, de modo ainda mais claro que no caso anterior, que é o nojo que marca essa meta sexual como perversão. Mas não se veja como parcialidade se observo que a justificação para esse nojo, de que essa parte do corpo serve para a excreção e entra em contato com o que é mais nojento — os excrementos —, não é mais sólida do que, digamos, a justificativa que moças histéricas dão para seu nojo do membro genital masculino: de que serve para urinar.

O papel sexual da mucosa anal não se limita absolutamente à relação entre homens, sua preferência não é característica da sensibilidade invertida. Parece, ao contrário, que a *paedicatio* [sodomia] com o homem deve seu papel à analogia com o ato realizado com a mulher, enquanto a masturbação recíproca é a meta sexual que mais ocorre na relação entre invertidos.

I. AS ABERRAÇÕES SEXUAIS

IMPORTÂNCIA DE OUTROS LOCAIS DO CORPO A extensão sexual para outros locais do corpo não oferece nada de novo em princípio, nada acrescenta ao conhecimento do instinto sexual, que nisso apenas proclama a intenção de apoderar-se do objeto sexual em todas as direções. Mas nas extensões anatômicas se apresenta, ao lado da superestimação sexual, um outro fator, estranho ao conhecimento popular. Certas partes do corpo que aparecem repetidamente nessas práticas, como as mucosas da boca e do ânus, fazem a reivindicação, por assim dizer, de serem vistas e tratadas como genitais. Veremos como essa pretensão é justificada pelo desenvolvimento do instinto sexual e como é satisfeita na sintomatologia de certos estados patológicos.

SUBSTITUTO INAPROPRIADO DO OBJETO SEXUAL — FETICHISMO Uma impressão muito particular é produzida pelos casos em que o objeto sexual normal é substituído por outro que guarda relação com ele, mas é totalmente inapropriado para servir à meta sexual normal. Do ponto de vista da classificação, teria sido melhor mencionar esse interessante grupo de aberrações do instinto sexual já nos desvios relativos ao objeto sexual, mas nós adiamos isso até conhecermos o fator da *superestimação sexual*, do qual dependem esses fenômenos, ligados a um abandono da meta sexual.

O substituto do objeto sexual é uma parte do corpo geralmente pouco apropriada para fins sexuais (como o pé, o cabelo), ou um objeto inanimado que se acha em relação evidente com a pessoa sexual,* ou melhor, com a sexualidade desta (peças do vestuário, roupa íntima). Não sem motivo, tal substituto é comparado ao fetiche que, para o homem selvagem, encarna o seu deus.

A transição para os casos de fetichismo que implicam renúncia a uma meta normal ou perversa é constituída pelos casos em que o objeto sexual deve responder a uma precondição fetichista para que a meta sexual seja alcançada (determinada vestimenta, cor de cabelo ou até defeito físico). Nenhuma outra variação (do instinto sexual) que beira o patológico reivindica tanto o nosso interesse como essa, graças à peculiaridade das manifestações que ocasiona. Todos os casos parecem pressupor alguma diminuição no empenho pela meta sexual normal (debilidade executiva do aparelho sexual).[17] A conexão com o normal é fornecida pela superestimação do objeto sexual, psicologicamente necessária, que inevitavelmente extravasa para tudo que é associado a ele. Portanto, certo grau de fetichismo costuma ser próprio do amor normal, especialmente naqueles estágios de enamoramento em que a meta sexual normal parece ser inatingível ou ter seu cumprimento impossibilitado.

---

* Tradução literal de *Sexualperson*; entenda-se: a pessoa que substitui como objeto sexual.
17 [Nota acrescentada em 1915:] Essa debilidade corresponderia ao pressuposto *constitucional*. A psicanálise evidenciou, como precondição *acidental*, o amedrontamento sexual precoce, que afasta da meta sexual normal e favorece a busca de um substituto para ela.

I. AS ABERRAÇÕES SEXUAIS

*Traze-me um lenço do seu seio,
Um laço ao meu ardente anseio!**

O caso patológico surge apenas quando o anseio pelo fetiche vai além dessa precondição e se fixa, colocando-se no lugar da meta normal, e quando o fetiche se desprende de determinada pessoa, tornando-se o único objeto sexual. São essas as precondições gerais para que simples variações do instinto sexual passem a aberrações patológicas.

Na escolha do fetiche se revela, como afirmou primeiramente Binet** e depois se documentou de farta maneira, a contínua influência de uma impressão sexual geralmente recebida no começo da infância — algo que pode ser cotejado com a proverbial persistência do primeiro amor no indivíduo normal (*"on revient toujours à ses premiers amours"* [sempre retornamos a nossos primeiros amores]). Tal procedência é bastante nítida nos casos em que o objeto sexual é determinado apenas de modo fetichista. Mais adiante voltaremos a deparar com a importância das primeiras impressões sexuais [no final do "Resumo"].[18]

---

* Goethe, *Fausto*, parte I, cena 7, "Na rua", vv. 2661-2. No original: *"Schaff' mir ein Halstuch von ihrer Brust/ Ein Strumpfband meiner Liebeslust!"*; citado na tradução de Jenny Klabin Segall, *Fausto*, parte I. São Paulo: Editora 34, 2004.
** A. Binet, *Études de psychologie expérimentale: Le fétichisme dans l'amour*. Paris, 1888.
18 Uma investigação psicanalítica mais aprofundada levou a uma crítica legítima da afirmação de Binet. Todas as observações sobre o tema registram um primeiro encontro com o fetiche em que este já se mostra possuidor de interesse sexual, sem que as circunstân-

Em outros casos, é uma ligação simbólica de pensamentos, em geral não consciente para a pessoa em questão, que levou à substituição do objeto pelo fetiche. Nem sempre é possível indicar com segurança os caminhos dessas ligações (o pé é um antiquíssimo símbolo sexual, já nos mitos;[19] a "peliça" deve o seu papel de fetiche, provavelmente, à associação com os pelos do *mons Veneris* [monte de Vênus]); mas mesmo esse simbolismo não é sempre independente das vivências sexuais da infância.[20]

---

cias colaterais permitam compreender como ele chegou a possuí-lo. Além disso, todas essas impressões sexuais "antigas" ocorrem após os cinco ou seis anos, enquanto a psicanálise leva a duvidar que fixações patológicas possam se formar tão tardiamente. O que realmente sucede é que por trás da primeira recordação do surgimento do fetiche há uma fase apagada e esquecida do desenvolvimento sexual, e o fetiche, como uma "lembrança encobridora", representa essa fase e constitui, assim, um vestígio e precipitado dela. A evolução para o fetichismo dessa fase situada nos primeiros anos da infância, assim como a escolha do fetiche mesmo, são determinadas constitucionalmente.

19 [Nota acrescentada em 1910:] De forma correspondente, o sapato ou pantufa é símbolo do genital feminino.

20 [Nota acrescentada em 1910:] A psicanálise preencheu uma das lacunas remanescentes na compreensão do fetichismo, assinalando a importância, na escolha do fetiche, de um *prazer de cheirar* [*Riechlust*] coprofílico que desapareceu mediante a repressão. Pé e cabelo são objetos de cheiro forte, elevados à condição de fetiche após o abandono da sensação olfativa que se tornou desprazerosa. Assim, na perversão que corresponde ao fetichismo do pé o objeto sexual é somente o pé sujo e de mau cheiro. Outro fator que contribui para explicar a preferência fetichista pelo pé vem das teorias sexuais infantis (cf. adiante [seção "A pesquisa sexual infantil", no segundo ensaio]). O pé substitui o pênis da mulher, cuja ausência é muito sentida. [Acrescentado em 1915:] Em alguns casos de fetichismo do

I. AS ABERRAÇÕES SEXUAIS

B) FIXAÇÕES DE METAS SEXUAIS PROVISÓRIAS

SURGIMENTO DE NOVOS OBJETIVOS Todas as condições externas e internas que dificultam ou adiam o alcance da meta sexual normal (impotência, alto custo do objeto sexual, perigos do ato sexual) favorecem, compreensivelmente, a tendência a permanecer nos atos preparatórios e a partir deles criar novas metas sexuais, que podem assumir o lugar daquela normal. Um exame mais detido mostra que esses novos objetivos, mesmo os aparentemente mais estranhos entre eles, já se encontram insinuados no ato sexual normal.

TOCAR E OLHAR Ao menos para o ser humano, algum uso do tato é indispensável para se atingir a meta sexual normal. E todos sabem que fonte de prazer, por um lado, e que afluxo de excitação nova, por outro, são produzidos pelas sensações de contato com a pele do objeto sexual. Portanto, a persistência no toque não poderá ser incluída entre as perversões, desde que o ato sexual prossiga.

O mesmo se dirá da visão, que deriva do toque, em última instância. A impressão ótica continua sendo o caminho pelo qual a excitação libidinal é despertada com mais frequência, e a seleção natural conta com a

---

pé, pôde-se mostrar que o *impulso de olhar* [*Schautrieb*], buscando se aproximar por baixo do seu objeto (originalmente o genital), foi detido no caminho pela proibição e repressão, e por isso reteve como fetiche o pé ou o sapato. Nisso o genital feminino, conforme a expectativa infantil, foi imaginado como o masculino.

viabilidade desse caminho — aceitando-se essa forma teleológica de ver as coisas*—, ao fazer o objeto sexual se desenvolver no sentido da beleza. A ocultação do corpo, que cresce juntamente com a civilização, mantém desperta a curiosidade sexual, que busca completar para si o objeto sexual desvelando suas partes ocultas, mas que pode ser desviada ("sublimada") para o âmbito artístico, quando se consegue retirar seu interesse dos genitais e dirigi-lo para a forma do corpo em seu conjunto.[21] É natural que a maioria das pessoas normais se detenha, em alguma medida, nessa meta sexual intermediária do olhar sexualmente matizado; isso lhes dá, inclusive, a possibilidade de guiar certo montante de sua libido para metas artísticas elevadas. Mas o prazer em olhar se torna perversão: *a*) quando se limita exclusivamente aos genitais; *b*) quando está ligado à superação do nojo (voyeurs: espectadores das funções excretoras); *c*) quando, em vez de preparar, reprime a meta sexual normal. Esse último caso ocorre bastante entre os exibicionistas, que, se posso concluir a partir de várias análises,**

---

* As palavras entre travessões foram acrescentadas em 1915.

21 [Nota acrescentada em 1915:] Parece-me indubitável que o conceito do "belo" tem raízes no terreno da excitação sexual e tem o sentido original de "o que estimula sexualmente" ("os encantos") [*das sexuell Reizende* (*die Reize*); o termo alemão significa tanto "estímulo, sensação" como "encanto, fascínio"]. Isso tem relação com o fato de que nunca achamos realmente "belos" os genitais, cuja visão provoca a mais forte excitação sexual.

** Nas edições anteriores a 1924 se encontrava "uma só análise".

mostram os genitais para, em troca, ver os genitais do outro.[22]

Na perversão em que o indivíduo se empenha em olhar e ser olhado aparece uma característica muito curiosa, que nos ocupará mais intensamente na próxima aberração: a meta sexual está presente em configuração dupla, em forma *ativa* e *passiva*.

A força que se opõe ao prazer em olhar, e que eventualmente é suplantada por este, é o *pudor* (como vimos antes no caso do nojo [p. 44]).

SADISMO E MASOQUISMO A mais frequente e mais significativa de todas as perversões, a inclinação a infligir dor ao objeto sexual e sua contrapartida, recebeu de Krafft-Ebing os nomes de *sadismo* e *masoquismo*, para suas formas ativa e passiva respectivamente. Outros autores preferem uma designação mais restrita, *algolagnia*, que enfatiza o prazer com a dor, a crueldade, enquanto os nomes escolhidos por Krafft-Ebing ressaltam o prazer com toda espécie de humilhação e submissão.

No tocante à algolagnia ativa, o sadismo, é fácil apontar as raízes no que é normal. A sexualidade da maioria dos homens mostra um elemento de *agressivida-*

---

22 [Nota acrescentada em 1920:] À luz da análise, essa perversão — como a maioria das outras — revela uma surpreendente variedade de motivos e significados. A compulsão à exibição, por exemplo, depende estreitamente do complexo da castração; ela sempre enfatiza a integridade do próprio genital (masculino) e repete a satisfação infantil com a ausência de pênis nos genitais femininos.

de, de inclinação a subjugar, cuja significação biológica estaria na necessidade de superar a resistência do objeto sexual por algum outro meio além de fazendo-lhe *a corte*. O sadismo corresponderia, então, a um componente agressivo do instinto sexual que se tornou independente, exacerbado, e foi colocado na posição principal mediante deslocamento.*

Na linguagem corrente, o conceito de sadismo vai de uma atitude simplesmente ativa, depois violenta ante o objeto sexual, até o vínculo exclusivo da satisfação com a subjugação e o mau tratamento desse objeto. A rigor, somente esse caso extremo mereceria o nome de perversão.

De modo similar, a designação de masoquismo abrange todas as atitudes passivas ante o sexo e o objeto sexual, em que a mais extrema consiste em vincular a satisfação com o sofrimento de dor física ou psíquica por parte do objeto sexual. Como perversão, o masoquismo parece mais distante da meta sexual normal do que sua contrapartida; é lícito duvidar que ele surja primariamente, talvez apareça regularmente, isto sim, mediante uma transformação do sadismo.[23] Frequentemente é possível notar que o

---

* Nas edições de 1905 e 1910, o texto continuava com as duas frases seguintes: "Pelo menos uma das raízes do masoquismo pode ser inferida com a mesma certeza. Ela vem da superestimação sexual, como necessária consequência psíquica da escolha de um objeto sexual". A partir de 1915, as duas foram omitidas e os dois parágrafos seguintes foram acrescentados.

23 [Nota acrescentada em 1924:] Reflexões posteriores, baseadas em certas hipóteses sobre a estrutura do aparelho psíquico e as espécies de instintos nele operantes, modificaram bastante meu juízo acerca do masoquismo. Fui levado a reconhecer um maso-

I. AS ABERRAÇÕES SEXUAIS

masoquismo não é senão um prosseguimento do sadismo, voltado contra a própria pessoa, que toma inicialmente o lugar do objeto sexual. A análise clínica de casos extremos de perversão masoquista releva a conjunção de uma série de fatores que exacerbam e fixam a atitude sexual passiva original (complexo da castração, sentimento de culpa).

A dor que assim é superada se alinha ao nojo e ao pudor, que se opuseram à libido como resistências.*

Sadismo e masoquismo ocupam uma posição especial entre as perversões, já que a oposição entre atividade e passividade, na qual se baseiam, é uma das características gerais da vida sexual.

A história da cultura humana ensina, para além de qualquer dúvida, que crueldade e instinto sexual estão intimamente relacionados, mas na explicação desse nexo não se fez mais que enfatizar o elemento agressivo da libido. Conforme alguns autores, essa agressividade mesclada ao instinto sexual é um vestígio de apetites canibalescos, ou seja, uma contribuição do aparelho de apoderamento** que serve à satisfação da outra grande necessidade, on-

---

quismo *primário* — *erógeno* —, do qual se desenvolvem duas formas posteriores, o masoquismo *feminino* e o *moral*. O sadismo não utilizado na vida reverte contra a própria pessoa e faz nascer um sadismo *secundário*, que vem a juntar-se ao primário. [Cf. "O problema econômico do masoquismo", 1924.]

* Os dois parágrafos anteriores a esse, e também o seguinte, foram acrescentados em 1915.

** No original: *Bemächtigungsapparat*; nas versões consultadas: *aparato de aprehensión, aparato de apoderamiento, apparato di impossessamento, appareil d'emprise, apparatus for obtaining mastery.*

togeneticamente mais antiga.²⁴ Também se afirmou que toda dor, em si, já contém a possibilidade de uma sensação de prazer. Nós vamos nos contentar com a impressão de que essa perversão realmente não foi explicada de maneira satisfatória e de que nela, possivelmente, vários impulsos psíquicos se unem para produzir um só efeito.²⁵

A característica mais notável dessa perversão, porém, é o fato de suas formas ativa e passiva se encontrarem regularmente na mesma pessoa. Quem tem prazer em causar dor aos outros nas relações sexuais também é capaz de fruir, como um prazer, a dor que tais relações lhe proporcionarem. Um sádico sempre é, simultaneamente, um masoquista, embora o lado ativo ou o lado passivo da perversão esteja mais desenvolvido nele e constitua sua atividade sexual predominante.²⁶

Assim, vemos determinadas inclinações perversas aparecerem regularmente como *pares de opostos*, algo que, tendo em vista um material que apresentaremos

---

24 [Nota acrescentada em 1915:] Cf., a propósito, o que é dito mais adiante [segundo ensaio, parte 6] sobre as fases pré-genitais do desenvolvimento sexual, em que se confirma esse ponto de vista.
25 [Nota acrescentada em 1924:] A investigação mencionada por último [cf. nota 23] levou-me a atribuir ao par de opostos sadismo--masoquismo uma posição especial fundamentada na origem dos instintos, em que ele é retirado da série das demais "perversões".
26 Em vez de aduzir muitas provas para essa afirmação, limito-me a citar uma passagem de Havelock Ellis (1913 [*Studies in the Psychology of Sex*, v. 3, p. 119]): "A investigação de histórias de sadismo e masoquismo, mesmo aquelas fornecidas por Krafft-Ebing (como Colin, Scott e Féré já assinalaram), revela constantemente traços dos dois grupos de fenômenos no mesmo indivíduo".

adiante, pode reivindicar um grande significado teórico.[27] Está claro, além disso, que a existência do par de opostos sadismo-masoquismo não pode ser atribuída sem reservas ao elemento agressivo mesclado. Nós nos inclinaríamos antes a relacionar esses opostos simultaneamente presentes com a oposição masculino e feminino, reunida na bissexualidade*— que frequentemente deve ser substituída, na psicanálise, por aquela entre ativo e passivo.

3. OBSERVAÇÕES GERAIS SOBRE AS PERVERSÕES

VARIAÇÃO E DOENÇA Os médicos que estudaram as perversões primeiramente em casos acentuados e sob condições especiais tenderam, naturalmente, a conferir-lhes o caráter de sintomas de doença ou degeneração, exatamente como sucedeu com a inversão. Entretanto, é mais fácil rejeitar essa concepção no caso das perversões. A experiência diária mostra que essas extensões, em sua maioria — as menos sérias entre elas, de toda forma —, são um componente que raras vezes falta na vida sexual das pessoas sãs, e que estas as julgam como as outras intimidades. Quando as circunstâncias favo-

---

27 [Nota acrescentada em 1915:] Cf., adiante, a discussão da "ambivalência" [Segundo ensaio, parte 6].

* Nas edições de 1905 e 1910, o parágrafo terminava aqui. Na de 1915 foi acrescentado o seguinte trecho, substituído pelo atual em 1924: "cuja importância, na psicanálise, foi reduzida à oposição entre ativo e passivo".

recem, também o indivíduo normal, durante um bom tempo, pode substituir por uma perversão dessas a meta sexual normal, ou conceder-lhe um lugar ao lado desta. Em nenhum indivíduo são estaria ausente, em sua meta sexual normal, um ingrediente a ser denominado perverso, e já bastaria essa universalidade para demonstrar como é inadequado usar reprovativamente o nome "perversão". Justamente no âmbito da vida sexual deparamos com dificuldades especiais, insuperáveis atualmente, ao querer traçar uma nítida fronteira entre simples variações no interior da escala fisiológica e sintomas patológicos.

Entretanto, em algumas dessas perversões a qualidade da nova meta sexual é de molde a exigir uma avaliação especial. Certas perversões se distanciam tanto do normal, em seu conteúdo, que não podemos deixar de declará-las "patológicas", especialmente aquelas em que o instinto sexual realiza coisas assombrosas (lamber excrementos, abusar de cadáveres) na superação das resistências (nojo, vergonha, dor, horror). Contudo, mesmo nesses casos não se pode ter a expectativa segura de que os indivíduos que as fazem são, por via de regra, doentes mentais ou pessoas com graves anomalias de outra espécie. Também aí não escapamos do fato de que pessoas que se comportam normalmente em outras áreas podem, sob o domínio do mais ingovernável dos instintos, revelar-se doentes unicamente no âmbito da vida sexual. Por outro lado, uma anormalidade patente em outros aspectos da vida sempre costuma entremostrar um pano de fundo de comportamento sexual anormal.

I. AS ABERRAÇÕES SEXUAIS

Na maioria dos casos, o caráter patológico da perversão não se acha no conteúdo da nova meta sexual, mas em sua relação com o normal. Se a perversão não surge *ao lado* do que é normal (meta sexual e objeto), quando circunstâncias favoráveis a promovem e desfavoráveis impedem o normal; se, em vez disso, ela reprime e toma o lugar do normal em todas as circunstâncias — ou seja, havendo *exclusividade* e *fixação* por parte da perversão —, consideramos legítimo vê-la como um sintoma patológico.

A PARTICIPAÇÃO PSÍQUICA NAS PERVERSÕES Talvez justamente nas perversões mais abomináveis devamos reconhecer que é maior a participação psíquica na transformação do instinto sexual. Nelas foi realizado um quê de trabalho psíquico a que não se pode negar, não obstante o seu horrível resultado, o valor de uma idealização do instinto. A onipotência do amor talvez não se apresente jamais com tamanha força como em suas aberrações. Na sexualidade, o que é mais alto e o que é mais baixo sempre estão ligados da maneira mais íntima ("Do céu, através do mundo, ao inferno").*

DOIS RESULTADOS No estudo das perversões, descobrimos que o instinto sexual tem de lutar contra certas forças psíquicas que agem como resistências, entre as quais a vergonha e o nojo sobressaíram mais clara-

---

* No original: "*Vom Himmel durch die Welt zur Hölle*", Goethe, *Fausto*, "Prelúdio no teatro", v. 242.

mente. É lícito supor que tais forças contribuem para relegar o instinto para dentro dos limites considerados normais, e, quando se desenvolvem no indivíduo antes que o instinto sexual atinja sua plena força, são elas, provavelmente, que lhe apontam a direção do desenvolvimento.[28]

Também observamos que algumas das perversões investigadas se tornam inteligíveis apenas mediante a convergência de vários motivos. Quando admitem uma análise — uma decomposição*—, devem ser de natureza composta. Disso podemos tirar uma indicação de que talvez o instinto sexual não seja algo simples, mas sim composto de elementos que dele novamente se separam nas perversões. Desse modo, a clínica terá dirigido nossa atenção para *fusões* que não aparecem como tais no comportamento uniforme normal.[29]

---

28 [Nota acrescentada em 1915:] Por outro lado, essas forças que represam o desenvolvimento sexual — nojo, vergonha e moralidade — também devem ser vistas como precipitados históricos das inibições externas sofridas pelo instinto sexual na psicogênese da humanidade. Pode-se observar que elas aparecem a seu tempo no desenvolvimento do indivíduo, como que de forma espontânea, a um sinal da educação e de outras influências.

* No original, *Zersetzung*; as versões consultadas coincidem na utilização do mesmo termo, "decomposição", exceto a inglesa, que faz uma paráfrase: *"that is, if they can be taken to pieces"*.

29 [Nota acrescentada em 1920:] Antecipando algo que virá, observo, sobre a gênese das perversões, que temos razões para supor que teria havido um começo de desenvolvimento sexual normal antes da fixação delas, exatamente como no caso do fetichismo. A investigação psicanalítica pôde mostrar até agora, em alguns casos, que também a perversão é o resíduo de um de-

I. AS ABERRAÇÕES SEXUAIS

4. O INSTINTO SEXUAL NOS NEURÓTICOS

A PSICANÁLISE Uma contribuição importante ao conhecimento do instinto sexual, em pessoas que ao menos se acham próximas das normais, pode vir de uma fonte que alcançamos apenas por determinada via. Há somente um meio de conseguir, sobre a vida sexual dos assim chamados psiconeuróticos (os acometidos de histeria, neurose obsessiva, da erradamente denominada "neurasteia", certamente também de *dementia praecox*, paranoia),* informação sólida e que não induza a erros: submetendo-os à indagação psicanalítica, utilizada no procedimento terapêutico introduzido por Josef Breuer e por mim em 1893, então denominado "catártico".

Devo antes explicitar, como fiz em outras publicações, que essas psiconeuroses — até onde vai minha experiência — assentam em forças instintuais sexuais.** Não quero dizer, com isso, que a energia do instinto sexual faz uma contribuição para as forças que mantêm os fenômenos patológicos (os sintomas);

---

senvolvimento rumo ao complexo de Édipo, após a repressão do qual reaparece o componente constitucionalmente mais forte do instinto sexual.
* Nas edições anteriores a 1915, havia apenas "provavelmente também paranoia" no lugar das seis últimas palavras.
** No original: *sexuelle Triebkräfte*. Nas versões consultadas: *fuerzas instintivas de carácter sexual*, *fuerzas pulsionales de carácter sexual*, *forze pulsionali sessuali*, *forces pulsionelles sexuelles*, *sexual instinctual forces*. Registremos que o termo *Triebkräfte* também poderia ser traduzido pelo significado que tem na linguagem corrente, "forças motrizes" — daí a explicação no parágrafo seguinte do texto.

quero afirmar expressamente, isto sim, que esse aporte é o único constante e a mais importante fonte de energia da neurose, de maneira que a vida sexual das pessoas em questão se manifesta ou exclusivamente, ou predominantemente ou apenas em parte nesses sintomas. Como disse em outro lugar,* os sintomas são a atividade sexual dos doentes. A prova para essa afirmação me é dada pelo número crescente de psicanálises de pessoas histéricas e outros neuróticos que venho conduzindo há 25 anos,** de cujos resultados informei detalhadamente em outros locais e continuarei informando.[30]

A psicanálise elimina os sintomas dos histéricos com base na premissa de que são o substituto — como que a transcrição — de uma série de processos psíquicos, tendências*** e desejos investidos de afetos, que um processo psíquico especial (a *repressão*) privou do acesso à

Análise fragmentária de uma histeria, 1905, "Posfácio", p. 307 deste volume.

** Na edição de 1905 constava "há dez anos"; o número foi atualizado a cada nova edição, até 1920.

30 [Nota acrescentada em 1920:] Significa apenas completar, e não atenuar essa afirmação, se a reformulo da seguinte maneira: Os sintomas neuróticos assentam, por um lado, nas reivindicações dos instintos libidinais, e, por outro lado, nas objeções do Eu, na reação àqueles.

*** No original: *Strebungen*; nas versões consultadas: *tendencias, aspiraciones, aspirazioni, tendances, desires*. Duas outras complicações, ao traduzir esse trecho, são o fato de que o adjetivo "psíquicos" vem anteposto aos substantivos "processos, tendências e desejos", como todo adjetivo em alemão (e inglês, como se sabe), e pode, assim, estar qualificando os três, não apenas o primeiro, e

I. AS ABERRAÇÕES SEXUAIS

resolução* mediante a atividade psíquica capaz de consciência. Portanto, essas formações mentais, retidas no estado de inconsciência, buscam uma expressão adequada a seu valor afetivo, uma *descarga*, e a encontram, na histeria, mediante o processo da *conversão*, em fenômenos somáticos — os sintomas histéricos. Com o auxílio de uma técnica especial, seguindo determinadas regras, os sintomas são transformados de volta em ideias investidas de afetos, tornadas conscientes, e podemos obter conhecimentos precisos sobre a natureza e a origem dessas formações psíquicas anteriormente inconscientes.

RESULTADOS DA PSICANÁLISE Dessa maneira se verificou que os sintomas representam um substituto para impulsos** que extraem sua força da fonte do instinto sexual. Harmoniza-se inteiramente com isso o que sabemos sobre a natureza dos histéricos — aqui tomados como modelos de todos os psiconeuróticos — antes do adoecimento, e sobre as ocasiões para o adoecimento. O caráter histérico denota um quê de *repressão sexual* que vai além da medida normal, uma intensificação das

---

de que o termo original desse primeiro, *Vorgänge*, pode significar também "eventos, acontecimentos". Em seguida, na mesma frase, a palavra também vertida por "processo" é seu equivalente, *Prozeβ*, que a língua alemã tomou do latim.
* No original, *Erledigung*, do verbo *erledigen*, que significa "aprontar, despachar, liquidar, resolver, pôr em ordem, executar etc."; compreensivelmente, as versões consultadas variam nesse ponto: *exutorio, tramitación, eliminazione, réalisation, discharge*.
**Strebungen*; algumas das versões consultadas também variaram na tradução: *tendencias, aspiraciones, impulsi, tendances, impulses*.

resistências ao instinto sexual que conhecemos como vergonha, nojo e moral, uma fuga como que instintiva [*instinktiv*] ante a consideração intelectual do problema sexual, que em casos acentuados tem a consequência de se manter uma completa ignorância sexual até depois de atingida a maturidade sexual.[31]

Não é raro, para a observação tosca, que esse traço essencial da histeria seja ocultado pelo segundo fator constitucional nela presente, pelo forte desenvolvimento do instinto sexual; mas a análise psicológica pode sempre revelá-lo e solucionar o contraditório enigma da histeria, assinalando o par de opostos constituído por enorme necessidade sexual e exacerbada rejeição da sexualidade.

Para o indivíduo predisposto à histeria, o motivo facilitador da doença ocorre quando, devido a seu próprio amadurecimento ou a circunstâncias da vida, ele é confrontado seriamente com as exigências reais da sexualidade. Entre a pressão do instinto e o antagonismo da rejeição da sexualidade produz-se o expediente da enfermidade, que não resolve o conflito, e sim procura escapar dele mediante a transformação dos impulsos libidinais em sintomas. É uma exceção aparente o fato de uma pessoa histérica, um homem, digamos, adoecer como resultado de uma emoção banal, de um conflito em cujo centro não se encontra o interesse sexual. A psicanálise pode regularmente demonstrar que é o com-

---

31 *Estudos sobre a histeria*, 1895. Breuer diz, da paciente com a qual usou pela primeira vez o método catártico [Anna O.]: "O elemento sexual era espantosamente pouco desenvolvido".

ponente sexual do conflito que possibilitou a doença, ao privar da resolução normal os processos psíquicos.

NEUROSE E PERVERSÃO Boa parte das críticas a essas minhas teses se explica, provavelmente, pelo fato de a sexualidade, à qual relaciono os sintomas psiconeuróticos, ser identificada com o instinto sexual normal. Mas a psicanálise vai além. Ela mostra que os sintomas não nascem apenas à custa do assim chamado instinto sexual *normal* (ao menos não exclusivamente ou predominantemente), que representam, isto sim, a expressão convertida de instintos que poderíamos denominar *perversos* (no sentido mais amplo), se pudessem manifestar-se diretamente em fantasias e atos, sem serem desviados da consciência. Assim, os sintomas se formam, em parte, à custa da sexualidade *anormal*; *a neurose é, digamos, o negativo da perversão*.[32]

O instinto sexual dos psiconeuróticos mostra todas as aberrações que temos estudado como variações da vida sexual normal e como manifestações da vida sexual patológica.

a) Em todos os neuróticos — sem exceção — encontram-se, na vida psíquica inconsciente, impulsos de inversão, de fixação da libido em pessoas do mesmo sexo. Sem uma discussão aprofundada não se pode

---

32 As fantasias bem conscientes dos perversos — que em circunstâncias favoráveis são transformadas em ações —, os temores delirantes dos paranoicos, projetados hostilmente em outras pessoas, e as fantasias inconscientes dos histéricos, que a psicanálise revela por trás dos seus sintomas, coincidem até em detalhes no seu conteúdo.

apreciar adequadamente a importância desse fator na configuração do quadro clínico; posso apenas assegurar que a tendência inconsciente à inversão jamais está ausente, e sobretudo no esclarecimento da histeria masculina é de grande serventia.[33]

b) Nos psiconeuróticos podem ser detectadas, como fatores formadores de sintomas, todas as tendências à extensão anatômica, entre elas, com particular frequência e intensidade, as que solicitam para as mucosas bucal e anal o papel de genitais.

c) Um papel destacado entre os formadores de sintomas das psiconeuroses têm os instintos parciais,* que geralmente aparecem como pares de opostos e de que tomamos conhecimento como portadores de novas metas sexuais: o instinto do prazer de olhar e da exibição e o instinto ativo e passivo da crueldade. A contribuição desse último é indispensável para compreender a natureza de sofrimento dos sintomas, e quase sempre domina

---

33 A psiconeurose também se acompanha frequentemente da inversão manifesta; nesse caso, a corrente heterossexual sucumbiu à plena repressão [*Unterdrückung*].

É apenas justo reconhecer que tive a atenção despertada para a universalidade do pendor à inversão entre os psiconeuróticos por comunicações pessoais de Wilhelm Fliess, de Berlim, depois que a descobri em casos isolados.

[Acrescentado em 1920:] Esse fato, ainda não suficientemente apreciado, deve influir de forma decisiva em todas as teorias da homossexualidade.

* Como assinala James Strachey, essa é a primeira ocorrência do termo *Partiatriebe* (que traduzimos por "instintos parciais") na obra de Freud; o *conceito* já apareceu algumas páginas atrás, na rubrica "Resultados da psicanálise".

I. AS ABERRAÇÕES SEXUAIS

um quê da conduta social dos doentes. É também mediante essa ligação entre libido e crueldade que sucede a transformação de amor em ódio, de impulsos afetuosos em hostis, característica de toda uma série de casos neuróticos e até mesmo da paranoia, ao que parece.

O interesse desses resultados é ainda aumentado por algumas particularidades da questão.*

α) Quando é encontrado no inconsciente um instinto suscetível de fazer par com um oposto, verifica-se normalmente que também esse último é atuante. Assim, cada perversão "ativa" é acompanhada de sua contraparte passiva; quem é exibicionista no inconsciente é também voyeur ao mesmo tempo; quem sofre das consequências da repressão de impulsos sádicos tem, na inclinação masoquista, outra fonte que lhe aumenta os sintomas. É certamente digna de nota a concordância total com o comportamento das perversões "positivas" correspondentes. No quadro clínico, porém, uma ou outra das inclinações opostas tem o papel dominante.

β) Num caso mais acentuado de psiconeurose, apenas raramente encontramos um único desses instintos perversos desenvolvido, em geral encontramos um número considerável deles e, em regra, traços de todos; a intensidade de um instinto não depende do desenvolvi-

---

* Nas edições anteriores a 1920, era descrita primeiramente uma "particularidade" que passou a ser omitida. Era a seguinte: "Entre os cursos de pensamentos inconscientes das neuroses, nada se encontra que possa corresponder a uma inclinação para o fetichismo; uma circunstância que lança luz sobre a peculiaridade psicológica dessa bem compreendida perversão".

mento dos outros, porém. Também nisso o estudo das perversões "positivas" nos oferece a contrapartida exata.

5. INSTINTOS PARCIAIS E ZONAS ERÓGENAS

Reunindo o que aprendemos na investigação das perversões positivas e negativas, é natural relacioná-los a uma série de "instintos parciais", que, porém, não são algo primário, ainda admitem dissecção.* Por "instinto" [*Trieb*] não podemos entender, primeiramente, outra coisa senão o representante psíquico de uma fonte endossomática de estímulos que não para de fluir, à diferença do "estímulo", que é produzido por excitações isoladas

---

* No original, *Zerlegung*, o mesmo termo usado no título da 31ª das *Novas conferências introdutórias à psicanálise* (1933), "A dissecção da personalidade psíquica". Vê-se que Freud o utiliza como sinônimo de *Zersetzung*, que apareceu anteriormente (ver nota à p. 58) e que traduzimos por "decomposição". O uso desse último termo no título daquela conferência introduziria uma ambiguidade que não se encontra no original, pois "decomposição" pode remeter tanto à voz passiva como à reflexiva do verbo (a personalidade "ser decomposta" ou "decompor-se"). As versões estrangeiras consultadas empregam, para traduzir *Zerlegung* aqui: *análisis, descomposición, scomposizione, peuvent être décomposées, are susceptible to further analysis*.

O restante desse parágrafo foi redigido em 1915, quando Freud publicou o ensaio "Os instintos e seus destinos", no qual desenvolve esse tema. Antes, nas edições de 1905 e 1910, o parágrafo continuava assim: "Ao lado de um 'instinto' não sexual em si, oriundo de fontes de impulso motoras, podemos diferenciar neles [nos instintos parciais] uma contribuição de um órgão que recebe estímulos (pele, mucosa, órgão dos sentidos). Esse deve ser aqui designado como *zona erógena*, como o órgão cuja excitação dá ao instinto o caráter sexual".

I. AS ABERRAÇÕES SEXUAIS

oriundas de fora. Assim, "instinto" é um dos conceitos na demarcação entre o psíquico e o físico. A mais simples e imediata suposição sobre a natureza dos instintos seria que eles não possuem qualidade nenhuma em si, devendo ser considerados apenas como medida da exigência de trabalho feita à psique. O que diferencia os instintos uns dos outros e os dota de atributos específicos é a relação com suas *fontes* somáticas e suas *metas*. A fonte do instinto é um processo excitatório num órgão, e sua meta imediata consiste na remoção desse estímulo no órgão.[34]

Outra suposição provisória da teoria dos instintos, que não podemos deixar de fazer, diz que os órgãos do corpo fornecem dois tipos de excitações, fundamentados em diferenças de natureza química. Designamos um desses tipos de excitação como aquela especificamente sexual, e o órgão atinente, como a "*zona erógena*" do instinto parcial sexual que dele procede.[35]

Nas perversões que conferem significação sexual ao interior da boca e ao orifício anal, o papel da zona erógena é evidente. Ela se comporta, em todo sentido, como uma porção do aparelho sexual. Na histeria, esses locais do corpo e as mucosas que deles partem se tornam, de maneira

---

34 [Nota acrescentada em 1924:] A teoria dos instintos é a parte mais significativa, mas também a mais incompleta, da teoria psicanalítica. Em trabalhos posteriores (*Além do princípio do prazer*, 1920, *O eu e o id*, 1923), fiz mais contribuições à teoria dos instintos.

35 [Nota acrescentada em 1915:] Não é fácil justificar aqui essas suposições, extraídas do estudo de certa classe de enfermidades neuróticas. Por outro lado, é impossível dizer algo convincente sobre os instintos sem recorrer a esses pressupostos.

bem semelhante, a sede de novas sensações e mudanças de inervação — de processos que podem ser comparados à ereção —,* tal como os genitais propriamente ditos, sob o efeito das excitações dos processos sexuais normais.

Entre as psiconeuroses, a significação das zonas erógenas como aparelhos subordinados e sucedâneos dos genitais aparece mais claramente na histeria, mas não se pretende afirmar, com isso, que ela seja menor nas outras doenças. É apenas mais irreconhecível, pois nestas (neurose obsessiva, paranoia) a formação de sintomas acontece em regiões do aparelho psíquico mais distantes dos centros que governam o corpo. Na neurose obsessiva é mais patente a significação dos impulsos que criam novas metas sexuais e parecem independentes das zonas erógenas. Entretanto, no prazer em olhar e no exibicionismo o olho corresponde a uma zona erógena; no componente de dor e crueldade do instinto sexual é a pele que assume esse papel, a pele, que em certos locais do corpo se diferenciou em órgãos dos sentidos ou se transformou em mucosa, ou seja, a zona erógena κατ' ἐξοήν [por excelência].[36]

---

* As palavras entre os travessões foram acrescentadas em 1920.
36 Aqui devemos lembrar a colocação de Moll, que decompõe o instinto sexual em instinto de "contretação" e de "detumescência". Contretação significa necessidade de contato com a pele. [Albert Moll, em *Untersuchungen über die Libido sexualis*, v.1, Berlim, 1898, descreve o primeiro como impulso de entrar em contato com outra pessoa (o termo vem do latim *contrectatio*, "contato, toque"), e o segundo, como impulso de aliviar espasmodicamente a tensão dos órgãos sexuais (do latim *detumesco*, "desinchar"). Nas edições de 1905 e 1910, esta nota prosseguia com esta frase, depois omitida: "Strohmayer inferiu corretamente, de um caso por ele obser-

6. EXPLICAÇÃO DA APARENTE PREDOMINÂNCIA DA SEXUALIDADE PERVERSA NAS PSICONEUROSES

Com a discussão precedente, a sexualidade dos psiconeuróticos talvez tenha sido posta sob uma luz falsa. Pode parecer que, devido à sua constituição, os psiconeuróticos se aproximam bastante dos perversos no comportamento sexual, afastando-se dos normais na mesma proporção. É bem possível que a predisposição constitucional desses doentes inclua, além de um grau excessivo de repressão sexual e uma grande intensidade do instinto sexual, uma inusual tendência à perversão no sentido mais amplo, mas a investigação de casos mais leves mostra que essa última suposição não é indispensável, ou que, ao menos na apreciação dos efeitos patológicos, é preciso descontar a influência de um fator. Na maioria dos psiconeuróticos a enfermidade surge apenas depois da puberdade, sob as exigências da vida sexual normal. É principalmente contra essa que se dirige a repressão. Ou as enfermidades sobrevêm depois, quando é frustrada a satisfação da libido por via normal. Nos dois casos a libido procede como uma corrente que tem o leito principal obstruído; ela preenche as vias colaterais, que talvez tenham ficado vazias até então. Assim também, a tendência à perversão dos psiconeuróticos, aparentemente tão grande (embora nega-

---

vado, que as autorrepreensões obsessivas têm origem em impulsos sádicos reprimidos".]

tiva), pode ser determinada colateralmente — tem de ser elevada colateralmente, de toda forma. O fato é que devemos juntar a repressão sexual, como fator interno, àqueles externos como restrição da liberdade, inacessibilidade do objeto sexual normal, perigos do ato sexual normal etc., que geram perversões em indivíduos que, não fosse isso, talvez permanecessem normais.

Diferentes casos de neurose podem se comportar diversamente nesse aspecto: em determinado caso, o fator mais decisivo pode ser a força inata da tendência à perversão; em outro, o aumento colateral dela, afastando-se a libido da meta sexual normal e do objeto sexual normal. Seria errado construir um antagonismo onde há uma relação de cooperação. A neurose sempre produz os maiores efeitos quando a constituição e as vivências atuam conjuntamente na mesma direção. Uma constituição acentuada talvez dispense o suporte das experiências de vida, um abalo profundo na vida talvez produza a neurose mesmo numa constituição mediana. Essas considerações valem igualmente para a importância etiológica do elemento inato e da vivência casual em outros campos.

Dando-se preferência à hipótese de que uma tendência às perversões particularmente desenvolvida é uma das características da constituição psicologia neurótica, abre-se a perspectiva de podermos diferenciar múltiplas constituições assim, conforme a preponderância inata dessa ou daquela zona erógena, desse ou daquele instinto parcial. Quanto a saber se a disposição perversa guarda relação especial com a escolha da forma de doença, isso — como tantas outras coisas nesse campo — ainda não foi investigado.

7. INDICAÇÃO DO INFANTILISMO DA SEXUALIDADE

Ao demonstrar que os impulsos perversos são formadores de sintomas nas psiconeuroses, aumentamos extraordinariamente o número de pessoas que podem ser incluídas entre os perversos. Deve-se levar em conta não apenas que os neuróticos em si representam uma categoria humana numerosa, mas também que as neuroses, em todas as suas manifestações, formam séries contínuas que se atenuam até chegar à saúde; Moebius pôde afirmar, com bons motivos, que somos todos um pouco histéricos. Assim, a extraordinária difusão das perversões nos obriga a supor que também a predisposição às perversões não é uma peculiaridade rara, e sim parte da constituição julgada normal.

É alvo de controvérsia, como vimos, que as perversões estejam relacionadas a condições inatas ou que surjam de vivências casuais — como Binet afirmou ser o caso do fetichismo. A conclusão que agora se apresenta para nós é que, de fato, há algo congênito na base das perversões, mas algo *que todos os seres humanos têm em comum*, que, como predisposição, pode oscilar na intensidade e ser enfatizado pelas influências da vida. Trata-se de raízes inatas, constitucionais, do instinto sexual, que numa série de casos se desenvolvem até se tornarem os autênticos veículos da atividade sexual (perversões), e outras vezes sofrem uma supressão (repressão)* insuficiente, de modo a poder atrair para si, por via indireta, como sintomas de doença, uma parte considerável da energia sexual, enquanto nos casos mais favoráveis, entre os dois extremos, podem dar origem, por meio de uma restrição eficaz e de outras formas de elaboração, à assim chamada vida sexual normal.

Mas também diremos que essa constituição suposta, que apresenta os germens de todas as perversões, poderá ser evidenciada apenas nas crianças, embora nelas os instintos todos apareçam apenas em intensidades modestas. Vislumbramos assim a fórmula de que os neuróticos mantêm o estado infantil de sua sexualidade ou são remetidos de volta a ele, e desse modo o nosso interesse se voltará para a vida sexual das crianças, e acompanharemos o jogo das influências que governam a evolução da sexualidade infantil até o seu desenlace em perversões, neurose ou vida sexual normal.

---

* No original, *Unterdrückung* (*Verdrängung*); os dois termos são, aqui, explicitamente usados como sinônimos; cf. as notas sobre *Unterdrückung* e sua versão, no v. 12 destas *Obras completas*, pp. 83 e 223.

II. A SEXUALIDADE INFANTIL

NEGLIGÊNCIA DO FATOR INFANTIL Na concepção popular do instinto sexual, ele está ausente na infância e desperta somente no período da vida que designamos como puberdade. Isso não é um erro qualquer, mas de grandes consequências, pois principalmente a ele devemos nosso atual desconhecimento das condições fundamentais da vida sexual. Um estudo aprofundado das manifestações sexuais infantis provavelmente revelaria os traços essenciais do instinto sexual, mostraria seu desenvolvimento e nos faria ver sua composição a partir de várias fontes.

É digno de nota que os autores que se ocuparam da explicação das características e reações do indivíduo adulto tenham dado bem mais atenção à pré-história abarcada pelas vidas dos antepassados, ou seja, tenham atribuído bem maior influência à hereditariedade do que àquela outra pré-história que se situa já na existência individual da pessoa, a infância. Seria de acreditar que a influência desse período da vida é mais facilmente compreensível e deve ser considerada antes da hereditariedade.[37] É certo que encontramos, na literatura sobre o tema, notícias ocasionais sobre atividade sexual precoce em crianças pequenas, sobre ereções, masturbação e até mesmo condutas análogas ao coito, mas sempre são apresentadas como eventos

---

37 [Nota acrescentada em 1915:] E também não é possível discernir de maneira exata a parte correspondente à hereditariedade sem antes avaliar aquela atinente à infância.

excepcionais, curiosidades ou exemplos assustadores de depravação precipitada. Ao que eu saiba, nenhum autor percebeu claramente a regularidade de um instinto sexual na infância, e nos trabalhos — agora numerosos — sobre o desenvolvimento da criança é geralmente omitido o capítulo "Desenvolvimento sexual".[38]

38 Posteriormente, essa afirmação me pareceu tão ousada que me propus verificá-la, reexaminando a literatura sobre o tema. O resultado desse novo exame foi deixá-la como está. A elaboração científica dos fenômenos físicos e também psíquicos da sexualidade infantil está em seus primórdios. Um autor, J. S. Bell ("A preliminary study of the emotion of love between the sexes", *American Journal of Psychology*, v. XIII, 1902), diz: "*I know of no scientist who has given a careful analysis of the emotion as it is seen in the adolescent* [Não sei de nenhum cientista que tenha feito uma análise cuidadosa da emoção, tal como a vemos no adolescente]". Manifestações sexuais somáticas da época anterior à puberdade atraíram atenção apenas quando ligadas a fenômenos degenerativos ou como sinal de degeneração. Falta um capítulo sobre a vida amorosa das crianças em todos os estudos sobre psicologia da infância que li: nas conhecidas obras de Preyer [*Die Seele des Kindes*, "A alma da criança", 1882], Baldwin (*Mental Development in the child and the race*, 1895), Pérez (*L'enfant de 3 à 7 ans*, 1886), Strümpell (*Die pädagogische Pathologie*, 1899), Karl Groos (*Das Seelenleben des Kindes* [A vida psíquica da criança], 1904), Th. Heller (*Grundriβ der Heilpädagogik* [Elementos de pedagogia terapêutica], 1904), Sully (*Studies of childhood*, 1896) e outros. A melhor ideia sobre o atual estado de coisas nesse campo se obtém na revista *Die Kinderfehler* [As deficiências da criança] (publicada desde 1896). Entretanto, chega-se à convicção de que a existência do amor na idade infantil não precisa mais ser descoberta. Pérez (1886) a defende; K. Groos ([*Die Spiele der Menschen*, "Os jogos dos seres humanos"], 1899) menciona, como algo de conhecimento geral, que "várias crianças são suscetíveis a impulsos sexuais já bastante cedo e sentem uma forte inclinação a tocar as do outro sexo" (p. 326); o caso mais

II. A SEXUALIDADE INFANTIL

AMNÉSIA INFANTIL   Creio que a razão para essa curiosa negligência deve ser buscada, em parte, nos escrúpulos convencionais, que os autores observam devido a sua própria educação, e, em parte, num fenômeno psíquico que até agora subtraiu-se ele mesmo à explicação. Refiro-me à peculiar *amnésia* que esconde à maioria das pessoas (não a todas!) os primeiros anos da infância, até os seis ou oito anos de idade. Não nos ocorreu, até o momento, assombrarmo-nos com essa amnésia, mas teríamos boas razões para isso. Ouvimos dizer que

---

precoce de aparecimento de impulsos amorosos sexuais (*sex-love*) na série de observações de Bell (1902) era uma criança de três anos e meio. Veja-se também, quanto a isso, Havelock Ellis, *Das Geschlechtsgefühl* [*Studies in the psychology of sex*], trad. Kurella, 1903, Apêndice B.

[Acrescentado em 1910:] O juízo precedente, sobre a literatura relativa à sexualidade infantil, não pode mais ser mantido após a publicação da vasta obra de Stanley Hall (*Adolescence: Its psychology and its relations to physiology, anthropology, sociology, sex, crime, religion and education*, 2 v., 1904). Já o livro recente de A. Moll (*Das Sexualleben des Kindes* [A vida sexual da criança], 1909) não oferece motivo para uma modificação desse juízo. Veja-se, por outro lado, Bleuler, "Sexuelle Abnormitäten der Kinder" [Anormalidades sexuais das crianças], *Jahrbuch der schweizerischen Gesellschaft für Schulgesundheitspflege*, v. 9, 1908.

[Acrescentado em 1915:] Desde então há um livro da dra. H. v. Hug-Hellmuth, *Aus dem Seelenleben des Kindes* [Extraído da vida psíquica da criança], 1913, que leva inteiramente em conta o negligenciado fator sexual. [A afirmação de que nenhum outro autor havia dado a importância devida à sexualidade infantil não se sustenta, como foi demonstrado pelo historiador Frank J. Sulloway em *Freud: biologist of the mind*. Cambridge, Mass.: Harvard University Press, 1992 [1979], pp. 277-319, 468-76.]

durante esses anos — dos quais nada conservamos na memória, exceto alguns fragmentos ininteligíveis de lembranças — reagimos vivazmente às impressões, soubemos expressar dor e alegria de forma bem humana, demonstramos amor, ciúme e outras paixões que então nos agitavam fortemente, e, inclusive, falamos coisas que os adultos registraram como provas de inteligência e de incipiente capacidade de julgar. Por que nossa memória fica tão atrás, em relação a nossas outras atividades psíquicas? Afinal, temos razões para crer que em nenhum outro período da vida ela é tão capaz de absorver e reproduzir coisas como justamente na época da infância.[39]

Por outro lado, temos de supor, ou podemos nos convencer pela investigação psicológica em outras pessoas, que as mesmas impressões que esquecemos deixaram, todavia, os mais profundos traços em nossa vida psíquica, e se tornaram determinantes para todo o nosso desenvolvimento posterior. Não pode se tratar, então, de um verdadeiro desaparecimento das impressões da infância, mas sim de uma amnésia semelhante à que observamos nos neuróticos em relação a vivências posteriores, cuja essência consiste num mero afastamento da consciência (repressão). Mas que forças produzem essa repressão das impressões infantis? Quem resolver esse enigma terá, provavelmente, esclarecido também a amnésia histérica.

---

39 No ensaio "Sobre lembranças encobridoras" (1899) busquei solucionar um dos problemas ligados às primeiras recordações de infância. [Acrescentado em 1924:] Cf. *Psicopatologia da vida cotidiana* (1901), cap. IV.

II. A SEXUALIDADE INFANTIL

De todo modo, não deixaremos de sublinhar que a existência da amnésia infantil fornece um novo ponto de comparação entre o estado psíquico da criança e o do psiconeurótico. Outro ponto já vimos anteriormente, quando chegamos à fórmula de que a sexualidade dos psiconeuróticos manteve a situação infantil ou foi conduzida de volta a ela. E se, por fim, a amnésia infantil mesma for relacionada aos impulsos sexuais da infância?

É mais do que algo simplesmente engenhoso ligar a amnésia infantil com a histérica. A amnésia histérica, que está a serviço da repressão, pode ser explicada somente pelo fato de o indivíduo já possuir um acervo de traços mnemônicos que estão subtraídos à disponibilidade consciente e que agora, por um vínculo associativo, apoderam-se daquilo sobre o qual atuam, a partir da consciência, as forças repulsoras da repressão.[40] Sem amnésia infantil, pode-se dizer, não haveria amnésia histérica.

Acho que a amnésia infantil, que torna a infância do indivíduo uma espécie de tempo *pré-histórico*, escondendo-lhe os primórdios de sua vida sexual, é responsável pelo fato de geralmente não se dar valor ao período da infância no desenvolvimento da vida sexual. Um único observador não pode preencher a lacuna que assim se criou em nosso conhecimento. Já em 1896 enfatizei o significado dos anos da infância para o surgimento de

---

40 [Nota acrescentada em 1915:] Não se pode entender o mecanismo da repressão considerando apenas um desses dois processos que atuam conjuntamente. A título de comparação, lembremos a forma como um turista é levado ao cume da grande pirâmide de Gizé: ele é empurrado de um lado e puxado do outro.

fenômenos importantes ligados à vida sexual, e desde então não cessei de colocar em primeiro plano o fator infantil na sexualidade.

[1]* O PERÍODO DE LATÊNCIA SEXUAL DA INFÂNCIA E SUAS INTERRUPÇÕES

Os relatos bastante frequentes de impulsos sexuais supostamente irregulares e excepcionais na infância, assim como o descobrimento das lembranças infantis até então inconscientes dos neuróticos, permitem esboçar o seguinte quadro do comportamento sexual nessa época:[41]

Parece fora de dúvida que o recém-nascido traz consigo germens de impulsos sexuais, que continuam a se desenvolver por algum tempo, mas depois sucumbem a uma progressiva supressão, que pode ser ela mesma interrompida por verdadeiros acessos de desenvolvimento sexual e também detida por peculiaridades individuais. Nada de certo é sabido sobre a regularidade e a periodicidade desse curso de desenvolvimento oscilante. Parece, no entanto,

---

* No original, somente o primeiro dos três ensaios tem as subdivisões numeradas; por isso a numeração foi acrescentada na presente edição, o que é indicado pelo uso de colchetes.
41 Esta última fonte de material pode ser usada em virtude da justificada expectativa de que os anos de infância dos futuros neuróticos não devem diferir essencialmente, nesse ponto, daqueles dos futuros indivíduos sadios — exceto no tocante à intensidade e nitidez. [As palavras após o travessão foram acrescentadas em 1915.]

II. A SEXUALIDADE INFANTIL

que geralmente a vida sexual das crianças se manifesta de forma observável por volta dos três ou quatro anos.[42]

42 Uma possível analogia anatômica ao comportamento da função sexual infantil que sustento estaria na descoberta de Bayer (*Deutsches Archiv für klinische Medizin*, v. 75, 1902), segundo a qual os órgãos sexuais internos (útero) das recém-nascidas são, por via de regra, maiores que os de crianças mais velhas. Contudo, não se sabe exatamente como apreender essa involução pós-natal, que foi constatada por Halban também em outras partes do aparelho genital. Segundo Halban (*Zeitschrift für Geburtshilfe und Gynäcologie*, v. 53, 1904), tal processo regressivo terminou após umas poucas semanas de vida extrauterina. [Acrescentado em 1920:] Investigações anatômicas levaram os autores que veem a porção intersticial da glândula sexual como o órgão que determina o sexo a falar, por sua vez, em sexualidade infantil e período de latência sexual. Citarei do livro de Lipschütz sobre a glândula da puberdade, já mencionado [p. 37]: "Estará bem mais de acordo com os fatos afirmar que a maturação dos caracteres sexuais, tal como se realiza na puberdade, baseia-se apenas numa forte aceleração, nesse período, de processos que tiveram início bem antes — em nossa concepção, já na vida embrionária" (op. cit., p. 168). "*O que até agora se designou como puberdade é, provavelmente, apenas uma segunda grande fase da puberdade, que sobrevém pela metade da segunda década* [...]. A época da infância, contada do nascimento até o início da segunda grande fase, poderíamos designar como a '*fase intermediária da puberdade*'" (ibid., p. 170). Essa conformidade entre as constatações anatômicas e a observação psicológica, sublinhada numa resenha de Ferenczi (*Internationale Zeitschrift für Psychoanalyse*, v. 6, 1920), é prejudicada pela afirmação de que o "*primeiro pico*" do desenvolvimento do órgão sexual acontece no remoto período embrionário, enquanto o florescimento infantil da vida sexual deve se situar aos três ou quatro anos de idade. Naturalmente, não é indispensável a simultaneidade completa da formação anatômica e do desenvolvimento psíquico. As pesquisas em questão foram feitas na glândula sexual do ser humano. Como os animais não têm um período de latência no sentido psicológico, seria importante saber se as constatações

AS INIBIÇÕES SEXUAIS Durante esse período de latência total ou parcial são formados os poderes psíquicos que depois se colocarão como entraves no caminho do instinto sexual e, ao modo de represas, estreitarão seu curso (o nojo, o sentimento de vergonha, os ideais estéticos e morais). Com as crianças civilizadas temos a impressão de que é obra da educação construir tais represas, e certamente a educação faz muito nesse sentido. Na realidade, porém, esse desenvolvimento é organicamente condicionado, fixado hereditariamente, e pode se produzir, às vezes, sem qualquer auxílio da educação. Esta permanece inteiramente no domínio que lhe foi assinalado, quando se limita a seguir o que foi organicamente traçado, dando-lhe uma marca um tanto mais limpa e mais profunda.

FORMAÇÃO REATIVA E SUBLIMAÇÃO Com que meios são realizadas essas construções, tão significativas para a cultura e a normalidade posteriores do indivíduo? Provavelmente à custa dos impulsos sexuais infantis mesmos, que não cessaram nesse período de latência, mas cuja energia — integralmente ou na maior parte — é desviada do emprego sexual e dirigida para outros fins. Os historiadores da civilização parecem concordes em supor que, desviando-se as forças instintuais sexuais das metas sexuais para novas metas — um processo que merece o nome de *sublimação* — adquirem-se fortes

---

anatômicas que levaram os autores a supor a ocorrência de dois picos no desenvolvimento sexual podem ser verificadas em outros animais superiores também.

II. A SEXUALIDADE INFANTIL

componentes para todas as realizações culturais. Acrescentaríamos que o mesmo processo ocorre no desenvolvimento do indivíduo, e situaríamos o seu começo no período de latência sexual da infância.[43]

Também acerca do processo de tal sublimação podemos arriscar uma conjectura. Os impulsos sexuais desses anos de infância seriam, por um lado, inutilizáveis, já que as funções reprodutivas estão adiadas (o que constitui a principal característica do período de latência); por outro lado, seriam perversos em si, partindo de zonas erógenas e sendo carregados por instintos que, dada a orientação do desenvolvimento individual, só poderiam provocar sensações desprazerosas. Despertam, por isso, forças psíquicas contrárias (impulsos reativos), que, para a supressão eficaz desse desprazer, edificam as represas psíquicas mencionadas: nojo, vergonha e moral.[44]

INTERRUPÇÕES DO PERÍODO DE LATÊNCIA Sem nos iludir quanto à natureza hipotética e insuficiente clareza de nossa compreensão dos processos do período infantil de latência ou adiamento, vamos retornar à realidade efe-

---

43 A expressão "período de latência sexual" tomo igualmente de W. Fliess.
44 [Nota acrescentada em 1915:] No caso aqui abordado, a sublimação das forças instintuais sexuais ocorre pela via da formação reativa. De modo geral, porém, é lícito distinguir conceitualmente a sublimação da formação reativa, como dois processos diferentes. Pode haver sublimações por outros mecanismos mais simples. [Como indica Strachey, há discussões teóricas da sublimação em "Introdução ao narcisismo" (1914, parte III) e *O Eu e o Id* (1923, capítulos III, IV e V).]

tiva, assinalando que tal emprego da sexualidade infantil representa um ideal de educação que muitas vezes se afasta do desenvolvimento do indivíduo em algum ponto, frequentemente em grau considerável. De vez em quando, irrompe um quê de manifestação sexual que escapou à sublimação, ou alguma atividade sexual persiste através de todo o período de latência, até a intensa irrupção do instinto sexual na puberdade. Os educadores se comportam — quando prestam alguma atenção à sexualidade infantil — exatamente como se partilhassem nossos pontos de vista sobre a formação das forças defensivas morais à custa da sexualidade, e como se soubessem que a atividade sexual torna a criança ineducável, pois perseguem todas as manifestações sexuais da criança como "vícios", sem que possam fazer muito contra elas. Nós, porém, temos todos os motivos para dedicar interesse a esses fenômenos temidos pelos educadores, pois deles esperamos obter esclarecimento sobre a configuração original do instinto sexual.

[2] AS MANIFESTAÇÕES DA SEXUALIDADE INFANTIL

O ATO DE CHUPAR Por motivos que serão vistos adiante, tomaremos como modelo, entre as manifestações sexuais infantis, o ato de chupar (sugar com deleite), ao qual o pediatra húngaro Lindner dedicou um estudo excelente (no *Jahrbuch für Kinderheilkunde* [Anuário de pediatria], v. 14, 1879).

O ato de *chupar* ou *sugar*, que aparece já no lactente e pode prosseguir até o fim do desenvolvimento ou se

II. A SEXUALIDADE INFANTIL

conservar por toda a vida, consiste na sucção, repetida de maneira rítmica, com a boca (os lábios), sem a finalidade da alimentação. São tomados como objeto da sucção uma parte do próprio lábio, a língua ou qualquer outro local da pele que esteja ao alcance — até mesmo o dedão do pé. Nisso aparece um instinto de agarrar* que se manifesta, digamos, no ato de puxar simultaneamente, de forma rítmica, o lobo da orelha, podendo recorrer a uma parte do corpo de outra pessoa (em geral a orelha) para o mesmo fim. A sucção deleitosa absorve completamente a atenção, e conduz ao adormecimento ou, inclusive, a uma reação motora da natureza de um orgasmo.[45] Não é raro que a sucção deleitosa seja combinada com a fricção de algumas partes sensíveis do corpo, como o peito ou os genitais externos. Por essa via, muitas crianças passam da sucção à masturbação.

O próprio Lindner percebeu claramente a natureza sexual desse ato, enfatizando-a sem reservas.** Frequen-

---

*No original, *Greiftrieb*, formado de *Trieb* e *greifen*, "pegar, agarrar".

[45] Nisso já se mostra algo que tem validade para toda a vida: que a satisfação sexual é o melhor sonífero. A maioria dos casos de insônia nervosa tem origem na insatisfação sexual. É sabido que babás pouco escrupulosas fazem adormecer crianças que choram acariciando-lhes os genitais.

**Todo esse parágrafo foi acrescentado em 1915, no lugar de um que constava nas edições de 1905 e 1910; esse outro afirmava que nenhum observador tinha dúvidas quanto à natureza sexual desse ato e criticava a concepção de Moll, que decompunha o instinto sexual em instinto de "contretação" e de "detumescência" (ver nota do autor à p. 68). Na edição de 1910 havia também uma nota relativa à primeira afirmação, dizendo: "Com exceção de Moll (*Das Seelenleben des Kindes*, 1909)".

temente, quem cuida de crianças vê o ato de chupar o dedo como uma das "traquinagens" sexuais da criança. Essa concepção foi energicamente criticada por muitos pediatras e médicos de nervos, o que certamente se deve, em parte, à confusão de "sexual" com "genital". Essa oposição faz surgir uma questão difícil e que não pode ser evitada: por qual característica geral devemos reconhecer as manifestações sexuais da criança? Penso que o encadeamento de fenômenos que pudemos discernir graças à investigação psicanalítica nos autoriza a ver o ato de sugar como uma manifestação sexual, e a estudar os traços essenciais da atividade sexual infantil precisamente nele.[46]

AUTOEROTISMO Temos a obrigação de considerar esse exemplo de maneira aprofundada. Destaquemos, como característica mais evidente dessa atividade sexual, que o instinto não está dirigido para outras

---

46 [Nota acrescentada em 1920:] Em 1919, um certo dr. Galant publicou, no n. 20 da *Neurologisches Zentralblatt*, sob o título "Das Lutscherli" [algo como "chupada"], a confissão de uma garota crescida que não abandonou essa atividade sexual infantil e que descreve o ato de chupar [*lutschen*] como inteiramente análogo a uma satisfação sexual, sobretudo pelo beijo do amado. "Nem todos os beijos são iguais a um *Lutscherli*; não, não, longe disso! Não se pode exprimir o bem-estar que toma todo o seu corpo ao sugar [*lutschen*]; você fica simplesmente fora do mundo, totalmente satisfeita e feliz. É uma sensação maravilhosa; você quer somente paz, paz que não seja interrompida. É incrivelmente belo: você não sente dor nenhuma, sofrimento nenhum, sente-se transportada para outro mundo."

II. A SEXUALIDADE INFANTIL

pessoas; ele se satisfaz no próprio corpo, é *autoerótico*, para usar uma denominação feliz, introduzida por Havelock Ellis.[47]

É claro, além disso, que o ato da criança que chupa é determinado pela busca de um prazer — já vivido e agora lembrado. Ele acha então satisfação, no caso mais simples, sugando ritmicamente numa parte da pele ou da mucosa. Também é fácil imaginar em que ocasiões a criança teve as primeiras experiências desse prazer que agora se empenha em renovar. A primeira e mais vital atividade da criança, mamar* no peito da mãe (ou de seus substitutos), já deve tê-la familiarizado com esse prazer. Diríamos que os lábios da criança se comportaram como uma *zona erógena*, e o estímulo gerado pelo afluxo de leite quente foi provavelmente a causa da sensação de prazer. No começo, a satisfação da zona erógena estava provavelmente ligada à satisfação da necessidade de alimento. A atividade sexual se apoia primeiro numa das funções que servem à conservação da vida, e somente depois se torna independente

---

47 [Nota de 1920:] É verdade que H. Ellis definiu o termo "autoerótico" de maneira um tanto diversa, no sentido de uma excitação que não é provocada do exterior, mas que surge no próprio interior. Para a psicanálise, o essencial não é a gênese, mas a relação com um objeto. [Nas edições anteriores a 1920, o teor dessa nota era o seguinte: "H. Ellis estraga o sentido do termo por ele inventado, ao contar entre os fenômenos do autoerotismo toda a histeria e a masturbação em todo o seu alcance".]

* No original, *saugen*, que significa tanto "mamar" como "sugar, chupar"; o substantivo alemão que corresponde a "mamífero" é *Säugetier*, "animal que mama".

dela.* Quem vê uma criança largar satisfeita o peito da mãe e adormecer, com faces rosadas e um sorriso feliz, tem que dizer que essa imagem é exemplar para a expressão da satisfação sexual na vida posterior. Então a necessidade de repetir a satisfação sexual se separa da necessidade de nutrição, uma necessidade que é inevitável, quando os dentes aparecem e a alimentação não é mais exclusivamente sugada, e sim mastigada. A criança não se utiliza de um objeto exterior para sugar, mas sim de uma área da própria pele, porque isso lhe é mais cômodo, porque assim independe do mundo externo que ainda não consegue dominar, e porque dessa maneira cria praticamente uma segunda zona erógena, embora de valor menor. A inferioridade dessa segunda área será um dos motivos que a farão, depois, buscar a parte semelhante — os lábios — de outra pessoa. ("Pena que não posso beijar a mim mesma", podemos imaginá-la dizendo.)

Nem todas as crianças chupam. É de supor que o façam aquelas em que a significação erótica da zona dos lábios é constitucionalmente forte. Sendo ela mantida, tais crianças se tornarão, quando adultos, finos apreciadores de beijos, preferirão beijos perversos ou, sendo homens, trarão consigo um poderoso motivo para beber e fumar. Sobrevindo a repressão, porém, elas sentirão nojo do alimento e produzirão vômitos histéricos. Graças à dupla destinação da zona labial, a repressão se estenderá ao instinto de nutrição. Muitas de minhas

* Frase acrescentada em 1915; cf. "Introdução ao narcisismo" (1914), parte II.

II. A SEXUALIDADE INFANTIL

pacientes* com distúrbios de alimentação, *globus hystericus*,** constrição na garganta e vômitos foram enérgicas "chupadoras" na infância.

Já pudemos ver, no ato de chupar ou sugar com deleite, as três características essenciais de uma manifestação sexual infantil. Esta surge *apoiando-se* numa das funções vitais do corpo,*** ainda não tem objeto sexual, é *autoerótica*, e sua meta sexual é dominada por uma *zona erógena*. Antecipemos que essas características valem igualmente para a maioria das outras atividades dos instintos sexuais infantis.

[3] A META SEXUAL DA SEXUALIDADE INFANTIL

CARACTERÍSTICAS DAS ZONAS ERÓGENAS Do exemplo de sugar pode-se retirar ainda vários elementos para a caracterização de uma zona erógena. É uma parte da pele ou mucosa em que estímulos de determinada espécie provocam uma sensação de prazer de certa qualidade. Não há dúvida de que os estímulos geradores de prazer estão vinculados a condições especiais, mas não as conhecemos. O caráter rítmico tem seu papel entre elas, a analogia com as cócegas nos vem à mente. É me-

---

* "Todas as minhas pacientes", na primeira edição.
** Distúrbio provocado pela sensação de um corpo estranho na altura da faringe.
*** Essa característica foi acrescentada na edição de 1915; assim, nas edições anteriores constava "duas" no lugar de "três", na frase precedente.

nos seguro que se possa designar como "específica" a natureza da sensação de prazer provocada pelo estímulo, sendo que tal especificidade incluiria o fator sexual. Em questões de prazer e desprazer, a psicologia ainda tateia no escuro, de modo que a suposição mais cautelosa é a mais aconselhável. Talvez encontremos, mais adiante, razões que parecem respaldar a qualidade específica da sensação de prazer.

A propriedade erógena pode se ligar a certas partes do corpo de maneira notável. Há zonas erógenas predestinadas, como evidencia o exemplo do ato de chupar. No entanto, o mesmo exemplo ensina que qualquer outra parte da pele ou das mucosas pode servir de zona erógena, ou seja, deve possuir alguma aptidão para isso. Assim, a produção da sensação de prazer depende mais da qualidade do estímulo que da natureza da parte do corpo. A criança que chupa procura em seu corpo e escolhe um ponto qualquer para sugar com deleite, e este se torna, graças ao hábito, o ponto preferido; se depara casualmente com um dos locais predestinados (bico do seio, genitais), é este que tem a preferência. Uma capacidade de deslocamento análoga aparecerá também na sintomatologia da histeria. Nessa neurose, a repressão atinge sobretudo as zonas genitais propriamente, e essas conferem sua excitabilidade às outras zonas erógenas, normalmente preteridas na vida adulta, que então se comportam como genitais. Além disso, porém, e exatamente como no ato de sugar, qualquer outra região do corpo pode ser dotada da mesma excitabilidade dos genitais e ser elevada à condição de zona

II. A SEXUALIDADE INFANTIL

erógena. Zonas erógenas e histerógenas exibem as mesmas características.[48]

META SEXUAL INFANTIL A meta sexual do instinto infantil consiste em gerar a satisfação por meio da estimulação apropriada da zona erógena escolhida de uma forma ou de outra. Tal satisfação deve ter sido vivenciada anteriormente, deixando assim a necessidade de ser repetida, e não deve nos surpreender que a natureza tenha encontrado meios seguros para não deixar ao acaso essa vivência da satisfação.[49] Já vimos o arranjo que cumpre essa finalidade no que diz respeito à zona labial, é a vinculação simultânea dessa parte do corpo com a ingestão de alimentos. Ainda vamos deparar com outros arranjos similares como fontes da sexualidade. A necessidade de repetição da satisfação se revela de duas formas: por uma peculiar sensação de tensão, que possui antes o caráter de desprazer, e por uma sensação de comichão ou estímulo *centralmente condicionada*, que é projetada na zona erógena periférica. Assim, pode-se

---

48 [Nota acrescentada em 1915:] Reflexões subsequentes e a utilização de outras observações nos levam a atribuir a propriedade da erogenidade a todas as partes do corpo e todos os órgãos internos. Cf., mais adiante, o que se diz sobre o narcisismo [Terceiro ensaio, seção 3, "A teoria da libido"]. [Essa nota substituiu a seguinte, encontrada apenas na edição de 1910: "Os problemas biológicos ligados à hipótese das zonas erógenas foram discutidos por A. Adler, *Studie über die Minderwertigkeit von Organen*, "Estudo sobre a inferioridade de órgãos", 1907.]

49 [Nota acrescentada em 1920:] Dificilmente se pode evitar, em discussões biológicas, o recurso ao modo de pensar teleológico, embora se saiba que não há garantia contra o erro em nenhum caso particular.

igualmente formular a meta sexual da seguinte maneira: seria questão de substituir a sensação de estímulo projetada, na zona erógena, pelo estímulo externo que anula a sensação de estímulo, ao gerar a sensação de satisfação. Esse estímulo externo consistirá geralmente numa manipulação análoga ao sugar.

Harmoniza-se plenamente com o nosso saber fisiológico o fato de a necessidade também poder ser despertada perifericamente, por uma modificação real da zona erógena. Isso gera alguma estranheza apenas porque, para ser anulado, um estímulo parece requerer outro, produzido no mesmo local.

[4] AS MANIFESTAÇOES SEXUAIS MASTURBATÓRIAS[50]

Deve ser agradável constatar que já não temos muita coisa importante a aprender sobre a atividade sexual da criança, depois que se tornou compreensível, para nós, o instinto que vem de uma só zona erógena. As diferenças mais claras [entre uma zona e outra] dizem respeito ao procedimento necessário à satisfação, que consistiu em sugar, no tocante à zona labial, e tem de ser substituído por outras ações musculares, conforme a localização e as propriedades das outras zonas.

50 Cf. a literatura sobre o onanismo, abundante, mas sem orientação quanto à perspectiva; por exemplo, H. Rohleder, *Die Masturbation*, Berlim, 1899 [Acrescentado em 1915:] e também as *Diskussionen der Wiener Psychoanalytischen Vereinigung*, v. 2, *Die Onanie*, Wiesbaden, 1912.

II. A SEXUALIDADE INFANTIL

ATIVIDADE DA ZONA ANAL Assim como a zona labial, a localização da zona anal a torna adequada para favorecer um *apoio* da sexualidade em outras funções do corpo. É de se presumir que a significação erógena dessa parte do corpo é muito grande originalmente. Através da psicanálise tomamos conhecimento, não sem alguma surpresa, das transformações normalmente experimentadas pelas excitações sexuais que dela partem, e como frequentemente essa zona mantém, por toda a vida, um grau considerável de suscetibilidade à estimulação genital.[51] Os distúrbios intestinais, tão frequentes na época da infância, cuidam para que não faltem excitações intensas nessa zona. Catarros intestinais em idade tenra tornam a criança "nervosa", como se diz; em adoecimentos neuróticos posteriores, têm influência determinante na expressão sintomática da neurose e colocam à disposição dela toda a gama de distúrbios intestinais. Quanto à significação erógena da zona da saída do trato intestinal — que se conserva, ao menos em forma modificada —, não se deve tampouco desprezar a influência das hemorroidas, às quais a velha medicina atribuía bastante peso na explicação dos estados neuróticos.

As crianças que utilizam a excitabilidade erógena da zona anal se revelam no fato de reter a massa fecal até que esta, acumulando-se, provoque fortes contrações

---

51 [Nota acrescentada em 1910:] Cf. meu ensaio "Caráter e erotismo anal" (1908) [Acrescentado em 1920, com "meus ensaios":] e "Sobre transformações dos instintos, em particular no erotismo anal" (1917).

musculares e, na passagem pelo ânus, exerça um grande estímulo na mucosa. Isso deve produzir, juntamente com a sensação de dor, uma sensação de volúpia. Um dos melhores indícios de futura estranheza ou nervosismo ocorre quando um bebê se recusa obstinadamente a evacuar o intestino ao ser posto sobre o vaso, ou seja, no momento desejado pela pessoa que dele cuida, e reserva essa função para quando ele próprio desejar. O que lhe importa, naturalmente, não é sujar o berço; ele apenas cuida para que não lhe escape o prazer secundário ligado à defecação. Mais uma vez, os educadores acertam quando chamam de malcriados os pequenos que "suspendem" tais afazeres.

O conteúdo intestinal,* sendo um corpo que estimula uma área de mucosa sexualmente sensível, age como precursor de outro órgão que deve entrar em ação somente após a infância, mas tem outros significados importantes para o bebê. É claramente tratado como uma parte do próprio corpo, constitui o primeiro "presente": através da liberação ou da retenção dele, o pequeno ser pode exprimir docilidade ou desobediência ante as pessoas ao seu redor. A partir do significado de "presente", ganha posteriormente o de "bebê", que, segundo uma das teorias sexuais infantis [cf. "Teorias do nascimento", adiante], é obtido pela alimentação e nasce pelo intestino.

A retenção da massa fecal — que inicialmente é intencional, sendo ela usada como estimulação masturba-

---

* Parágrafo acrescentado em 1915.

tória, digamos, da zona anal, ou empregada na relação com as pessoas que cuidam da criança — é também uma das raízes da obstipação tão frequente nos neuropatas. Por fim, o pleno significado na zona anal se reflete no fato de encontrarmos poucos neuróticos que não tenham suas práticas escatológicas especiais, suas cerimônias etc., por eles cuidadosamente ocultadas.[52]

Nas crianças maiores, não é rara a estimulação propriamente masturbatória da zona do ânus com o auxílio do dedo, provocada por uma coceira determinada centralmente ou mantida perifericamente.

ATIVIDADE DAS ZONAS GENITAIS Entre as zonas erógenas do corpo da criança, há uma que certamente não desempenha o papel principal, nem pode ser a portadora dos mais antigos impulsos sexuais, mas que está destinada a grandes coisas no futuro. Tanto no menino

---

52 [Nota acrescentada em 1920:] Num trabalho que aprofunda enormemente a nossa compreensão do significado do erotismo anal ["'Anal' und 'Sexual'", *Imago*, v. 4, 1916], Lou Andreas-Salomé explicou que a história da primeira proibição imposta à criança — a de obter prazer com a atividade anal e seus produtos — é decisiva para todo o seu desenvolvimento. Nessa ocasião, o pequeno começa a vislumbrar o meio ambiente hostil a seus impulsos instintuais, a diferenciar entre seu próprio ser e esse outro mundo e, depois, a efetuar a primeira "repressão" de suas possibilidades de prazer. A coisa "anal" fica sendo, a partir de então, o símbolo de tudo a ser rejeitado, afastado da vida. A nítida distinção entre processos anais e genitais, posteriormente requerida, é dificultada pelas estreitas analogias e relações anatômicas e funcionais entre os dois. O aparelho genital permanece vizinho da cloaca, "no caso da mulher, é inclusive alugado desta".

como na garota, ela é relacionada à micção (glande, clitóris), sendo que naquele se acha contida num saco de mucosa, de modo que não lhe faltam estímulos mediante secreções que podem avivar desde cedo a excitação sexual. As atividades sexuais dessa zona erógena, que pertence aos órgãos sexuais propriamente ditos, são o começo da futura vida sexual "normal".

A situação anatômica, o afluxo de secreções, as lavagens e fricções envolvidas na higiene corporal e determinadas excitações casuais (como os movimentos de vermes intestinais nas meninas) tornam inevitável que a sensação de prazer que essa área do corpo é capaz de produzir seja notada pela criança já quando bebê, e nela desperte a necessidade de repeti-la. Se considerarmos todas essas circunstâncias, e tivermos presente que tanto medidas de limpeza como atos de sujeira devem ter efeito semelhante, não poderemos fugir à concepção de que* mediante o onanismo do bebê, ao qual praticamente nenhum indivíduo escapa, é estabelecida a futura primazia dessa zona erógena na atividade sexual. A ação que elimina o estímulo e desencadeia a satisfação consiste em movimentos de fricção com a mão ou no uso de pressão (certamente conforme um reflexo preexistente) através da mão ou das coxas. Esta última medida é, de longe, a mais frequente entre as meninas. Nos garotos, a preferência pela mão já indica a importante contribuição

---

* Nas edições de 1905 e 1910 lia-se "ignorar a intenção da natureza de, [...] estabelecer a futura primazia" etc., em vez de "fugir à concepção" etc.

à atividade sexual masculina que o instinto de apoderamento virá a prestar um dia.[53]

Resultará* em benefício da clareza afirmar que devemos distinguir três fases na masturbação infantil. A primeira delas pertence ao período de amamentação; a segunda, ao breve período de florescimento da atividade sexual, por volta dos quatro anos; apenas a terceira corresponde à masturbação da puberdade, frequentemente a única levada em conta.

A SEGUNDA FASE DA MASTURBAÇÃO INFANTIL O onanismo do bebê parece desaparecer após breve tempo, mas, prosseguindo ininterruptamente até a puberdade, constitui o primeiro grande desvio em relação ao desenvolvimento pretendido para o homem civilizado. Em algum momento da infância, após o período de amamentação, geralmente antes dos quatro anos, o instinto sexual dessa zona genital costuma despertar novamente e se manter por algum tempo até uma nova supressão,** ou prosseguir sem interrupção. As formas possíveis são bastante variadas e podem ser discutidas

---

53 [Nota acrescentada em 1915:] Técnicas inusitadas na prática do onanismo parecem indicar a influência de uma proibição do onanismo que foi superada.
* Parágrafo acrescentado em 1915, assim como o título do parágrafo seguinte e as palavras "geralmente antes dos quatro anos", na segunda frase desse. Além disso, em sua primeira frase, "após breve tempo" substituiu "com a chegada do período de latência", que constava nas edições de 1905 e 1910.
**Unterdrückung*, no original; cf. nota à p. 72.

apenas mediante um exame preciso de casos individuais. Mas todas as particularidades desta *segunda* etapa de atividade sexual infantil deixam profundos traços (inconscientes) de impressões na memória da pessoa, determinam o desenvolvimento de seu caráter, quando ela permanece sadia, e a sintomatologia de sua neurose, quando ela adoece após a puberdade.[54] Neste último caso, constata-se que esse período sexual foi esquecido, e as lembranças conscientes que o atestam foram deslocadas; já mencionei que também vincularia a amnésia infantil normal a essa atividade sexual infantil. Graças à indagação psicanalítica, consegue-se tornar consciente o que foi esquecido, eliminando assim uma compulsão que vem do material psíquico inconsciente.

RETORNO DA MASTURBAÇÃO DO LACTENTE A excitação sexual da época da amamentação retorna, na época infantil indicada,* como estímulo à coceira centralmen-

54 [Nota acrescentada em 1915:] A questão de por que o sentimento de culpa dos neuróticos se liga regularmente à atividade masturbatória lembrada, em geral da época da puberdade — como reconheceu Bleuler recentemente [1913] —, é algo que ainda aguarda uma explicação analítica exaustiva. [Acrescentado em 1920:] O fator mais genérico e mais importante, no que toca a isso, deve ser o fato de o onanismo representar a agência executiva de toda a sexualidade infantil e habilitar-se, por isso, a assumir o senso de culpa que a ela se une.
* Nas edições anteriores a 1915 lia-se, em vez de "indicada", o seguinte: "(ainda não foi possível generalizar quanto à cronologia)"; como aponta Strachey, as mudanças nesse e nos parágrafos anteriores visaram distinguir mais claramente a segunda fase da masturbação infantil e precisar-lhe a época ("antes dos quatro anos").

II. A SEXUALIDADE INFANTIL

te determinado, que convida à satisfação onanista, ou como processo da natureza da polução, que, analogamente à polução da época adulta, atinge a satisfação sem a ajuda de nenhuma ação. Este último caso é mais frequente nas garotas e na segunda metade da infância, seus determinantes não são inteiramente compreensíveis e ele parece, com frequência — não invariavelmente —, ter como pressuposto um período de anterior masturbação ativa. Os sintomas dessas manifestações sexuais são poucos; em lugar do aparelho sexual ainda não desenvolvido, é geralmente o aparelho urinário que os fornece, como que sendo o tutor daquele. A maioria das doenças atribuídas à bexiga, nessa época, são distúrbios sexuais; a enurese noturna, quando não representa um ataque epiléptico, corresponde a uma polução.

O reaparecimento da atividade sexual depende de causas internas e motivos externos, e ambos, nas enfermidades neuróticas, são percebidos a partir da configuração dos sintomas e revelados seguramente pela pesquisa psicanalítica. Das causas internas falaremos adiante; as ocasiões externas, acidentais, adquirem importância grande e duradoura nessa época. Em primeiro plano está a influência da sedução, que trata a criança como objeto sexual prematuramente e a faz conhecer, em circunstâncias de forte impressão, a satisfação das zonas genitais, que ela, então, é geralmente obrigada a renovar pela masturbação. Tal influência pode vir de adultos ou de outras crianças; não posso admitir que tenha superestimado, em meu ensaio de 1896, "Sobre a etiologia da histeria", a frequência ou a importância dela, embora ainda não soubesse então que indivíduos que permanecem normais podem ter tido as mesmas vivências na infância e, por isso, desse maior peso à sedução do que aos fatores oriundos da constituição e do desenvolvimento sexuais.[55] É evidente que não se requer a sedução para despertar a vida sexual da criança, que esse despertar também pode ocorrer espontaneamente, por causas internas.

PREDISPOSIÇÃO POLIMORFICAMENTE PERVERSA É instrutivo que a criança, sob a influência da sedução, possa se tornar polimorficamente perversa, ser induzida a todas as extensões possíveis. Isso mostra que ela é constitucionalmente apta para isso; a realização encontra poucas resistências, porque as barragens psíquicas para extensões sexuais — vergonha, nojo e moral — ainda não foram erguidas ou se acham em construção, segundo a idade da criança. Nisso ela não se comporta diferentemente da mulher mediana inculta, digamos, na qual se conserva a mesma predisposição polimorficamente perversa. Nas condições habituais,

---

55 Num apêndice ao seu estudo *Das Geschlechtsgefühl* [*Studies in the psychology of sex*, 1903], Havelock Ellis oferece relatos autobiográficos sobre os primeiros impulsos sexuais na infância e as ocasiões em que surgiram, de pessoas que depois permaneceram predominantemente normais. Esses relatos sofrem naturalmente do defeito de não incluírem a época pré-histórica da vida sexual, ocultada pela amnésia infantil, que pode ser preenchida apenas pela psicanálise num indivíduo que se tornou neurótico. Apesar disso, eles são valiosos em mais de um aspecto, e informações desse tipo levaram à modificação de minhas hipóteses etiológicas, mencionada no texto.

II. A SEXUALIDADE INFANTIL

esta pode se manter sexualmente normal, mas sob a orientação de um hábil sedutor tomará gosto em todas as perversões e as conservará em sua atividade sexual. A mesma predisposição polimórfica, ou seja, infantil, é aproveitada pelas meretrizes em sua atividade profissional, e, dado o imenso número de mulheres prostituídas e daquelas a quem se deve atribuir a capacidade para a prostituição, embora tenham escapado à profissão, torna-se impossível não reconhecer algo universalmente humano e primordial nessa predisposição uniforme a todas as perversões.

INSTINTOS PARCIAIS De resto, a influência da sedução não ajuda a desvendar as condições iniciais do instinto sexual, e sim confunde a nossa percepção delas, ao apresentar à criança prematuramente um objeto sexual do qual o instinto sexual infantil não mostra, de início, ter necessidade. Entretanto, temos de admitir que também a vida sexual infantil, com todo o predomínio das zonas erógenas, mostra componentes para os quais outras pessoas, desde o início, entram em consideração como objetos sexuais. Dessa espécie são os instintos de voyeurismo e exibicionismo e de crueldade, que surgem com certa independência das zonas erógenas e apenas mais tarde entram em relações estreitas com a vida genital,* mas já na infância se fazem notar como tendências autônomas, inicialmente distintas da atividade sexual erógena. A criança pequena é, antes de tudo, sem pu-

* "Vida sexual" nas edições de 1905 e 1910.

dor, mostrando, em certos momentos de seus primeiros anos, inequívoco prazer em desnudar o corpo, com ênfase nas partes sexuais. A contrapartida dessa inclinação vista como perversa, a curiosidade de ver os genitais de outras pessoas, provavelmente se manifesta apenas em época posterior da infância, quando o obstáculo do sentimento de vergonha já atingiu certo desenvolvimento.*
Por influência da sedução, a perversão de olhar pode alcançar grande importância na vida sexual da criança. Contudo, minhas investigações da época da infância de pessoas sadias e de doentes neuróticos me levaram a concluir que o impulso voyeurista pode surgir como manifestação sexual espontânea na criança. As crianças pequenas que tiveram a atenção voltada para os próprios genitais — por via masturbatória, em geral — costumam prosseguir sem interferência externa e desenvolvem grande interesse pelos genitais dos companheiros de brincadeiras. Como a oportunidade de satisfazer tal curiosidade ocorre somente, em geral, na satisfação das duas necessidades excrementais, essas crianças se tornam voyeurs, ávidos espectadores da micção e da defecação dos outros. Sobrevinda a repressão dessas inclinações, a curiosidade de ver genitais alheios (do próprio sexo ou do outro) persiste como ímpeto atormentador, que depois, em vários casos de neurose, propicia a mais forte força motriz para a formação de sintomas.

* Essa frase, tal como está formulada, é de 1920. Nas edições anteriores a afirmação era mais taxativa, não havia atenuantes como "provavelmente" e "certo".

II. A SEXUALIDADE INFANTIL

Com independência ainda maior das outras atividades sexuais, ligadas a zonas erógenas, desenvolve-se na criança o componente cruel do instinto sexual. A crueldade tem relação estreita com o caráter infantil, pois o empecilho que faz o instinto de apoderamento se deter ante a dor do outro, a capacidade de compaixão, forma-se relativamente tarde. Como é sabido, ainda não se logrou fazer uma análise psicológica profunda desse instinto; podemos supor que o impulso cruel vem do instinto de apoderamento e surge na vida sexual num período em que os genitais ainda não assumiram o seu papel posterior. Assim, ele domina uma fase da vida sexual que depois descreveremos como organização pré-genital.* As crianças que se distinguem pela crueldade especial com animais e coleguinhas de brincadeiras despertam habitualmente a justificada suspeita de uma atividade sexual intensa e precoce a partir das zonas erógenas, e, havendo precocidade simultânea de todos os instintos sexuais, a atividade sexual erógena parece mesmo ser a primária. A ausência da barreira da compaixão acarreta o perigo de que essa união dos instintos cruéis com os erógenos, ocorrida na infância, venha a se mostrar indissolúvel mais tarde.

* As duas últimas frases foram reformuladas em 1915; nas edições anteriores eram assim: "Podemos supor que os impulsos cruéis procedem de fontes independentes da sexualidade, mas que bem cedo são capazes de, mediante uma anastomose, estabelecer ligação num ponto próximo às origens de ambos. A observação mostra, contudo, que entre o desenvolvimento sexual e o desenvolvimento do instinto de olhar e de crueldade subsistem influências mútuas, que novamente restringem a mencionada independência dos dois instintos".

Desde a autobiografia de Jean-Jacques Rousseau [*Confissões*], a estimulação dolorosa da pele das nádegas é conhecida de todos os educadores como uma raiz erógena do instinto passivo de crueldade (do masoquismo). Disso eles concluíram, justificadamente, que a punição física, geralmente aplicada a essa parte do corpo, deveria ser omitida em todas as crianças nas quais a libido pode ser empurrada para vias colaterais pelas exigências posteriores da educação cultural.*

* [Nota acrescentada em 1910:] Foram essencialmente os resultados da pesquisa psicanalítica em adultos que me autorizaram, em 1905, a fazer as afirmações acima sobre a sexualidade infantil. A observação direta na criança não podia ser utilizada plenamente na época, tendo fornecido apenas indicações isoladas e algumas valiosas confirmações. Desde então, a análise de certos casos de adoecimento neurótico na tenra infância permitiu obter uma visão direta da psicossexualidade infantil. Posso registrar, com satisfação, que a observação direta corroborou plenamente as conclusões da psicanálise, fornecendo, assim, um bom atestado da confiabilidade desse método de pesquisa.

Além disso, a *Análise da fobia de um garoto de cinco anos* (1909) ensinou várias coisas novas, para as quais a psicanálise não havia nos preparado; por exemplo, a existência de um simbolismo sexual, de uma apresentação do elemento sexual através de relações e objetos não sexuais, que remonta aos primeiros anos do domínio da linguagem. Por fim, fui alertado para uma falha na apresentação acima, que, na intenção da clareza, descreve a distinção conceitual das duas fases de *autoerotismo* e *amor objetal* como se fosse também uma separação temporal. Contudo, as análises citadas (assim como as observações de Bell, cf. nota 38, acima), ensinam que crianças de três a cinco anos são capazes de uma *escolha de objeto* bastante nítida, acompanhada de fortes afetos. [Na edição de 1910, essa nota concluía com uma referência às pesquisas e teorias sexuais das crianças e ao trabalho de Freud sobre esse tema ("Sobre as teorias sexuais infantis", 1908).]

II. A SEXUALIDADE INFANTIL

[5] A PESQUISA SEXUAL INFANTIL*

O INSTINTO DE SABER Na mesma época em que a vida sexual da criança atinge seu primeiro florescimento, dos três aos cinco anos de idade, também começa a aparecer aquela atividade que se atribui ao instinto de saber ou de pesquisa. O instinto de saber não pode ser incluído entre os componentes instintuais elementares nem ser subordinado exclusivamente à sexualidade. Sua ação corresponde, por um lado, a uma forma sublimada de apoderamento, e, por outro lado, ele trabalha com a energia do prazer de olhar. Mas suas relações com a vida sexual são particularmente significativas, pois a psicanálise nos ensinou que o instinto de saber das crianças é atraído, inopinadamente cedo e com imprevista intensidade, pelos problemas sexuais, e talvez seja inclusive despertado por eles.

O ENIGMA DA ESFINGE Não são interesses teóricos, mas sim de natureza prática, que põem em marcha o trabalho de pesquisa na criança. A ameaça de suas condições de existência, com a vinda suposta ou sabida de uma nova criança, o temor de perder cuidados e amor, como resultado disso, tornam a criança pensativa e sagaz. O primeiro problema de que ela se ocupa não é, em conformidade com a história do despertar desse instinto, a questão da diferença entre os sexos, mas sim este enigma: de onde vêm as crianças? Numa roupa-

---

* Toda esta seção foi acrescentada em 1915.

gem deformada, que facilmente é possível retificar, esse é também o enigma que a Esfinge de Tebas propõe.* A existência de dois sexos é algo que a criança apreende sem maior oposição ou reflexão. Para o menino, é natural pressupor que todas as pessoas que conhece têm um genital como o seu, e é impossível conciliar a ausência dele com a ideia que faz dessas outras pessoas.

COMPLEXO DA CASTRAÇÃO E INVEJA DO PÊNIS O garoto mantém energicamente essa convicção, defende-a tenazmente contra as objeções que a evidência não tarda a apresentar e a abandona somente após duras lutas interiores (o complexo da castração). Os substitutos desse pênis perdido da mulher têm papel importante na configuração de muitas perversões.[56]

A suposição de que há o mesmo genital (masculino) em todas as pessoas é a primeira das teorias sexuais infantis singulares e prenhes de consequências. Pouco adianta, para a criança, que a ciência biológica tenha de dar razão a seu pré-conceito, reconhecendo o clitóris feminino como um genuíno substituto do pênis. A menina não se utiliza de tais rejeições quando enxerga

---

* No mito grego do rei Édipo.
56 [Nota acrescentada em 1920:] É lícito falar de um complexo da castração também nas mulheres. Crianças dos dois sexos constroem a teoria de que também a mulher tinha originalmente um pênis, que foi perdido com a castração. A convicção, finalmente adquirida, de que a mulher não possui um pênis deixa no indivíduo masculino, com frequência, um duradouro menosprezo pelo outro sexo.

II. A SEXUALIDADE INFANTIL

o genital diferente do menino. Ela se dispõe imediatamente a reconhecê-lo e é vencida pela inveja do pênis, que culmina no desejo, importante em suas consequências, de ser também um garoto.

TEORIAS DO NASCIMENTO Muitas pessoas podem se lembrar nitidamente de haver se interessado bastante, na época anterior à puberdade, pela questão da origem dos bebês. As soluções anatômicas que então encontravam eram as mais diversas: eles saem do peito, ou são extraídos do ventre com uma incisão, ou o umbigo se abre para deixá-los passar.[57] Elas raramente se lembram, fora da análise, de uma pesquisa igual nos primeiros anos da infância; há muito esta sucumbiu à repressão, mas seus resultados eram constantes. Os bebês são concebidos quando se come algo específico (como nas fábulas), e nascem pelo intestino, como as fezes. Essas teorias infantis nos recordam certos arranjos do reino animal, especialmente a cloaca das espécies abaixo dos mamíferos.

CONCEPÇÃO SÁDICA DO INTERCURSO SEXUAL Se crianças de tenra idade presenciam o intercurso sexual entre adultos — algo favorecido pela convicção de que a criança pequena ainda não compreende nada do que seja sexual —, não podem deixar de conceber o ato sexual como uma espécie de mau tratamento ou sujeição,

---

57 [Nota acrescentada em 1924:] É grande o número de teorias sexuais nesses últimos anos da infância. No texto são dados apenas alguns exemplos.

isto é, num sentido sádico. A psicanálise também nos faz ver que tal impressão, no início da infância, muito contribui para a predisposição a um posterior deslocamento sádico da meta sexual. Além disso, as crianças se ocupam bastante do problema de saber em que consiste o intercurso sexual ou, como elas entendem, o casamento, e procuram a solução do mistério, geralmente, numa atividade em comum que é proporcionada pela função de urinar ou defecar.

O TÍPICO MALOGRO DA PESQUISA SEXUAL INFANTIL
Sobre as teorias sexuais infantis podemos dizer, de modo geral, que refletem a própria constituição sexual da criança e, apesar dos erros grotescos, demonstram maior compreensão dos processos sexuais do que esperaríamos de seus autores. As crianças percebem também as mudanças que ocorrem na mãe durante a gravidez e sabem interpretá-las corretamente. Muitas vezes, a história da cegonha é contada para pequenos ouvintes que a recebem com desconfiança profunda, porém silenciosa. Mas, como há dois elementos que a pesquisa sexual infantil não conhece, o papel do sêmen fecundante e a existência do orifício sexual feminino — os mesmos pontos, aliás, em que a organização infantil ainda se acha atrasada —, o empenho dos pesquisadores infantis permanece invariavelmente infecundo e acaba numa renúncia que, não raro, prejudica duradouramente o instinto de saber. A pesquisa sexual desses primeiros anos infantis é sempre feita de modo solitário; ela representa um primeiro passo para a orientação in-

II. A SEXUALIDADE INFANTIL

dependente no mundo e estabelece um considerável distanciamento da criança em relação às pessoas do seu ambiente, que antes gozavam de sua plena confiança.

[6] FASES DE DESENVOLVIMENTO DA ORGANIZAÇÃO SEXUAL*

Até agora assinalamos, como características da vida sexual infantil, que é essencialmente autoerótica (encontra seu objeto no próprio corpo) e que seus instintos parciais se empenham na obtenção do prazer, em geral, sem conexão entre si e de forma independente. O resultado do desenvolvimento é a chamada vida sexual normal do adulto, na qual a obtenção de prazer ficou a serviço da função reprodutiva e os instintos parciais, sob o primado de uma única zona erógena, formaram uma organização sólida para alcançar a meta sexual num objeto sexual externo.

ORGANIZAÇÕES PRÉ-GENITAIS Com a ajuda da psicanálise, o estudo das inibições e perturbações desse curso de desenvolvimento nos permite reconhecer os esboços e estágios preliminares de uma tal organização dos instintos parciais, estágios que constituem ao mesmo tempo uma espécie de regime sexual. Essas fases da organização sexual são normalmente percorridas sem tropeços, revelando-se apenas por alguns indícios.

* Também esta seção foi acrescentada em 1915.

Somente em casos patológicos são ativadas e se dão a conhecer à observação descuidada.

Chamaremos de *pré-genitais* as organizações da vida sexual em que as zonas genitais ainda não assumiram o papel predominante. Até agora conhecemos duas delas, que parecem retornos a estados primitivos de vida animal.

A primeira de tais organizações sexuais pré-genitais é a *oral* ou, se assim preferirmos, *canibal*. Nela a atividade sexual ainda não se encontra separada da ingestão de alimentos, correntes opostas ainda não estão diferenciadas em seu interior. O objeto das duas atividades é o mesmo, a meta sexual consiste na *incorporação* do objeto, no modelo daquilo que depois terá, como *identificação*, um papel psíquico relevante. Um resíduo dessa fase de organização que a patologia nos leva a supor pode ser o ato de chupar o dedo, no qual a atividade sexual, desprendida da atividade da alimentação, trocou o objeto externo por um do próprio corpo.[58]

A segunda fase pré-genital é a da organização *sádico-anal*. Nela já se encontra desenvolvido o antagonismo que permeia a vida sexual; mas os opostos ainda não

---

58 [Nota acrescentada em 1920:] Ver, sobre os resíduos dessa fase em neuróticos adultos, o trabalho de Abraham, "Untersuchungen über die früheste prägenitale Entwicklungstufe der Libido" [Investigações sobre o mais remoto estágio de desenvolvimento pré-genital da libido], *Internationale Zeitschrift für Psychoanalyse*, v. 4 (1916). [Acrescentado em 1924:] Num trabalho posterior (*Versuch einer Entwicklungsgeschichte der Libido* [Esboço de uma história do desenvolvimento da libido], Leipzig, 1924), Abraham decompôs tanto essa fase oral como a fase sádico-anal posterior em duas subdivisões, caracterizadas por diferentes comportamentos em relação ao objeto.

II. A SEXUALIDADE INFANTIL

devem ser designados como *masculino* e *feminino*, e sim como *ativo* e *passivo*. A atividade é produzida pelo instinto de apoderamento, através da musculatura do corpo, e é sobretudo a mucosa intestinal erógena que se apresenta como órgão, com meta sexual passiva. As duas tendências têm objetos, mas eles não coincidem. Além disso, outros instintos parciais atuam de modo autoerótico. Nessa fase, então, a polaridade sexual e o objeto externo já podem ser constatados. Ainda faltam a organização e a subordinação à função reprodutiva.[59]

AMBIVALÊNCIA Essa forma de organização sexual pode se manter através da vida e atrair permanentemente grande parte da atividade sexual. A predominância do sadismo e o papel de cloaca da zona anal lhe emprestam um cunho singularmente arcaico. Outra característica é que os pares de instintos opostos se acham desenvolvidos de modo aproximadamente igual, o que é designado com o termo feliz, introduzido por Bleuler, de *ambivalência*.

A hipótese das organizações pré-genitais da vida sexual assenta na análise das neuroses e dificilmente pode ser avaliada sem o conhecimento destas. É de esperar que a continuação dos esforços analíticos ainda venha a nos trazer muito mais esclarecimentos acerca da estrutura e do desenvolvimento da função sexual normal.

---

59 [Nota acrescentada em 1924:] No ensaio referido por último, Abraham chama a atenção para o fato de que o ânus se formou a partir da "boca primitiva" [blastóporo] das estruturas embrionárias, o que semelha um protótipo biológico do desenvolvimento psicossexual.

A fim de completar nosso quadro da vida sexual infantil, é preciso supor que já na infância se realiza, com frequência ou com regularidade, uma escolha de objeto que apresentamos como característica da fase de desenvolvimento da puberdade: em que todos os empenhos sexuais se dirigem para uma só pessoa, na qual buscam atingir suas metas. Essa é, então, a maior aproximação à forma definitiva da vida sexual após a puberdade que é possível na época da infância. A única diferença está em que na infância a reunião dos instintos parciais e sua subordinação, sob o primado dos genitais, ou não são obtidas ou o são muito imperfeitamente. O estabelecimento desse primado a serviço da reprodução é, portanto, a última fase percorrida pela organização sexual.[60]

ESCOLHA DE OBJETO EM DOIS TEMPOS Podemos ver como típico o fato de a escolha de objeto ocorrer em dois tempos, em duas ondas. A primeira tem início entre as idades de dois* e cinco anos e o período de latência a inter-

---

60 [Nota acrescentada em 1924:] Depois, em 1923, eu próprio modifiquei essa exposição, inserindo uma terceira fase no desenvolvimento da infância, após as duas organizações pré-genitais — fase que já merece a denominação de genital, que mostra um objeto sexual e algum grau de convergência das correntes sexuais para esse objeto, mas se diferencia num ponto essencial da organização definitiva da maturidade sexual: conhece apenas um tipo de genital, o masculino. Por isso a denominei estágio de organização *fálica* ("A organização genital infantil", 1923). Segundo Abraham [op. cit., 1924], seu modelo biológico é a indiferenciada constituição genital do embrião, igual em ambos os sexos.
* "Três" nas edições anteriores a 1920.

II. A SEXUALIDADE INFANTIL

rompe ou faz regredir; distingue-se pela natureza infantil de suas metas sexuais. A segunda vem com a puberdade e determina a configuração definitiva da vida sexual.

O fato de a escolha de objeto ocorrer em dois tempos se reduz essencialmente ao efeito do período de latência, mas vem a ser bastante significativo no que toca aos distúrbios do estado final. Os resultados da escolha infantil de objeto se prolongam até uma época tardia; são conservados como tais ou são reavivados na época da puberdade. Graças à repressão que se desenvolveu entre as duas fases, porém, eles se revelam inutilizáveis. Suas metas sexuais experimentaram uma atenuação, e agora são o que podemos designar como a *corrente terna* da vida sexual. Somente a investigação psicanalítica pode provar que atrás dessa ternura, adoração e estima se escondem os velhos impulsos sexuais dos instintos parciais infantis, agora inúteis. A escolha objetal da época da puberdade tem de renunciar aos objetos infantis e começar de novo como *corrente sensual*. A não coincidência das duas correntes tem, muitas vezes, a consequência de não se poder alcançar um dos ideais da vida sexual, a união de todos os desejos num só objeto.

[7] FONTES DA SEXUALIDADE INFANTIL

No empenho de rastrear as origens do instinto sexual, vimos, até o momento, que a excitação sexual surge *a*) imitando uma satisfação experimentada com outros processos orgânicos, *b*) pela adequada estimulação periférica de zonas erógenas, *c*) como expressão de alguns "instintos"* cuja procedência ainda não nos é inteiramente compreensível, como o instinto de olhar e o instinto de crueldade. A pesquisa psicanalítica, que remonta à infância a partir de época posterior, e a observação feita simultaneamente nas crianças agora se unem para nos indicar outras fontes regulares da excitação sexual. A observação de crianças tem a desvantagem de trabalhar com objetos facilmente mal compreendidos, a psicanálise é dificultada pelo fato de poder alcançar seus objetos e suas conclusões apenas mediante enormes rodeios; atuando conjuntamente, porém, os dois métodos atingem um grau suficiente de certeza no conhecimento.

Na investigação das zonas erógenas, já vimos que essas áreas da pele apenas mostram um aumento especial de um tipo de excitabilidade que toda a superfície da pele tem em certo grau. Não ficaremos surpresos ao saber, portanto, que efeitos erógenos bastante claros devem ser atribuídos a certos tipos de estimulação geral da pele. Entre eles, destacamos sobretudo os estímulos térmicos; talvez isso nos facilite a compreensão do efeito terapêutico dos banhos quentes.

EXCITAÇÕES MECÂNICAS Também devemos mencionar aqui a produção de excitação sexual por meio de sacudidelas mecânicas ritmadas do corpo, nas quais podemos distinguir três espécies de estímulos, que agem no aparelho sensorial dos nervos vestibulares, na pele e nas partes mais profundas (músculos,

* No original, "*Triebe*", também entre aspas.

II. A SEXUALIDADE INFANTIL

estruturas articulares). Devido às sensações de prazer que assim se produzem — cabe enfatizar que "excitação sexual" e "satisfação" podem ser aqui empregados, em larga medida, indistintamente, o que nos obriga a buscar depois uma explicação para isso —; portanto, uma prova das sensações de prazer geradas por sacudidas mecânicas do corpo é o fato* de as crianças adorarem brincadeiras passivas de movimento, como serem balançadas e levantadas no ar, e sempre solicitarem sua repetição.[61] Como se sabe, o ato de embalar é normalmente empregado para fazer crianças inquietas adormecerem. As sacudidelas das carruagens e, depois, dos trens, produzem um efeito tão agradável nas crianças maiores que todos os meninos, em algum momento, desejam se tornar cocheiros e condutores. Eles costumam dedicar um interesse misterioso e de grande intensidade às coisas relacionadas aos trens, e na idade da fantasia (pouco antes da puberdade) fazem delas o núcleo de um simbolismo refinadamente sexual. A necessidade** de assim ligar viagem de trem

---

* Nota-se que o trecho inicial da frase, anterior aos travessões ("Devido às sensações" etc.), não tem prosseguimento. Essa ruptura sintática se encontra no original, nas duas edições utilizadas. As versões estrangeiras consultadas ignoram ou "corrigem" esse pequeno erro – exceto a francesa, que também o registra numa nota.

61 Várias pessoas podem se recordar de que, ao balançar, sentiam como prazer sexual o ar batendo de encontro aos genitais.

** No original, *Zwang*, normalmente traduzido por "obsessão, compulsão", mas que também pode significar "obrigação, coação, violência, força, necessidade", segundo o *Dicionário alemão-português* de Leonardo Tochtrop (Porto Alegre: Globo, 1943).

e sexualidade procede, evidentemente, do caráter prazeroso das sensações de movimento. Sobrevindo a repressão, que transforma tantas preferências infantis em seu contrário, essas mesmas pessoas, quando adolescentes ou adultos, reagirão com náuseas a balanços e sacudidas, ficarão terrivelmente exaustas ou estarão sujeitas a ataques de angústia em viagens de trem, protegendo-se da repetição da experiência dolorosa através do *medo de ferrovia*.

Aqui devemos mencionar o fato — ainda não compreendido — de a combinação de terror e sacudidas mecânicas produzir a grave neurose traumática histeriforme. É lícito supor, ao menos, que tais influências, que em intensidades pequenas se tornam fontes de excitação sexual, acarretam uma profunda perturbação do mecanismo ou química* sexual quando atuam num grau elevado.

ATIVIDADE MUSCULAR Sabe-se que uma ampla atividade muscular, para a criança, é uma necessidade cuja satisfação lhe dá prazer extraordinário. Que esse prazer tenha alguma relação com a sexualidade, que ele próprio inclua satisfação sexual ou possa tornar-se ocasião para excitação sexual — isso pode estar sujeito a ponderações críticas, que provavelmente se dirigirão também às afirmações anteriores, de que o prazer com sensações de movimento passivo é de natureza sexual ou tem efeito excitante. O fato é que não poucas pes-

---

* As palavras "ou química" foram acrescentadas em 1924.

II. A SEXUALIDADE INFANTIL

soas dizem que experimentaram os primeiros sinais de excitação nos genitais ao lutar ou brigar com companheiros de brincadeiras, situação em que, além do esforço muscular geral, tem efeito o amplo contato com a pele do oponente. A inclinação a disputas físicas com determinada pessoa, e, em anos posteriores, a disputas verbais ("Amantes que se gostam se provocam"),* é um dos bons indícios de que a escolha de objeto recaiu sobre essa pessoa. Uma das raízes do instinto sádico estaria na promoção da excitação sexual através da atividade muscular. Para muitos indivíduos, a ligação infantil entre luta corporal e excitação sexual vem a ser codeterminante na direção posteriormente dada ao seu instinto sexual.[62]

PROCESSOS AFETIVOS As outras fontes de excitação sexual da criança estão menos sujeitas à dúvida. É fácil constatar, pela observação direta e pela investigação posterior, que todos os processos afetivos mais inten-

---

* Versão aproximada do dito alemão citado por Freud, *"Was sich liebt, das neckt sich"*. As traduções consultadas apresentam: *Las querellas de amantes son proverbiales, Odios son amores, Chi ti berteggia ti vagheggia, Ceux qui s'aiment se taquinent, Lovers' quarrels are proverbial.*

62 [Nota acrescentada em 1910:] A análise de casos de abasia [incapacidade de andar] neurótica e agorafobia elimina a dúvida sobre a natureza sexual do prazer no movimento. A educação moderna, como se sabe, utiliza largamente o esporte para desviar os jovens da atividade sexual; seria mais correto dizer que substitui o deleite sexual pelo prazer no movimento e faz a atividade sexual retroceder a um de seus componentes autoeróticos.

sos, até mesmo as excitações pavorosas, transbordam para a sexualidade — algo que, de resto, pode contribuir para a compreensão do efeito patogênico de tais emoções. Na criança em idade escolar, o medo de fazer uma prova, a tensão por uma tarefa de solução difícil pode ser significativa na irrupção de manifestações sexuais e também na atitude em relação à escola, pois nessas circunstâncias surge frequentemente uma sensação de estímulo que leva a tocar os genitais, ou algo semelhante a uma polução, com todas as suas consequências embaraçosas. O comportamento das crianças na escola, que oferece problemas bastantes para os professores, deve ser posto em relação com a incipiente sexualidade das mesmas. O efeito sexualmente excitante de vários afetos nada prazerosos em si, como angustiar-se, apavorar-se, estremecer, mantém-se em grande número de indivíduos também na idade adulta, e provavelmente explica o fato de tantas pessoas buscarem oportunidades para sensações desse tipo, desde que determinadas circunstâncias (o pertencimento a um mundo imaginário, livros, teatro) amorteçam a gravidade da sensação de desprazer.

Supondo-se que até sensações dolorosas intensas possuam o mesmo efeito erógeno, sobretudo quando a dor é acompanhada de uma condição que a atenua ou mantém à distância, teríamos nisso uma das principais raízes do instinto sadomasoquista, de cuja variada composição formamos aos poucos uma ideia.[63]

---

63 [Nota acrescentada em 1924:] (O assim chamado masoquismo

II. A SEXUALIDADE INFANTIL

TRABALHO INTELECTUAL Por fim, é inegável que para muitas pessoas, tanto jovens como maduras, concentrar a atenção numa tarefa intelectual, num esforço do espírito, acarreta uma excitação sexual concomitante, que talvez seja o único fundamento justificado para a — de resto, duvidosa — atribuição de transtornos nervosos ao "excesso de trabalho" mental.

Se, após essas amostras e indicações que não foram expostas de maneira completa nem inteiramente elencadas, lançamos um olhar às fontes da excitação sexual infantil, podemos vislumbrar ou reconhecer as seguintes características gerais: parece haver sido providenciado, do modo mais amplo, para que o processo da excitação sexual — cuja natureza se tornou, é verdade, realmente enigmática para nós — seja posto em movimento. Dele cuidam principalmente, de forma direta ou não tão direta, as excitações das superfícies sensíveis — pele e órgãos dos sentidos —, do modo mais imediato os estímulos em certas áreas que designamos "erógenas". Nessas fontes de excitação sexual, decisiva é provavelmente a qualidade dos estímulos, embora o fator da intensidade (no caso da dor) não deixe de fazer diferença. Além disso, porém, no organismo estão presentes arranjos que acarretam que a excitação sexual surja como efeito colateral em toda uma gama de processos interiores, tão logo a intensidade desses processos ul-

---

"erógeno" [ver nota 23 na seção "Sadismo e masoquismo", no primeiro ensaio, parte B, acima]).

trapasse determinados limites quantitativos. O que denominamos instintos parciais da sexualidade deriva diretamente dessas fontes internas da excitação sexual ou se compõe de contribuições de tais fontes e de zonas erógenas. É possível que no organismo nada ocorra de significativo que não forneça componente para a excitação do instinto sexual.

No momento não me parece possível conferir maior clareza e certeza a essas proposições gerais, e creio que dois fatores são responsáveis por isso: primeiro, a novidade de todo esse modo de pensar; segundo, o fato de que a natureza da excitação sexual nos é inteiramente desconhecida. Mas não quero deixar de fazer duas observações que prometem abrir amplas perspectivas:

DIVERSAS CONSTITUIÇÕES SEXUAIS *a*) Assim como anteriormente vimos a possibilidade de basear uma multiplicidade de constituições sexuais inatas no desenvolvimento diverso das zonas erógenas, podemos agora tentar fazer o mesmo incluindo as fontes indiretas de excitação sexual. É lícito supor que essas fontes contribuem com afluxos em todos os indivíduos, mas não são igualmente fortes em todos, e que o desenvolvimento privilegiado dessa ou daquela fonte de excitação sexual também ajudará na diferenciação das várias constituições sexuais.[64]

---

64 [Nota acrescentada em 1920:] Uma consequência inescapável dessas afirmações é que devemos atribuir a todo indivíduo um erotismo oral, anal, uretral etc., e que a constatação dos complexos psíquicos

II. A SEXUALIDADE INFANTIL

VIAS DE INFLUÊNCIA RECÍPROCA *b*) Abandonando a linguagem figurada que utilizamos bastante, ao falar de "fontes" da excitação sexual, chegamos à conjectura de que todas as vias de ligação, que conduzem de outras funções à sexualidade, devem ser transitáveis também no sentido contrário. Se, por exemplo, a posse conjunta da área dos lábios pelas duas funções é a razão de haver satisfação sexual no ato da nutrição, o mesmo fator nos permite compreeder os distúrbios da nutrição, quando as funções erógenas da zona conjunta são perturbadas. Se sabemos que a atenção concentrada pode provocar excitação sexual, é plausível supor que atuando pela mesma via, mas em sentido contrário, o estado de excitação sexual influi sobre a disponibilidade da atenção. Boa parte da sintomatologia das neuroses, que eu relaciono a distúrbios dos processos sexuais, manifesta-se em distúrbios de outras funções do corpo, não sexuais, e esse efeito, incompreensível até agora, torna-se menos misterioso se representar apenas a contrapartida das influências que regem a produção da excitação sexual.

Contudo, as mesmas vias pelas quais os distúrbios sexuais transbordam para as demais funções do corpo serviriam para outra realização importante na saúde normal. Por elas as forças instintuais sexuais se veriam

---

correspondentes não implica um juízo de anormalidade ou neurose. As diferenças que separam o normal e o anormal podem estar apenas na força relativa de cada componente do instinto sexual e na utilização que deles é feita no curso do desenvolvimento.

conduzidas a metas outras que não as sexuais, ou seja, ocorreria a sublimação da sexualidade. Devemos finalizar admitindo que pouco se sabe ainda de certo sobre essas vias, que seguramente existem e provavelmente são utilizáveis em ambas as direções.

III. AS TRANSFORMAÇÕES DA PUBERDADE

Com o advento da puberdade, introduzem-se as mudanças que levarão a vida sexual infantil à sua configuração definitiva normal. O instinto sexual, que era predominantemente autoerótico, encontra agora um objeto sexual. Ele operava a partir de diferentes instintos e zonas erógenas, que buscavam, cada qual de forma independente, determinado prazer como única meta sexual. Agora ele recebe uma nova meta sexual e todos os instintos parciais cooperam para alcançá-la, enquanto as zonas erógenas se subordinam ao primado da zona genital.[65] Como a nova meta sexual atribui funções muito diferentes aos dois sexos, agora o desenvolvimento sexual deles diverge bastante. O do homem é mais coerente, e também mais acessível à nossa compreensão, enquanto na mulher há inclusive uma espécie de involução. A normalidade da vida sexual é garantida apenas pela exata convergência das duas correntes dirigidas ao objeto e à meta sexuais, a corrente terna e a sensual, a primeira das quais contém o que resta do florescimento infantil inicial da sexualidade.* É como a perfuração de um túnel a partir dos dois lados.

---

65 [Nota acrescentada em 1915:] A exposição esquemática oferecida no texto enfatiza as diferenças. Acima, nas pp. 110-2, foi explicado até que ponto a sexualidade infantil se aproxima da organização sexual definitiva mediante a escolha de objeto e o desenvolvimento da fase fálica. [As palavras "e o desenvolvimento da fase fálica" foram acrescentadas em 1924.]

* A última oração ("a primeira das quais" etc.) foi acrescentada em 1920.

No homem, a nova meta sexual consiste em descarregar os produtos sexuais. Não é absolutamente alheia à anterior, de obtenção de prazer; ocorre, isto sim, que o maior montante de prazer está ligado a esse ato final do processo sexual. O instinto sexual se põe agora a serviço da função reprodutiva; torna-se, por assim dizer, altruísta. Para essa transformação dar certo, as predisposições originais e todas as particularidades dos instintos devem ser levadas em conta no processo.

Como em toda ocasião em que devem haver, no organismo, novos nexos e composições conducentes a mecanismos complicados, também aí a não ocorrência desses reordenamentos dá ocasião a distúrbios doentios. Devem ser justificadamente considerados inibições do desenvolvimento todos os distúrbios patológicos da vida sexual.

[1] O PRIMADO DAS ZONAS GENITAIS E O PRAZER PRELIMINAR

O ponto de partida e a meta final do desenvolvimento descrito estão claros para nós. As passagens intermediárias ainda se acham obscuras em vários aspectos; mais de um enigma terá de continuar não resolvido.

O mais evidente dos processos da puberdade foi escolhido como o essencial: o manifesto crescimento dos genitais externos, em que o período de latência da infância se expressara por relativa inibição do crescimento. Ao mesmo tempo, o desenvolvimento dos genitais

III. AS TRANSFORMAÇÕES DA PUBERDADE

internos avançou de tal modo que eles são capazes de fornecer produtos sexuais, ou de acolhê-los para a formação de um novo ser. Assim foi constituído um aparelho altamente complicado, que aguarda utilização.

Esse aparelho deve ser posto em movimento através de estímulos, e a observação nos mostra que os estímulos podem atacá-lo por três caminhos: desde o mundo exterior, pela excitação das zonas erógenas que já conhecemos; do interior orgânico, por caminhos ainda a serem pesquisados; e desde a vida psíquica, que representa ela mesma um depósito de impressões externas e um centro de acolhimento de excitações internas. Por essas três vias se produz a mesma coisa, um estado que é designado como "excitação sexual" e que se manifesta por dois tipos de sinais, os psíquicos e os somáticos. A sinalização psíquica consiste numa tensão peculiar, de caráter bastante premente; entre os vários sinais físicos está, primeiramente, uma série de modificações nos genitais, com o sentido inequívoco de preparação para o ato sexual (a ereção do genital masculino, o umedecimento da vagina).

A TENSÃO SEXUAL O caráter de tensão da excitação sexual coloca um problema cuja solução é difícil e, ao mesmo tempo, relevante para a compreensão dos processos sexuais. Apesar de todas as diferenças de opinião que vigoram na psicologia no tocante a esse tema, devo sustentar que uma sensação de tensão tem necessariamente o caráter de desprazer. É decisivo, para mim, o fato de tal sensação trazer consigo o impulso para a mudança da situação psíquica, de atuar de forma instigadora,* o que é inteiramente alheio à natureza do prazer que se sente. Mas, se incluímos a tensão da excitação sexual entre as sensações desprazerosas, defrontamos com o fato de que indubitavelmente é sentida como prazerosa. A tensão gerada pelos processos sexuais é sempre acompanhada de prazer; até mesmo nas mudanças preparatórias que há nos genitais se nota claramente uma espécie de sensação de satisfação. Como conciliar a tensão desprazerosa e a sensação de prazer?

Tudo relacionado ao problema do prazer e desprazer toca num dos pontos mais delicados da psicologia atual. Vamos tentar aprender o máximo a partir das condições do caso presente, evitando abordar o problema como um todo.[66] Vejamos primeiramente como as zonas erógenas se ajustam à nova ordem. Cabe a elas um importante papel na introdução da excitação sexual. Aquela que é talvez a mais distante do objeto sexual, o olho, acha-se — na situação da corte feita ao objeto — mais frequentemente em condições de ser estimulada pela qualidade especial de excitação ocasionada por aquilo que, no objeto sexual, denomi-

---

* No original, *treibend wirkt*. Levou-se aqui em conta, na tradução do advérbio *treibend*, a etimologia da palavra "instinto" (em latim, *instinctus* significa "instigação, excitação"). As versões consultadas empregam: [omissão na antiga versão espanhola], *opera pulsionalmente*, *agisce come incentivo*, *se fait sentir de manière impérieuse* [com nota], *operates in an urgent way*.

66 [Nota acrescentada em 1924:] Cf. uma tentativa de solucionar esse problema nas observações introdutórias de meu ensaio "O problema econômico do masoquismo" (1924).

namos beleza. Por isso os méritos do objeto sexual são designados como "encantos".* Essa estimulação, por um lado, já é ligada ao prazer; por outro lado, tem por consequência um incremento da excitação sexual, ou sua produção, onde ela falta. Havendo também a excitação de outra zona erógena, da mão que toca, por exemplo, o efeito é o mesmo: por um lado, sensação de prazer que logo é reforçada pelo prazer oriundo das modificações preparatórias [dos genitais]; por outro lado, aumento da tensão sexual, que logo passa a nítido desprazer quando não lhe é permitido gerar mais prazer. Mais transparente talvez seja outro caso, quando, por exemplo, numa pessoa não excitada sexualmente uma zona erógena é estimulada mediante o toque, o seio de uma mulher, digamos. Esse toque já produz uma sensação prazerosa, mas simultaneamente se presta, como nenhuma outra coisa, a despertar uma excitação sexual que requer mais prazer. Como sucede que o prazer sentido provoque a necessidade de maior prazer — eis aí o problema.

MECANISMO DO PRAZER PRELIMINAR É claro, porém, o papel que nisso cabe às zonas erógenas. O que valeu para uma, vale para todas. Elas são todas empregadas para fornecer, mediante a estimulação apropriada, determinado montante de prazer, do qual parte o aumento da tensão que, por sua vez, tem de providenciar a energia motora necessária para levar a

* Cf. nota do autor sobre o termo alemão, na p. 50.

termo o ato sexual. A penúltima parte desse ato é, novamente, a estimulação adequada de uma zona erógena, da própria zona genital, na *glans penis* [glande do pênis], mediante o objeto mais apropriado para isso, a mucosa da vagina; e, com o prazer oferecido por esta excitação, obtém-se, dessa vez por via reflexa, a energia motora que promove a emissão das substâncias sexuais. Este último prazer é o maior em intensidade, e diferente dos anteriores em seu mecanismo. Ele é provocado inteiramente pela descarga, é totalmente prazer de satisfação, e com ele se extingue temporariamente a tensão da libido.

Parece-me que se justifica fixar por meio de nomes essa diferença entre um prazer pela excitação de zonas erógenas e outro na evacuação de substâncias sexuais. O primeiro pode ser convenientemente denominado *prazer preliminar*, em oposição ao *prazer final* ou prazer de satisfação da atividade sexual. O prazer preliminar é, então, o mesmo que o instinto sexual infantil já era capaz de produzir, embora em escala menor; o prazer final é novo, ou seja, provavelmente está relacionado a condições que surgem apenas na puberdade. A fórmula da nova função das zonas erógenas é, então: elas são usadas para tornar possível, graças ao prazer preliminar que delas (como na vida infantil) pode ser obtido, a produção do maior prazer da satisfação.

Há pouco pude esclarecer outro exemplo, de um âmbito muito diferente do funcionamento psíquico, no qual também é alcançado um maior efeito de prazer mediante uma pequenina sensação de prazer que atua

III. AS TRANSFORMAÇÕES DA PUBERDADE

como um "bônus de incentivo". Ali também houve a oportunidade de examinar mais detidamente a natureza do prazer.[67]

PERIGOS DO PRAZER PRELIMINAR No entanto, o vínculo do prazer preliminar com a vida sexual infantil é corroborado pelo papel patogênico que ele pode ter. O mecanismo de que faz parte o prazer preliminar resulta, evidentemente, num perigo para a obtenção da meta sexual normal, perigo esse que surge quando, em algum ponto dos processos* sexuais preparatórios, o prazer preliminar se torna muito grande e o elemento de tensão, muito pequeno. Então desaparece a força motriz** para dar continuidade ao processo sexual, todo o caminho é abreviado, a ação preparatória toma o lugar da meta sexual normal. Segundo mostra a experiência, a precondição para esse caso nocivo é que a zona erógena em questão ou o instinto parcial correspondente já tenham, na infância, contribuído em grau inusual para

---

67 Ver meu estudo *O chiste e sua relação com o inconsciente*, publicado em 1905 [final do cap. IV]. O "prazer preliminar" obtido mediante a técnica do chiste é empregado para liberar um prazer maior através da eliminação de inibições internas. [Ver também "O escritor e a fantasia", de 1908.]

* Cabe lembrar, mais uma vez, que o termo alemão normalmente traduzido por "processo", *Vorgang*, também pode significar "evento, acontecimento".

** "Força motriz" é o sentido comum, dicionarizado, do termo *Triebkraft*; algumas versões consultadas preferiram destacar o possível sentido técnico de *Trieb* no caso: *energia instintiva, fuerza pulsional, força propulsiva, force pulsionelle, motive*.

o ganho de prazer. Se há também fatores que atuam no sentido da fixação, aparece facilmente uma compulsão que se oporá, na vida posterior, à inclusão desse prazer preliminar específico num novo contexto. De tal espécie é, com efeito, o mecanismo de muitas perversões, que constituem uma permanência nos atos preparatórios do processo sexual.

O malogro da função do mecanismo sexual por causa do prazer preliminar é evitado de melhor maneira quando o primado das zonas genitais é igualmente traçado já na infância. Parece, de fato, que foram tomadas as providências para isso na segunda metade da infância (dos oito anos à puberdade). As zonas genitais se comportam, nesses anos, de modo semelhante ao da época adulta, tornam-se a sede de sensações de excitação e mudanças preparatórias quando é sentido algum prazer pela satisfação de outras zonas erógenas, embora esse efeito ainda não tenha propósito, ou seja, em nada contribui para dar continuidade ao processo sexual. Portanto, já nos anos da infância aparece, ao lado do prazer de satisfação, um certo montante de tensão sexual, embora menos constante e menor em quantidade; e agora entendemos por que, na discussão das fontes da sexualidade, pudemos dizer, também justificadamente, que o processo em questão atua de forma tanto sexualmente satisfatória como excitante. Notamos que, no curso de nossa compreensão, inicialmente exageramos as diferenças entre a vida sexual infantil e a adulta, e agora fazemos a correção. Não apenas os desvios da vida sexual normal, também sua configuração normal é determinada pelas manifestações infantis da sexualidade.

[2] O PROBLEMA DA EXCITAÇÃO SEXUAL

Permaneceu sem explicação, para nós, de onde vem a tensão sexual que surge ao mesmo tempo que o prazer, na satisfação das zonas erógenas, e qual a sua natureza.[68] A conjectura que primeiro se apresenta, a de que tal tensão resulta, de alguma forma, do prazer mesmo, é não apenas muito improvável, mas também frágil, pois no momento do prazer maior, relacionado à evacuação dos produtos sexuais, nenhuma tensão é gerada, pelo contrário, toda tensão é eliminada. Portanto, prazer e tensão sexual podem estar ligados apenas de maneira indireta.

PAPEL DAS SUBSTÂNCIAS SEXUAIS Além do fato de que, normalmente, apenas a descarga das substâncias sexuais põe fim à excitação sexual, há outros pontos que permitem ligar a tensão sexual aos produtos sexuais. No caso de uma vida abstinente, o aparelho se-

---

68 É muito instrutivo que a língua alemã, em seu uso da palavra *Lust*, leve em conta o papel, mencionado no texto, das excitações sexuais preparatórias, que simultaneamente fornecem uma parte de satisfação e contribuem para a tensão sexual. *Lust* tem duplo sentido, designa a sensação da tensão sexual (*Ich habe Lust* = eu gostaria, eu sinto o impulso [*Drang*]) e também a da satisfação. [Cf. a segunda nota do autor, no início do primeiro ensaio.]

xual costuma se livrar das substâncias sexuais durante a noite, com sensação de prazer e na alucinação onírica de um ato sexual, e quanto a esse processo — a polução noturna — é difícil afastar a concepção de que a tensão sexual, que acha o breve caminho alucinatório como substituto do ato, seria uma função da acumulação de sêmen nos reservatórios de produtos sexuais. O que sabemos sobre a esgotabilidade do mecanismo sexual depõe no mesmo sentido. Tendo se esvaziado a reserva de sêmen, não apenas a realização do ato sexual é impossível, falha também a suscetibilidade a estímulos das zonas erógenas, e sua adequada excitação já não pode causar prazer. Assim nos inteiramos também de que certo grau de tensão sexual é necessário inclusive para a excitabilidade das zonas erógenas.

Desse modo seríamos levados à suposição — muito difundida, se não estou errado — de que a acumulação das substâncias sexuais cria e mantém a tensão sexual: a pressão desses produtos sobre as paredes de seus reservatórios agiria como estímulo sobre um centro espinhal, cujo estado seria percebido por centros superiores e então produziria, na consciência, a sensação de tensão conhecida. Se a excitação de zonas erógenas aumenta a tensão sexual, isso pode ocorrer apenas se as zonas erógenas já se encontrarem em ligação anatômica pré-formada com esses centros, elevarem o tônus da excitação neles e, quando a tensão sexual é suficiente, puserem em andamento o ato sexual, ou, sendo ela insuficiente, induzirem à produção das substâncias sexuais.

III. AS TRANSFORMAÇÕES DA PUBERDADE

A fraqueza dessa teoria, que é aceita, por exemplo, na exposição que faz Krafft-Ebing dos processos sexuais, está em que, criada para explicar a atividade sexual do homem adulto, atenta pouco para três conjuntos de situações, cuja explicação também deveria fornecer. São os que se apresentam na criança, na mulher e no castrado. Em nenhum desses três casos se pode falar de uma acumulação de produtos sexuais tal como sucede no homem, o que dificulta a aplicação pura e simples do esquema; mas cabe admitir que haveria meios de tornar possível a inclusão também desses casos. De toda forma, fica de pé a advertência de não atribuir ao fator da acumulação de produtos sexuais mais coisas do que ele parece capaz de realizar.

IMPORTÂNCIA DOS ÓRGÃOS SEXUAIS INTERNOS As observações feitas em castrados parecem mostrar que a excitação sexual pode, em grau considerável, ser independente da produção de substâncias sexuais. Ocasionalmente a operação deixa de provocar a redução da libido, embora a regra seja o efeito contrário, que motivou a operação. Além disso, há muito se sabe de doenças que liquidaram a produção das células sexuais masculinas e deixaram intactas a libido e a potência do indivíduo estéril.* Logo, não é tão surpreendente, como afirma C. Rieger,** que a perda das gônadas masculinas na idade adulta possa não ter maior influên-

---

* Frase acrescentada em 1920.
** C. Rieger, *Die Castration*, Jena, 1900.

cia no comportamento psíquico do indivíduo.* É certo que a castração efetuada em idade tenra, antes da puberdade, tem um resultado que se avizinha da meta de eliminação das características sexuais; mas também aí se deveria considerar, além da perda das gônadas, uma inibição no desenvolvimento de outros fatores, ligada a essa ausência.

TEORIA QUÍMICA Experiências feitas com animais, envolvendo a extração das gônadas (testículos e ovários) e o enxerto, em vertebrados, de novos órgãos similares do outro sexo (ver a obra citada de Lipschütz [1919]), esclareceram enfim, parcialmente, a origem da excitação sexual, e nisso rechaçaram mais ainda a importância de uma eventual acumulação dos produtos sexuais celulares. Foi possível realizar o experimento (E. Steinach) de transformar um macho em fêmea e, inversamente, uma fêmea em macho, e a conduta psicossexual do animal mudou de forma correspondente às suas características somáticas, ao mesmo tempo que elas. Parece, contudo, que tal interferência determinadora do sexo não se deve à parte da gônada que engendra as células sexuais específicas (espermatozoides

---

*Antes de 1920 se encontrava, nesse ponto, a seguinte frase: "Pois as gônadas não constituem a sexualidade, e as observações feitas nos castrados confirmam o que fora demonstrado muito antes com a extração dos ovários — que é impossível eliminar as características sexuais extraindo as gônadas". Assim também, a segunda parte da frase subsequente dizia: "mas parece que o que se considera aí não é a perda efetiva das gônadas, mas uma inibição" etc.

III. AS TRANSFORMAÇÕES DA PUBERDADE

e óvulo), mas ao seu tecido intersticial, que, por isso, é ressaltado na literatura com a denominação de "glândula da puberdade". É bem possível que novas investigações venham a mostrar que a glândula da puberdade é normalmente de disposição hermafrodita, com o que a teoria da bissexualidade dos animais superiores teria fundamentação anatômica, e já agora é provável que ela não seja o único órgão ligado à produção da excitação sexual e dos caracteres sexuais. De todo modo, essa nova descoberta biológica se vincula ao que já aprendemos antes sobre o papel da glândula tireoide na sexualidade. É lícito acreditarmos que na parte intersticial das gônadas sejam produzidas substâncias químicas que, recebidas na corrente sanguínea, fazem com que certas partes do sistema nervoso central sejam carregadas de tensão sexual, tal como sabemos que substâncias venenosas introduzidas no corpo causam a transformação similar de um estímulo tóxico no estímulo particular de um órgão. Saber como a excitação sexual nasce da estimulação de zonas erógenas, com o carregamento anterior dos aparelhos centrais, e que entrelaçamentos de efeitos de estímulos puramente tóxicos e fisiológicos se produzem nesses processos sexuais, não pode ser tarefa atual tratar isso, nem mesmo hipoteticamente. Deve bastar que retenhamos como essencial, nessa concepção dos processos sexuais, a hipótese de haver substâncias que provêm do metabolismo sexual.* Pois essa

---

* Todo o parágrafo, até esse ponto, é de 1920. Nas três edições anteriores constava o seguinte: "A verdade é que não podemos

colocação aparentemente arbitrária é apoiada por um conhecimento que recebeu pouca atenção, embora seja do máximo interesse. As neuroses, que podem ser referidas apenas a distúrbios da vida sexual, exibem grande semelhança clínica com os fenômenos de intoxicação e abstinência que vêm do consumo de substâncias tóxicas geradoras de prazer (alcaloides).

---

dar nenhuma informação sobre a natureza da excitação sexual, sobretudo porque não sabemos a que órgão ou órgãos está ligada a sexualidade, depois de perceber que superestimamos as glândulas sexuais nesse sentido. Depois que descobertas surpreendentes nos ensinaram o importante papel da tireoide na sexualidade, é lícito supor que o conhecimento dos fatores essenciais da sexualidade ainda nos seja negado. Quem sentir a necessidade de preencher essa grande lacuna do nosso saber com uma suposição provisória poderá, com base nas substâncias ativas que foram encontradas na tireoide, imaginar a coisa da seguinte forma: pela estimulação adequada das zonas erógenas, ou nas outras circunstâncias acompanhadas de excitação sexual, uma substância geralmente difundida no organismo é decomposta e os produtos de sua decomposição fornecem um estímulo específico para os órgãos reprodutores ou o centro espinhal a eles vinculado, tal como sabemos que substâncias venenosas introduzidas no corpo causam a transformação similar de um estímulo tóxico no estímulo particular de um órgão. Os entrelaçamentos dos efeitos de estímulos puramente tóxicos e fisiológicos, que se produzem nesses processos sexuais, não pode ser tarefa atual tratar isso, nem mesmo hipoteticamente. De resto, não atribuo valor a essa suposição particular e estaria disposto a abandoná-la imediatamente em favor de outra, desde que fosse mantida sua característica básica, a ênfase na química sexual".

III. AS TRANSFORMAÇÕES DA PUBERDADE

[3] A TEORIA DA LIBIDO*

Harmonizam-se bem com essas conjecturas sobre o fundamento químico da excitação sexual as concepções auxiliares** que criamos para lidar com as manifestações psíquicas da vida sexual. Estabelecemos o conceito de *libido* como uma força quantitativamente variável que poderia medir processos e transposições no âmbito da excitação sexual. Considerando a sua origem especial, diferenciamos essa libido da energia que deve subjazer aos processos psíquicos em geral, e assim lhe emprestamos também um caráter qualitativo. Ao distinguir entre energia libidinal e outra energia psíquica, exprimimos o pressuposto de que os processos sexuais do organismo se diferenciam dos processos de nutrição por uma química especial. A análise das perversões e psiconeuroses nos fez ver que essa excitação sexual não vem só das assim chamadas partes genitais, mas de todos os órgãos do corpo. Por conseguinte, formamos a concepção de um *quantum* de libido, cuja representação psíquica chamamos *libido do Eu*, e cuja produção, aumento ou diminuição, distribuição e deslocamento deve nos oferecer possibilidades de explicar os fenômenos psicossexuais observados.

---

* Excetuando as três últimas frases, toda esta seção foi acrescentada em 1915 e se baseia sobretudo no ensaio "Introdução ao narcisismo", de 1914.
** No original, *Hilfsvorstellungen*, composto de *Hilfe*, "ajuda", e *Vorstelllungen*, "ideia, noção, representação"; nas versões consultadas encontramos: *representaciones auxiliares*, idem, *concetti ausiliari*, *support représentatif*, *conceptual scaffolding*.

No entanto, essa libido do Eu só se torna convenientemente acessível ao estudo analítico após achar emprego psíquico no investimento de objetos sexuais, ou seja, após se tornar *libido objetal*. Nós a vemos, então, concentrar-se em objetos, fixar-se neles, ou então abandonar esses objetos, passar deles para outros e, a partir dessas posições, guiar a atividade sexual do indivíduo, a qual leva à satisfação, isto é, à extinção parcial e temporária da libido. A psicanálise das assim chamadas neuroses de transferência (histeria e neurose obsessiva) nos proporciona uma visão segura nesse ponto.

Quanto aos destinos* da libido objetal, podemos também verificar que ela é retirada dos objetos, mantida suspensa em estados especiais de tensão e finalmente reconduzida ao Eu, de modo a se tornar novamente libido do Eu. Também chamamos à libido do Eu, em contraposição à libido objetal, libido *narcísica*. Desde o ponto de observação da psicanálise, olhamos como através de uma fronteira, cuja ultrapassagem não nos é permitida, para o agitado interior da libido narcísica e formamos uma ideia da relação entre as duas.[69] A libido narcísica ou do Eu nos aparece como

---

* No original, *Schicksale*, que no singular equivale a "destino", mas no plural — como aqui e no título do ensaio "Os instintos e seus destinos", de 1915 — pode ser traduzido por "vicissitudes", "mudanças experimentadas". As versões consultadas apresentam: *destinos*, idem, *peripezie*, *destins*, *vicissitudes*.

69 [Nota acrescentada em 1924:] Essa limitação já não tem validade, depois que outras neuroses que não as de transferência se tornaram, em grande medida, acessíveis à psicanálise.

III. AS TRANSFORMAÇÕES DA PUBERDADE

o grande reservatório, do qual são enviados e ao qual retornam os investimentos objetais; o investimento narcísico do Eu, como o estado original, formado na primeira infância, que é apenas encoberto pelos envios posteriores de libido, mas, no fundo, permanece por trás deles.

A tarefa de uma teoria libidinal dos transtornos neuróticos e psicóticos deveria ser exprimir nos termos da economia da libido todos os fenômenos observados e processos inferidos. É fácil adivinhar que os destinos da libido do Eu terão nisso a importância maior, em especial quando se tratar de explicar os distúrbios psicóticos mais profundos. A dificuldade se acha, então, no fato de que o nosso meio de investigação, a psicanálise, provisoriamente nos fornece informações seguras apenas sobre as mudanças que ocorrem na libido objetal,[70] mas não consegue separar sem problemas a libido do Eu e as outras energias atuantes no Eu.[71] Por causa disso,* uma continuação da teoria da libido só é possível atualmente pela via da especulação. Mas tudo o que a observação psicanalítica obteve até agora é abandonado, quando, seguindo o procedimento de C. G. Jung, fazemos o próprio

---

70 [Nota acrescentada em 1924:] Ver a nota precedente.
71 [Nota acrescentada em 1915:] Ver "Introdução ao narcisismo" (1914). [Acrescentado em 1920:] O termo "narcisismo" não foi criado por Näcke, como ali informei erradamente, mas por H. Ellis. [Segundo Strachey, o próprio Havelock Ellis abordou essa questão depois, em 1927, e concluiu que o mérito cabia aos dois.]
* O restante dessa seção foi acrescentado em 1920.

conceito de libido se volatilizar, identificando-o com o da força instintual* psíquica simplesmente.

A separação entre os impulsos instintuais sexuais e os outros, e consequente restrição do conceito de libido aos primeiros, acha um bom apoio na hipótese, anteriormente discutida, de uma química especial da função sexual.

[4] DIFERENCIAÇÃO DE HOMEM E MULHER

Sabe-se que apenas com a puberdade se estabelece a nítida separação entre caracteres masculinos e femininos, um contraste que passa a influir decisivamente, mais que qualquer outro, no modo como se configura a vida das pessoas. No entanto, a predisposição masculina ou feminina já é facilmente reconhecível na infância; o desenvolvimento das inibições da sexualidade (vergonha, nojo, compaixão etc.) ocorre, na menina, mais cedo e com menor resistência do que no menino; a tendência à repressão sexual parece maior; ali onde aparecem instintos parciais da sexualidade, elas dão preferência à forma passiva. Mas a atividade autoerótica das zonas erógenas é a mesma nos dois sexos, e essa concordância anula, na infância, a possibilidade de uma diferença entre os sexos como a que se estabelece após a puberdade. Considerando as manifestações sexuais autoeróticas e masturbatórias, é possível sustentar que a sexualidade

*Triebkraft no original — nas versões consultadas: *fuerza instintiva*, *fuerza pulsional*, *forza motrice*, *force pulsionelle*, *instinctual force*; ver última nota da p. 127.

III. AS TRANSFORMAÇÕES DA PUBERDADE

das garotas pequenas tem caráter completamente masculino. De fato, se pudéssemos dar um conteúdo mais definido aos conceitos "masculino" e "feminino", também se poderia afirmar que a libido é, por necessidade e por regra, de natureza masculina, apareça ela no homem ou na mulher, e independentemente de o seu objeto ser homem ou mulher.[72]

72 [Nota acrescentada em 1915:] É indispensável compreendermos claramente que os conceitos "masculino" e "feminino", cujo teor parece tão inequívoco para a opinião geral, estão entre os mais confusos da ciência, podendo ser decompostos em pelo menos três orientações diversas. Emprega-se "masculino" e "feminino" ora no sentido de *atividade* e *passividade*, ora no sentido *biológico*, e também no *sociológico*. O primeiro desses significados é o essencial, e o mais proveitoso na psicanálise. Em conformidade com ele foi que designamos a libido, no texto acima, como masculina, pois o instinto é sempre ativo, mesmo quando coloca para si uma meta passiva. O segundo significado, o biológico, é aquele que permite a definição mais clara. Nele, masculino e feminino são caracterizados pela presença de espermatozoides ou óvulos, respectivamente, e pelas funções que deles decorrem. A atividade e suas manifestações colaterais — maior desenvolvimento muscular, agressividade, maior intensidade da libido — costumam ser unidas à masculinidade biológica, mas não necessariamente vinculadas a ela, pois há espécies animais em que tais atributos são reservados à fêmea. O terceiro significado, o sociológico, nasce a partir da observação dos indivíduos masculinos e femininos em sua existência efetiva. Tal observação mostra que, no caso do ser humano, nem no sentido psicológico nem no biológico se acha uma pura masculinidade ou feminilidade. Cada pessoa apresenta, isto sim, uma mescla da característica biológica do seu sexo com traços biológicos do outro sexo, e uma combinação de atividade e passividade, tanto na medida em que esses traços de caráter psíquicos dependam dos biológicos como em que

Desde que tomei conhecimento da noção de bissexualidade,* considero esse fator decisivo e acho que, sem levar em conta a bissexualidade, dificilmente poderemos chegar à compreensão das manifestações sexuais que realmente se observam no homem e na mulher.

ZONAS DIRETRIZES NO HOMEM E NA MULHER À parte isso, posso apenas acrescentar o seguinte. Na criança do sexo feminino, a zona erógena diretriz está localizada no clitóris; é homóloga, portanto, à zona genital masculina da glande. Tudo o que pude verificar sobre a masturbação de garotas pequenas dizia respeito ao clitóris, não às partes do genital externo, relevantes para as funções sexuais futuras. Até mesmo duvido que uma menina possa chegar, sob a influência da sedução, a outra coisa que não a masturbação clitoridiana, a não ser de forma inteiramente excepcional. As descargas espontâneas da excitação sexual, tão comuns precisamente em garotas pequenas, expressam-se em espasmos do clitóris, e as frequentes ereções deste possibilitam à garota julgar corretamente, mesmo sem qualquer instrução, as manifestações sexuais do outro sexo, simplesmente transferindo para os garotos as sensações dos seus próprios processos sexuais.

---

sejam independentes. [Cf. a longa nota no final do cap. IV de *O mal-estar na civilização* (1930).]
* Após "bissexualidade" se encontrava, na primeira edição, o seguinte: "(por meio de W. Fliess)".

III. AS TRANSFORMAÇÕES DA PUBERDADE

Querendo-se entender a transformação da menina em mulher, será preciso acompanhar as vicissitudes* seguintes dessa excitação clitoridiana. A puberdade, que traz ao menino aquele grande avanço da libido, caracteriza-se na menina por uma nova onda de repressão, que atinge justamente a sexualidade clitoridiana. É uma parcela da vida sexual masculina que aí sucumbe à repressão. O reforço das inibições sexuais, criado por essa repressão que ocorre na puberdade da mulher, resulta num estímulo para a libido do homem, que se vê obrigada a intensificar sua atividade: com a elevação da libido sobe também a superestimação sexual, que é tida em plena medida somente em relação à mulher que se recusa, que nega sua sexualidade. Quando o clitóris é ele próprio excitado, no ato sexual enfim permitido, tem o papel de transmitir essa excitação adiante, às partes femininas vizinhas, mais ou menos como uma lasca de madeira resinosa é utilizada para pôr fogo numa lenha mais dura. Com frequência decorre algum tempo até que se realize essa transmissão, durante o qual a jovem mulher fica anestésica. Essa anestesia pode se tornar duradoura quando a zona clitoridiana se recusa a abandonar sua excitabilidade, e o caminho para isso é preparado justamente por uma intensa atividade [dessa zona] na infância. Sabe-se que frequentemente a anestesia das mulheres é só aparente, apenas local. Elas são anestésicas na vagina, mas de maneira nenhuma são incapazes

---

*Schicksale, no original; nas versões consultadas: *camino percorrido*, *destinos*, *vicende*, *destins*, *vicissitudes*; cf. nota à p. 136.

de excitação a partir do clitóris ou mesmo de outras zonas. A essas causas erógenas da anestesia se juntam as psíquicas, igualmente determinadas pela repressão.

Se a transferência da excitabilidade erógena do clitóris para a vagina foi realizada com êxito, isso significa que a mulher mudou a zona diretriz de sua atividade sexual futura, enquanto o homem manteve a sua desde a infância. Nessa mudança das zonas erógenas diretrizes e na onda de repressão da puberdade, que, por assim dizer, descarta a masculinidade infantil, acham-se as condições principais para a maior propensão das mulheres à neurose, em especial à histeria. Portanto, essas condições se ligam intimamente à natureza da feminilidade.

[5] A DESCOBERTA DO OBJETO*

Enquanto os processos da puberdade estabelecem o primado das zonas genitais e, no homem, a preponderância do pênis erétil indica imperiosamente a nova meta sexual — a penetração num orifício corporal que excita a zona genital —, efetua-se, do lado psíquico, a descoberta do objeto, que já era preparada desde a primeira infância. Quando a primeiríssima satisfação sexual ainda é vinculada à ingestão de alimento, o instinto sexual tem

* No original, *Objektfindung*, composto de *Objekt* mais a substantivação do verbo *finden*, "achar, encontrar, descobrir". Nas versões consultadas: *El hallazgo del objeto*, idem, *Il rinvenimento dell'oggetto*, *La découverte de l'objet*, *The finding of an object*.

III. AS TRANSFORMAÇÕES DA PUBERDADE

um objeto fora do próprio corpo, no seio da mãe. Ele o perde somente depois, talvez justamente na época em que se torna possível, para a criança, formar uma ideia total da pessoa a quem pertence o órgão que lhe traz satisfação. Então o instinto sexual se torna, por via de regra, autoerótico, e somente após a superação do período de latência é restabelecida a relação original. Não é sem boas razões que a criança a mamar no seio da mãe se tornou o modelo de toda relação amorosa. A descoberta do objeto é, na verdade, uma redescoberta.[73]

O OBJETO SEXUAL DA ÉPOCA DO ALEITAMENTO Mas mesmo depois que a atividade sexual se desprende da ingestão de alimento, resta um elemento importante desse primeiro e mais relevante de todos os vínculos sexuais, que ajuda a preparar a escolha de objeto, ou seja, a restabelecer a felicidade perdida. Ao longo de todo o período de latência, a criança aprende a *amar* outras pessoas — que a ajudam em seu desamparo e satisfazem suas necessidades —, inteiramente segundo o modelo e em prosseguimento da sua relação de lactente com a

---

73 [Nota acrescentada em 1915:] A psicanálise ensina que há dois caminhos para encontrar o objeto: primeiro o discutido no texto, que ocorre mediante o *apoio* nos modelos infantis; o segundo é o *narcísico*, que busca o próprio Eu e o reencontra no outro. Esse tem grande importância nos desenlaces patológicos, mas não se enquadra no contexto presente. [James Strachey observa que o parágrafo acima, de 1905, parece não se harmonizar com as afirmações sobre o tema que há nas pp. 111-2 e 159, de 1915 e 1920, respectivamente.]

nutriz. Talvez haja relutância em identificar com o amor sexual os sentimentos de afeição e estima que a criança tem por aqueles que dela cuidam, mas penso que uma investigação psicológica mais precisa poderá estabelecer essa identidade além de qualquer dúvida. Para a criança, o trato com a pessoa que dela cuida é uma fonte contínua de excitação sexual e satisfação das zonas erógenas, ainda mais porque essa — que geralmente é a mãe — dedica-lhe sentimentos que se originam de sua própria vida sexual: acaricia, beija e embala a criança, claramente a toma como substituto de um objeto sexual completo.[74] Provavelmente a mãe se horrorizaria se lhe explicassem que todos os seus carinhos despertam o instinto sexual do filho e preparam a posterior intensidade desse instinto. Ela considera puro amor assexual aquilo que faz, pois evita cuidadosamente proporcionar mais excitações aos genitais do filho do que o que parece inevitável na higiene corporal. Mas o instinto sexual não é despertado apenas pela excitação da zona genital, como sabemos; o que chamamos carinho mostrará um dia seus efeitos, infalivelmente, também nas zonas genitais. E se a mãe compreendesse melhor a elevada importância dos instintos para toda a vida psíquica, para todas as realizações éticas e psíquicas, pouparia a si mesma as autorrecriminações também após se esclarecer. Ela está apenas cum-

---

74 Quem achar essa concepção um "sacrilégio", deve ler a abordagem muito semelhante que Havelock Ellis faz da relação entre mãe e filho (*Das Geschlechtsgefühl*, p. 16 [tradução alemã de *Studies in the psychology of sex*, v. 3]).

III. AS TRANSFORMAÇÕES DA PUBERDADE

prindo sua tarefa quando ensina a criança a amar; afinal, esta deve se tornar uma pessoa capaz, com vigorosa necessidade sexual, e realizar em sua vida tudo aquilo a que o instinto impele o ser humano. É verdade que um excesso de carinho será prejudicial por acelerar o amadurecimento sexual e também por "mimar" a criança, tornando-a incapaz de, na vida futura, renunciar temporariamente ao amor ou satisfazer-se com uma medida menor dele. Um dos melhores indícios de futuro nervosismo* ocorre quando a criança é insaciável em exigir carinho dos pais, e, por outro lado, justamente os pais neuropáticos, que se inclinam muitas vezes ao carinho desmesurado, são os primeiros a despertar no filho, com suas carícias, a predisposição à doença neurótica. Vê-se, por esse exemplo, que pais neuróticos podem transferir seu distúrbio para os filhos por caminhos mais diretos que o da hereditariedade.

O MEDO INFANTIL As próprias crianças se comportam, desde os primeiros anos, como se o seu apego às pessoas que delas cuidam fosse da natureza do amor sexual. O medo das crianças não é outra coisa, originalmente, senão a expressão da falta que sentem da pessoa amada; por isso têm medo de todo desconhecido. Temem a escuridão porque nela não se vê a pessoa amada, e se tranquilizam quando podem segurar a

---

* No original, *Nervosität*, que, como se nota pelo contexto, seria antes equivalente a "neurose"; nas versões consultadas: *nerviosidad*, *neurosis*, *tendenza al nervosismo*, *nervosité*, *neurosis*.

mão desta na escuridão. Superestimamos o efeito dos bichos-papões e das histórias horripilantes das babás, quando lhes atribuímos a culpa pela ansiedade* infantil. As crianças que tendem à ansiedade são afetadas por histórias que não deixam impressão nas outras; e tendem à ansiedade somente aquelas com instinto sexual muito forte ou desenvolvido prematuramente, ou tornado exigente pelo mimo excessivo. Nisso a criança se comporta como o adulto, que transforma sua libido em angústia quando não pode satisfazê-la; e o adulto, quando fica neurótico por causa da libido insatisfeita, comporta-se como uma criança em sua ansiedade, começa a temer quando fica só, isto é, sem uma pessoa de cujo amor acredita estar seguro, e a querer atenuar essa angústia com as medidas mais pueris.[75]

---

* No original, *Ängstlichkeit*; ver nota sobre esse termo no v. 17 destas *Obras completas*, p. 97. Quanto a "angústia" e "medo", é sempre bom lembrar que em alemão há uma só palavra para ambos, *Angst*.
75 Devo essa explicação sobre a origem do medo infantil a um garoto de três anos, que escutei falar, certa vez, de dentro de um cômodo escuro: "Tia, fale comigo; tenho medo, porque está muito escuro". A tia exclamou: "De que adianta? Você não está me vendo". Ao que o menino respondeu: "Não importa, quando alguém fala, fica claro". — Ou seja, ele não tinha medo por causa da escuridão, mas porque sentia a falta de uma pessoa amada, e podia afirmar que se tranquilizaria tão logo obtivesse uma prova da presença dela. [Acrescentado em 1920:] O fato de a angústia neurótica nascer da libido, representar um produto de sua transformação, ou seja, de relacionar-se com ela tal como o vinagre e o vinho, é um dos mais significativos resultados da pesquisa psicanalítica. Esse problema continuou a ser discutido nas minhas *Conferências introdutórias à psicanálise* (1916-1917); mesmo ali, porém, não al-

III. AS TRANSFORMAÇÕES DA PUBERDADE

A BARREIRA CONTRA O INCESTO   Quando o carinho dos pais é bem-sucedido ao evitar que o instinto sexual da criança desperte prematuramente — antes que estejam presentes as condições físicas da puberdade —, com força tal que a excitação psíquica abre caminho até o sistema genital de forma inequívoca, então ele pode cumprir sua tarefa de guiar a criança na escolha do objeto sexual, na época da maturidade. Certamente que o mais fácil, para a criança, seria escolher como objeto sexual as pessoas que ama desde a infância com uma libido amortecida, por assim dizer.[76] Com o adiamento da maturação sexual, porém, ganhou-se tempo para erguer, ao lado de outras inibições sexuais, a barreira contra o incesto, para acolher as prescrições morais que excluem expressamente da escolha objetal, como parentes sanguíneos, as pessoas amadas na infância. A observância dessa barreira é, antes de tudo, uma exigência cultural da sociedade, que tem de defender-se contra a absorção, pela família, dos interesses de que necessita para produzir unidades sociais mais elevadas, e por isso atua, com todos os meios, no sentido de afrouxar em cada indivíduo, especialmente no jovem, os laços com a família, que eram os únicos decisivos na infância.[77]

---

cancei a explicação definitiva. [Cf. também *Inibição, sintoma e angústia* (1925) e *Novas conferências introdutórias* (1933).]

76 [Nota acrescentada em 1915:] Cf. o que dissemos acima [p. 111] sobre a escolha objetal da criança: a "corrente terna".

77 [Nota acrescentada em 1915:] A barreira contra o incesto é provavelmente uma das aquisições históricas da humanidade, e, como outros tabus morais, já estaria fixada por herança orgânica em mui-

Mas a escolha do objeto é realizada primeiramente na imaginação, e a vida sexual do adolescente não tem outra opção, praticamente, senão entregar-se a fantasias, ou seja, a ideias não destinadas à concretização.[78]

---

tos indivíduos (cf. minha obra *Totem e tabu*, 1912-1913). Mas a investigação psicanalítica mostra que o indivíduo ainda luta intensamente com a tentação do incesto em seu desenvolvimento e que muitas vezes sucumbe a ela na fantasia e até mesmo na realidade.
78 [Nota acrescentada em 1920:] As fantasias da época da puberdade se ligam à pesquisa sexual infantil abandonada na infância, e provavelmente retrocedem ainda um pouco, até o período de latência. Podem ser mantidas completamente ou em boa parte inconscientes, e por isso não podemos, muitas vezes, datá-las com exatidão. Têm grande importância na gênese de muitos sintomas, pois constituem seus estágios preliminares, ou seja, estabelecem as formas em que os componentes libidinais reprimidos encontram satisfação. Da mesma forma, são os protótipos das fantasias noturnas, que se tornam conscientes como sonhos. Estes, com frequência, não são outra coisa senão revivescências de tais fantasias sob a influência e apoiando-se num estímulo diurno procedente da vida de vigília ("restos diurnos").

Entre as fantasias sexuais da época da puberdade, destacam-se algumas que se caracterizam pela ocorrência bastante generalizada e por serem, em grande medida, independentes da experiência individual. São as fantasias de espreitar o ato sexual dos pais, da sedução por parte de pessoas amadas quando era pequena, da ameaça de castração, as fantasias com o útero materno, de estar em seu interior e até mesmo ter experiências ali, e o assim chamado "romance familiar", em que ela reage à diferença entre sua atitude para com os pais agora e na infância. As estreitas relações entre essas fantasias e os mitos foram demonstradas, neste último caso, por Otto Rank, em seu trabalho *O mito do nascimento do herói*, de 1909.

Diz-se, com razão, que o complexo de Édipo é o complexo nuclear da neurose, que constitui a parte essencial do seu conteúdo. Nele culmina a sexualidade infantil, que, por seus efeitos ulte-

III. AS TRANSFORMAÇÕES DA PUBERDADE

Com essas fantasias reaparecem, em todos os seres humanos, as inclinações infantis, agora reforçadas pela pressão somática, e entre elas, com regular frequência e em primeiro lugar, o impulso sexual da criança em relação aos pais, geralmente já diferenciado graças à atração pelo sexo oposto — o do filho pela mãe e o da filha pelo pai.[79] Simultaneamente com a superação e repúdio dessas fantasias claramente incestuosas, sucede uma das realizações psíquicas mais significativas e também mais dolorosas da época da puberdade, o desprendimento da autoridade dos pais, através do qual se cria a oposição — tão relevante para o avanço cultural — da nova geração em face da antiga. Em cada uma das etapas do curso evolutivo que os indivíduos devem percorrer, certo número deles é retido, de modo que há pessoas que nunca superam a autoridade dos pais e não retiram — ou o fazem apenas de modo incompleto —

---

riores, influi decisivamente na sexualidade do adulto. Cada novo ser humano enfrenta a tarefa de lidar com o complexo de Édipo; quem não consegue fazê-lo, sucumbe à neurose. O avanço do trabalho psicanalítico tornou cada vez mais nítida a importância do complexo de Édipo; o reconhecimento dele se tornou o xibolete que distingue os adeptos da psicanálise de seus opositores. ["Xibolete": alusão à Bíblia, Juízes, 12,5-6.]

[Acrescentado em 1924:] Em outro ensaio [*O trauma do nascimento*, 1924], Rank relacionou o vínculo materno à pré-história embrionária, mostrando assim o fundamento biológico do complexo de Édipo. A barreira contra o incesto ele faz remontar — divergindo do que dissemos aqui — à impressão traumática deixada pela angústia do nascimento.

79 Cf. minhas considerações sobre a inevitabilidade do destino na fábula de Édipo (*A interpretação dos sonhos*, 1900 [cap. v, seção D β]).

a ternura por eles. São geralmente garotas, que assim, para alegria dos pais, persistem no amor infantil muito além da puberdade, e será bem instrutivo notar que depois, quando casadas, essas garotas não terão a capacidade de oferecer aos esposos o que lhes é devido. Elas se tornarão esposas frias e permanecerão sexualmente anestésicas. Isso mostra que o amor aparentemente não sexual pelos genitores e o amor sexual se alimentam das mesmas fontes, ou seja, o primeiro corresponde apenas a uma fixação infantil da libido.

Quanto mais nos aproximamos dos transtornos profundos do desenvolvimento psicossexual, mais inequívoca se revela a importância da escolha incestuosa de objeto. Nos psiconeuróticos, devido à rejeição da sexualidade, toda ou grande parte da atividade psicossexual na busca do objeto permanece no inconsciente. Para as garotas com excessiva necessidade de ternura e horror igualmente grande às reais exigências da vida sexual, será uma tentação inevitável, por um lado, realizar em sua vida o ideal do amor assexual e, por outro lado, esconder sua libido atrás de uma ternura que podem manifestar sem autorrecriminação, apegando-se por toda a vida à inclinação infantil — renovada na puberdade — pelos pais ou irmãos. A psicanálise pode facilmente provar a essas pessoas que elas são, no sentido comum da palavra, *apaixonadas* por esses parentes consanguíneos, e o faz rastreando seus pensamentos inconscientes e traduzindo-os em conscientes, por meio dos sintomas e de outras manifestações patológicas. Também quando uma pessoa, antes sadia, adoece após uma experiência amorosa infeliz, é possível desvendar seguramente, como mecanismo da doença, a reversão de sua libido a pessoas prediletas na infância.

EFEITO POSTERIOR DA ESCOLHA OBJETAL INFANTIL

Mesmo quem conseguiu evitar a fixação incestuosa da libido não escapa inteiramente à sua influência. Uma nítida ressonância dessa fase de desenvolvimento ocorre quando a primeira paixão séria de um homem jovem — algo frequente — é uma mulher madura, e a de uma garota é um homem mais velho e possuidor de autoridade, que são capazes de reavivar neles a imagem da mãe e do pai, respectivamente.[80] Em geral, a escolha do objeto se faz apoiando-se mais livremente nesses modelos. O homem busca sobretudo a imagem mnêmica da mãe, que o domina desde o começo da infância; harmoniza-se plenamente com isso que a mãe, ainda viva, se oponha a essa nova versão dela e a trate com hostilidade. Sendo tão importantes as relações infantis com os pais na futura escolha do objeto sexual, é fácil compreender que toda perturbação desses laços infantis acarreta graves consequências para a vida sexual após a maturação; mesmo o ciúme de quem ama sempre tem raiz infantil ou, pelo menos, reforço infantil. Desavenças entre os pais, seu casamento infeliz, determinam séria predisposição a um desenvolvimento sexual perturbado ou adoecimento neurótico nos filhos.

---

80 [Nota acrescentada em 1920:] Ver meu ensaio "Sobre um tipo especial de escolha de objeto feita pelo homem" (1910).

A inclinação infantil pelos pais é provavelmente o mais relevante, mas não o único traço que, revivescido na puberdade, depois aponta o caminho para a escolha do objeto. Outros fatores de mesma procedência permitem ao homem, sempre se apoiando em sua infância, desenvolver mais que uma única *série sexual*, formando precondições muito diversas para a escolha do objeto.[81]

PREVENÇÃO DA INVERSÃO Uma tarefa que surge na escolha do objeto é recair precisamente no sexo oposto. Como se sabe, isso não é feito sem alguma hesitação. Os primeiros impulsos, após a puberdade, frequentemente se equivocam, sem que haja dano duradouro. Dessoir* chamou a atenção, justificadamente, para a regularidade que transparece nas amizades entusiasmadas de garotas e rapazes por jovens do mesmo sexo. O grande poder que impede uma inversão duradoura do objeto sexual é, certamente, a atração que os caracteres sexuais opostos manifestam um pelo outro; no contexto da presente discussão não é possível dizer nada para explicar isso.[82]

---

81 [Nota acrescentada em 1915:] Inúmeras particularidades da vida amorosa, assim como o caráter obsessivo do próprio enamoramento, podem ser compreendidas apenas por referência à infância e como efeitos residuais dela.

*M. Dessoir, "Zur Psychologie der *vita sexualis*", *Allgemeine Zeitschrift für Psychiatrie*, 50 (1894).

82 [Nota acrescentada em 1924:] Cabe mencionar aqui um trabalho fantasioso, mas refinado, de S. Ferenczi (*Versuch einer Genitaltheorie*, 1924 [título inglês: *Thalassa: a theory of genitality*, 1938], em que a vida sexual dos animais superiores é derivada de sua história evolutiva.

III. AS TRANSFORMAÇÕES DA PUBERDADE

Mas esse fator não basta, por si só, para excluir a inversão; a ele devem juntar-se vários outros elementos. Sobretudo a inibição impositiva da sociedade; onde a inversão não é considerada crime, pode-se verificar que ela corresponde inteiramente às inclinações sexuais de não poucos indivíduos. E, no tocante ao homem, pode-se supor que a recordação infantil do carinho da mãe e de outras pessoas do sexo feminino, às quais ele foi confiado, contribui fortemente para dirigir sua escolha para a mulher,* enquanto a precoce intimidação sexual por parte do pai e a relação competitiva com ele o desviam do seu próprio sexo. Mas os dois fatores também valem para a menina, cuja atividade sexual se encontra sob a tutela especial da mãe. Disso resulta uma atitude hostil com o próprio sexo, que influencia bastante a escolha do objeto na direção tida como normal. A educação dos garotos por indivíduos do sexo masculino (escravos, no mundo antigo) parece favorecer a homossexualidade. Na nobreza atual, o emprego de domésticos do sexo masculino e a menor atenção dada pela mãe tornam mais compreensível a frequência da inversão. Em alguns histéricos, nota-se que a ausência prematura de um dos genitores (por morte, separação, afastamento), devido à qual aquele remanescente atrai todo o amor da criança, determina a precondição para sexo da pessoa

---

* O restante dessa frase e as duas frases seguintes são de 1915. Nas edições de 1905 e 1910 constava o seguinte: "enquanto na garota, que, de toda forma, entra num período de repressão na puberdade, impulsos de rivalidade contribuem para afastá-la do amor pelo mesmo sexo".

futuramente escolhida como objeto sexual e, com isso, torna possível a inversão duradoura.

RESUMO

É hora de tentar fazer um resumo. Partimos das aberrações do instinto sexual no tocante a seu objeto e sua meta, e nos vimos ante a questão de saber se elas derivam de uma constituição inata ou são adquiridas como resultado das influências da vida. A resposta a essa questão nos veio da compreensão do funcionamento do instinto sexual nos psiconeuróticos, uma classe de pessoas numerosa e pouco distante dos indivíduos sãos — compreensão essa que havíamos obtido graças à investigação psicanalítica. Descobrimos que nessas pessoas pode-se comprovar a existência de inclinações a todas as perversões, como poderes inconscientes que se revelam formadores de sintomas, e pudemos afirmar que a neurose é como que um negativo da perversão. Ante a reconhecida frequência das inclinações perversas, impôs-se a nós a ideia de que a predisposição às perversões seria a predisposição geral original do instinto sexual humano, da qual se desenvolveria o comportamento sexual normal, em consequência de alterações orgânicas e inibições psíquicas no decorrer da maturação. Esperávamos demonstrar a presença da predisposição original na infância; entre os poderes que restringem a direção do instinto sexual ressaltamos o pudor, o nojo, a compaixão e as construções sociais da moral e da autoridade. Assim, em toda aberração fixada da vida sexual normal tivemos de enxergar um quê de inibição do desenvolvimento e infantilismo. Tivemos de situar em primeiro plano a importância das variações da predisposição original, mas entre elas e as influências da vida foi preciso supor uma relação de cooperação, não de antagonismo. Por outro lado, como a predisposição original tinha de ser complexa, o próprio instinto sexual se nos apresentou como algo composto de muitos fatores, que nas perversões se desintegra, por assim dizer, em seus componentes. Desse modo, as perversões se mostravam, por um lado, como inibições, por outro, como dissociações do desenvolvimento normal. As duas concepções se juntaram na hipótese de que o instinto sexual do adulto nasceria mediante a síntese de muitos impulsos da vida infantil numa unidade, numa tendência com uma só meta.

Acrescentamos ainda a explicação para a prevalência das inclinações perversas nos psiconeuróticos, vendo-a como preenchimento colateral de canais secundários quando há desvio do leito principal da corrente, devido à "repressão", e nos voltamos para o exame da vida sexual na infância.[83] Achamos deplorável que se contestasse a presença do instinto sexual na infância e que fossem descritas como irregularidades as manifestações sexuais que não raro se veem nas crianças. Pareceu-nos, isto sim, que as crianças vêm ao mundo com

---

83 [Nota acrescentada em 1915:] Isso vale não apenas para as inclinações perversas que aparecem "negativamente" na neurose, mas igualmente para as perversões positivas, as perversões propriamente ditas. Essas, portanto, não devem ser referidas simplesmente à fixação das inclinações infantis, mas também à regressão às mesmas devido à obstrução de outros canais da corrente sexual. Por isso as perversões positivas são também acessíveis à terapia psicanalítica.

RESUMO

germens de atividade sexual e já quando se nutrem têm também satisfação sexual, que sempre buscam obter novamente no conhecido ato de "sugar". Mas a atividade sexual da criança não se desenvolveria no mesmo passo que suas demais funções: após um breve período de florescimento entre os dois e os cinco anos de idade,* ela entraria no chamado "período de latência". Nele a produção de excitação sexual não cessaria, continuando e fornecendo uma provisão de energia que seria aplicada, em grande parte, para outros fins que não os sexuais: por um lado, no aporte dos componentes sexuais para sentimentos sociais; por outro (através de repressão e formação reativa), na construção das futuras barreiras sexuais. Desse modo, as forças destinadas a manter o instinto sexual em determinados canais seriam construídas na infância, à custa de impulsos sexuais perversos em grande parte, e com a assistência da educação. Outra parte dos impulsos sexuais infantis escaparia a esse emprego e poderia se manifestar como atividade sexual. Então se constataria que a excitação sexual da criança provém de muitas fontes. A satisfação surgiria, antes de tudo, pela adequada excitação sensorial das chamadas zonas erógenas, cuja função provavelmente pode ser exercida por qualquer área da pele e qualquer órgão dos sentidos, provavelmente qualquer órgão,** ao passo que existem zonas erógenas por excelência, cuja

---

* A especificação do período foi acrescentada em 1915. No entanto, naquela edição constava "três", em vez de "dois"; a partir de 1920 é que se encontra o número atual.
** As três últimas palavras foram acrescentadas em 1915.

excitação é garantida, desde o começo, por determinados dispositivos orgânicos. Além disso, a excitação sexual surgiria como, digamos, produto secundário num grande número de processos do organismo, tão logo esses atinjam certa intensidade; especialmente em toda emoção mais forte, ainda que seja de natureza dolorosa. As excitações oriundas de todas essas fontes ainda não se conjugariam, cada uma perseguiria isoladamente sua meta, que é apenas a obtenção de determinado prazer. Portanto, o instinto sexual, na infância, não seria *centrado*, e seria primeiramente sem objeto, *autoerótico*.*

Ainda durante a infância, a zona erógena dos genitais começaria a se fazer notar, seja produzindo satisfação em resposta a um adequado estímulo sensorial, como qualquer outra zona erógena, seja porque, de modo não inteiramente compreensível, uma excitação sexual que tem uma relação especial com a zona genital seria gerada simultaneamente com a satisfação vinda de outras fontes. Tivemos de lamentar que não fosse possível chegar a uma explicação satisfatória para a relação entre satisfação sexual e excitação sexual, e entre a atividade da zona genital e a das outras fontes da sexualidade.

O estudo** dos transtornos neuróticos nos fez notar que na vida sexual infantil pode-se reconhecer, desde o início, esboços de uma organização dos componentes instintuais sexuais. Numa primeira fase, bastante cedo,

* Antes de 1920 encontrava-se apenas "o instinto sexual, na infância, seria sem objeto, *autoerótico*".
** Esse parágrafo e os dois seguintes foram acrescentados em 1920.

o erotismo *oral* se acha em primeiro plano; a segunda dessas organizações "*pré-genitais*" é caracterizada pela predominância do *sadismo* e do erotismo *anal*, e somente numa terceira fase (que se desenvolve, na criança, apenas até o primado do falo)* a vida sexual é determinada também pela participação das zonas genitais propriamente ditas.

Tivemos então de comprovar, numa das mais surpreendentes descobertas, que esse primeiro florescimento da vida sexual infantil (dos dois aos cinco anos de idade) também produz uma escolha de objeto com todas as suas ricas realizações psíquicas, de modo que a fase a ele relacionada, que corresponde a esse período, deve ser vista como importante precursora da organização sexual definitiva, apesar da síntese imperfeita dos componentes instintuais e da incerteza da meta sexual.

Pareceu-nos digno de especial atenção o fato de o desenvolvimento sexual começar em dois tempos no ser humano, isto é, de ser interrompido pelo período de latência. Ele parece ser uma das precondições da aptidão humana para desenvolver uma cultura superior, mas também da inclinação para a neurose. Pelo que sabemos, nada semelhante se encontra nos parentes animais do ser humano. A origem dessa peculiaridade deve ser buscada na pré-história da espécie humana.

Não pudemos dizer que montante de atividade sexual na infância pode ser designado como ainda normal, não prejudicial ao desenvolvimento posterior. As

---

* O trecho entre parênteses foi acrescentado em 1924.

manifestações sexuais revelaram-se de natureza principalmente masturbatória. Também constatamos que influências externas de sedução podem provocar interrupções prematuras do período de latência e até mesmo a cessação dele, e que nisso o instinto sexual infantil se mostra, de fato, polimorficamente perverso; e que, além disso, toda atividade sexual assim prematura compromete a educabilidade da criança.

Não obstante as lacunas em nosso conhecimento da vida sexual infantil, precisamos fazer a tentativa de examinar as mudanças nela trazidas pelo advento da puberdade. Tomamos duas delas como decisivas: a subordinação de todas as demais fontes de excitação sexual ao primado das zonas genitais e o processo de achar o objeto. As duas já estão prefiguradas na infância. A primeira se realiza pelo mecanismo da exploração do prazer preliminar, em que os atos sexuais antes autônomos, ligados ao prazer e à excitação, tornam-se atos preparatórios para a nova meta sexual, a descarga dos produtos sexuais; essa meta, obtida com enorme prazer, põe fim à excitação sexual. Nisso tivemos de considerar a diferenciação do indivíduo sexual em homem e mulher, e vimos que para se tornar uma mulher é necessária uma nova repressão, que anula uma parcela de masculinidade infantil e prepara a mulher para a mudança da zona genital diretriz. Por fim, entendemos que a escolha de objeto é dirigida pela inclinação sexual, insinuada na infância e reavivada na puberdade, da criança pelos pais e pessoas que dela cuidam, e é desviada dessas pessoas — para outras que a elas se assemelham — pela barreira contra o incesto erguida nesse meio-tempo. Acrescentemos, enfim, que durante a transição da puberdade os processos de desenvolvimento somáticos e psíquicos seguem por algum tempo sem ligação entre si, até que a irrupção de um forte impulso psíquico amoroso, levando à inervação dos genitais, produz a unidade normalmente requerida da função amorosa.

FATORES QUE PERTURBAM O DESENVOLVIMENTO
Cada passo nessa longa trilha de desenvolvimento pode se tornar um ponto de fixação, cada encaixe dessa emaranhada composição pode se tornar ensejo para uma dissociação do instinto sexual, como já mostramos em diversos exemplos. Falta oferecermos uma visão geral dos diversos fatores internos e externos que perturbam o desenvolvimento e indicar que ponto do mecanismo é afetado pela perturbação deles oriunda. Os fatores que vamos elencar podem não ter igual valor, naturalmente, e teremos dificuldade em avaliar cada um deles separadamente.

CONSTITUIÇÃO E HEREDITARIEDADE Em primeiro lugar devemos mencionar a inata *variedade da constituição sexual*, a que cabe provavelmente o papel principal, mas que — como é compreensível — pode ser inferida apenas de suas manifestações posteriores, e nem sempre com muita segurança. Entendemos por isso a preponderância de uma ou outra das muitas fontes de excitação sexual, e acreditamos que tal diversidade nas predisposições tem de achar expressão no resultado final, ainda que este se mantenha dentro dos limites do normal. Sem dúvida, também é possível conceber variações tais da predisposição original que necessariamente, e sem o concurso de outros fatores, levem à formação de uma vida sexual anormal. Pode-se chamá-los "degenerativos" e vê-los como expressão de degenerescência hereditária. Com relação a isso, tenho algo digno de nota a relatar. Em mais de metade dos casos graves de histeria, neurose obsessiva etc. que tratei com psicoterapia, consegui estabelecer de forma segura que o pai tivera sífilis antes do casamento, seja por haver sofrido de tabes ou paralisia progressiva, seja porque isso foi indicado de outro modo, por via da anamnese. Quero registrar que os filhos que depois se tornaram neuróticos não apresentavam sinais físicos de lues hereditária, de modo que a constituição sexual anormal devia ser considerada o último rebento da herança luética. Embora esteja longe de mim ver a descendência de genitores sifilíticos como condição etiológica regular ou indispensável da constituição neuropática, não me parece casual e irrelevante a coincidência que notei.

As condições hereditárias dos perversos positivos são menos conhecidas, pois eles sabem esquivar-se à indagação. Mas há razões para supor que o que vale para as neuroses se aplica também às perversões. Não é raro encontrar perversões e psiconeuroses, na mesma família, distribuídas entre os sexos de forma tal que os membros masculinos, ou um deles, são perversos positivos, mas os membros femininos, de acordo com a tendência do seu sexo à repressão, são perversos negativos, histé-

RESUMO

ricos — uma boa prova dos laços essenciais que descobrimos entre os dois distúrbios.

ELABORAÇÃO ULTERIOR Mas não é possível defender o ponto de vista de que a configuração da vida sexual estaria decidida inequivocamente com a presença inicial dos diversos componentes na constituição sexual. O processo de determinação continua, na verdade, e outras possibilidades se apresentam, conforme os destinos que experimentem os afluxos de sexualidade oriundos das várias fontes. Claramente, essa *elaboração ulterior* é que traz a decisão final, enquanto constituições idênticas na descrição podem levar a três desfechos diferentes:

[1] Quando todas as predisposições se mantêm na sua proporção relativa — que supomos anormal — e se fortalecem no amadurecimento, o resultado final pode ser apenas uma vida sexual perversa. A análise dessas predisposições constitucionais anormais ainda não foi empreendida sistematicamente, mas sabemos de casos que podem ser facilmente explicados mediante essa hipótese. Em toda uma série de perversões de fixação, por exemplo, os estudiosos acham que elas têm como pressuposto necessário uma fraqueza inata do instinto sexual. Nessa forma, a tese me parece insustentável; ela faz sentido, porém, se o que se entende é uma fraqueza constitucional de um dos fatores do instinto sexual, a zona genital, que depois assume a função de combinar as diversas atividades sexuais para a meta da reprodução. Esta síntese, requerida na puberdade, inevitavel-

mente fracassa, e o mais forte dos demais componentes da sexualidade impõe suas atividades como perversão.[84]

REPRESSÃO [2] Outro desfecho se dá quando, no curso do desenvolvimento, alguns dos componentes, excessivamente fortes, experimentam o processo da *repressão* — que, deve-se ter em conta, não equivale a uma anulação. Nisso as excitações correspondentes são geradas como antes, mas, por obstrução psíquica, são impedidas de alcançar sua meta e empurradas para muitas outras vias, até se expressarem como sintomas. O resultado pode ser uma vida sexual aproximadamente normal — em geral restrita —, mas com o complemento de uma doença psiconeurótica. Foram justamente esses casos que a investigação psicanalítica dos neuróticos nos permitiu conhecer bem. A vida sexual dessas pessoas começa como a dos perversos, toda uma parcela de sua infância é preenchida de atividade sexual perversa, que eventualmente se prolonga até a maturidade. Então ocorre, por causas internas — geralmente ainda antes da puberdade, mas aqui e ali, até muito depois —, uma reviravolta devida à repressão, e a partir daí, sem que os velhos impulsos se extingam, a neurose toma o lugar da perversão. Somos lembrados do provérbio "Rameira quando jovem, beata quando velha" [*Junge Hure, alte*

---

84 [Nota acrescentada em 1915:] Frequentemente se vê, na época da puberdade, instaurar-se inicialmente uma corrente sexual normal, que devido à sua fraqueza interna, porém, sucumbe ante os primeiros obstáculos externos e é substituída pela regressão à fixação perversa.

Betschwester], mas nesse caso a juventude foi muito breve. Tal substituição da perversão pela neurose na vida da mesma pessoa, assim como a já mencionada distribuição de perversão e neurose entre pessoas diferentes da mesma família, deve ser ligada à noção de que a neurose é o negativo da perversão.

SUBLIMAÇÃO [3] O terceiro desenlace, numa predisposição constitucional anormal, é possibilitado pelo processo da *"sublimação"*, em que se permite a excitações muito fortes, oriundas de diferentes fontes da sexualidade, terem saída e utilização em outros âmbitos, de modo que um aumento considerável da capacidade de realização psíquica resulta de uma predisposição perigosa em si. Aqui se acha uma das fontes da atividade artística, e, conforme tal sublimação for completa ou incompleta, a análise de caráter de pessoas muito dotadas, em especial as de aptidão artística, mostrará uma variada mescla de capacidade de realização, perversão e neurose. Uma subvariedade da sublimação é, provavelmente, a repressão* por *formação reativa*, que, como vimos, começa já no período de latência da criança e prossegue, em casos favoráveis, por toda a vida. O que chamamos "caráter" de um indivíduo é, em boa parte, construído com o material de excitações sexuais, e se compõe de instintos fixados desde a infância, de construções adquiridas através de sublimação e daquelas destinadas a refrear eficazmente impulsos perversos,

---

* No original, *Unterdrückung*; cf. nota à p. 72.

reconhecidos como inaproveitáveis.⁸⁵ Assim, a predisposição sexual geralmente perversa da infância pode ser considerada a fonte de uma série de nossas virtudes, na medida em que, por formação reativa, estimula a criação delas.⁸⁶

VIVÊNCIAS ACIDENTAIS Todas as demais influências carecem de importância quando comparadas aos desprendimentos sexuais,* às ondas de repressão e às sublimações — sendo que as condições internas dos dois últimos processos nos são inteiramente desconhecidas. Quem inclui as repressões e sublimações na predisposição constitucional, vendo-as como manifestações vitais

---

85 [Nota acrescentada em 1920:] Em alguns traços de caráter se reconheceu inclusive um nexo com determinados componentes erógenos. Assim, obstinação, parcimônia e gosto pela ordem derivam do emprego do erotismo anal. A ambição é determinada por uma forte predisposição ao erotismo uretral. [Cf. "Caráter e erotismo anal" (1908).]

86 Émile Zola, um conhecedor da alma humana, retrata em *La joie de vivre* [A alegria de viver, 1884] uma garota que, com alegre abnegação e sem esperar recompensa, sacrifica às pessoas que ama tudo o que possui ou poderia reivindicar — seu patrimônio e suas expectativas. A infância dessa garota foi dominada por uma necessidade de afeto insaciável, que se transforma em crueldade numa ocasião em que ela é preterida em favor de outra.

* No original: *Sexualentbindungen*, em que o substantivo *Entbindungen* corresponde ao verbo *entbinden*, "desprender, desligar, liberar". As versões consultadas apresentam: [omissão na versão espanhola], *desenfrenos sexuales*, *scariche sessuali*, *libérations sexuelles* [com nota explicativa], *releases of sexuality*. Segundo a nota do tradutor francês, Philippe Koeppel, a expressão parece "aludir ao fator da liberação da excitação sexual a partir das diferentes fontes".

desta, tem o direito de afirmar que a configuração final da vida sexual é, antes de tudo, resultado da constituição inata. Mas nenhum indivíduo sensato pode contestar que nessa combinação de fatores há também lugar para os influxos modificadores do que é vivido acidentalmente na infância e depois. Não é fácil* estimar a eficácia relativa dos fatores constitucionais e acidentais. Na teoria, há sempre a inclinação a superestimar os primeiros; a prática terapêutica enfatiza a importância dos últimos. De maneira nenhuma se deve esquecer que a relação entre os dois é de cooperação, não de exclusão. O fator constitucional tem de esperar por vivências que o façam entrar em vigor, o acidental precisa apoiar-se na constituição para chegar a ter efeito. Podemos imaginar, para a maioria dos casos, uma "série complementar",** em que as intensidades decrescentes de um fator são compensadas pelas intensidades crescentes de outro, mas não temos motivo para negar a existência de casos extremos nas duas pontas da série.

Estará em conformidade ainda maior com a pesquisa psicanalítica se privilegiarmos, entre os fatores acidentais, as vivências da primeira infância. Uma série etiológica se decompõe então em duas, que podem ser chamadas a *disposicional* e a *definitiva*. Na primeira, a constituição e as vivências infantis acidentais agem con-

---

* O resto desse parágrafo e todo o parágrafo seguinte foram acrescentados em 1915.
** Na edição de 1915 se achava "série etiológica", que foi aqui substituída por "série complementar" em 1920, mas conservada no parágrafo seguinte, talvez inadvertidamente.

juntamente, assim como, na segunda, a predisposição e as vivências traumáticas posteriores. Todos os fatores prejudiciais ao desenvolvimento sexual manifestam seus efeitos produzindo uma *regressão*, um retorno a uma fase anterior de desenvolvimento.

Agora prosseguiremos com nossa tarefa de apresentar os fatores que verificamos ter muita influência no desenvolvimento sexual, por constituírem forças ativas ou apenas manifestações de tais forças.

A PRECOCIDADE Um fator desses é a *precocidade* sexual espontânea, que, ao menos na etiologia das neuroses, pode ser demonstrada seguramente, embora, como outros fatores, não baste sozinha para causá-las. Ela se mostra na interrupção, encurtamento ou eliminação do período infantil de latência, e vem a ser causa de transtornos ao ocasionar manifestações sexuais que, devido ao estado incompleto das inibições sexuais, por um lado, e ao sistema genital não desenvolvido, por outro, terão o caráter de perversões. Essas inclinações perversas podem se manter como tais ou, depois de aparecerem as repressões, tornar-se forças motrizes de sintomas neuróticos. Em todos os casos, a precocidade sexual dificulta o desejável domínio posterior do instinto sexual pelas instâncias psíquicas superiores e aumenta o caráter compulsivo que as representações psíquicas do instinto já possuem. Com frequência, a precocidade sexual é paralela ao desenvolvimento intelectual prematuro, e assim a encontramos na história da infância de indivíduos de grande eminência e capacidade; ela parece, então, não agir de forma tão patogênica como quando surge isoladamente.

FATORES TEMPORAIS Assim como a precocidade,* outros fatores requerem atenção; juntamente com ela, podemos chamá-los de "temporais". A ordem em que os impulsos instintuais são ativados parece filogeneticamente estabelecida, e também o espaço de tempo em que podem se manifestar até sucumbir à influência de um impulso instintual que surge ou de uma repressão típica. Mas tanto na sequência temporal como em sua duração podem ocorrer variações que têm de exercer influência determinante no resultado final. Não pode ser indiferente que certa corrente apareça antes ou depois que sua corrente contrária, pois o efeito de uma repressão não é reversível: uma discrepância temporal na composição dos elementos produz normalmente uma alteração do resultado. Por outro lado, impulsos instintuais que surgem com particular intensidade transcorrem, muitas vezes, de modo surpreendentemente breve; por exemplo, a ligação heterossexual dos que depois serão homossexuais manifestos. As tendências que aparecem mais fortemente na infância não justificam o temor de que venham a dominar permanentemente o caráter do adulto; pode-se igualmente esperar que venham a desaparecer para dar lugar a seu oposto. ("Senhores severos não governam muito tempo.")

* Parágrafo acrescentado em 1915.

Não temos sequer como indicar a que se devem tais desarranjos temporais dos processos de desenvolvimento. Aqui se abre para nós a visão de uma legião de problemas mais profundos, biológicos e talvez também históricos, que nem sequer podemos atacar, pois não nos aproximamos suficientemente deles.

TENACIDADE DAS PRIMEIRAS IMPRESSÕES A importância de todas as manifestações sexuais precoces é aumentada por um fator psíquico de origem desconhecida, que neste momento só podemos apresentar como um conceito psicológico provisório. Refiro-me à grande *tenacidade** ou *suscetibilidade à fixação* dessas impressões da vida sexual, que temos de admitir, para completar o quadro, em futuros neuróticos e também perversos, já que as mesmas manifestações sexuais prematuras, em outras pessoas, não conseguem se imprimir tão profundamente para levar de modo compulsivo à repetição e ditar ao instinto sexual os caminhos pela vida inteira. Parte da explicação para essa tenacidade talvez esteja em outro fator psíquico que não podemos ignorar na causação das neuroses: o peso enorme que têm, na vida psíquica, os traços mnemônicos, comparados às impressões recentes. Esse fator depende claramente da formação intelectual e cresce com o nível da cultura pessoal. Em contraposição a isso, o selvagem já foi caracterizado

---

* No original, *Haftbarkeit*, do verbo *haften*, "aderir, apegar-se"; nas versões consultadas: *adherencia*, *adhesividad* [com o original entre colchetes], *adesività*, *adhérence* [com nota explicativa], *pertinacity*.

RESUMO

como "o infeliz filho do instante".[87] Graças à relação de antagonismo entre civilização e livre desenvolvimento sexual, cujas consequências podem ser amplamente acompanhadas na configuração de nossas vidas, o modo como transcorreu a vida sexual da criança tem pouca importância, para sua vida futura, na camada cultural ou social inferior, e muita na superior.

FIXAÇÃO O favorecimento devido aos fatores psíquicos mencionados beneficia as instigações da sexualidade infantil experimentadas acidentalmente. Essas últimas (sedução por outras crianças ou por adultos, em primeiro lugar) fornecem o material que, com o auxílio dos primeiros, pode se tornar fixado como distúrbio duradouro. Boa parcela dos desvios da vida sexual normal posteriormente observados é estabelecida, desde o início, tanto em neuróticos como em perversos, pelas impressões da época infantil supostamente assexual. As causas são uma constituição complacente, a precocidade, a característica de uma grande tenacidade e a instigação fortuita do instinto sexual por influência externa.

Mas a conclusão insatisfatória que resulta dessas investigações sobre os distúrbios da vida sexual é que estamos longe de saber, a respeito dos processos biológicos que constituem a essência da sexualidade, o su-

---

[87] É possível que o aumento da tenacidade seja também resultado de uma manifestação sexual somática particularmente intensa nos primeiros anos.

ficiente para formar, a partir de nossos conhecimentos fragmentários, uma teoria que permita compreender tanto o normal como o patológico.

ANÁLISE FRAGMENTÁRIA DE UMA HISTERIA ("O CASO DORA", 1905 [1901])

TÍTULO ORIGINAL: *BRUCHSTÜCK EINER HYSTERIE-ANALYSE*.
PUBLICADO PRIMEIRAMENTE EM *MONATSSCHRIFT FÜR PSYCHIATRIE UND NEUROLOGIE*, 18, N. 4 E 5,
PP. 285-310 E 408-67. TRADUZIDO DE *GESAMMELTE WERKE* V,
PP. 163-286. TAMBÉM SE ACHA EM *STUDIENAUSGABE*
VI, PP. 83-186.

PREFÁCIO

Se após um longo intervalo me disponho a substanciar, através da comunicação detalhada de um caso clínico e seu tratamento, as afirmações que fiz em 1895 e 1896, sobre a patogênese de sintomas histéricos e os processos psíquicos da histeria, não posso me furtar a este prólogo, tanto para justificar de vários pontos de vista o meu procedimento como para reduzir a uma medida razoável as expectativas que talvez o cerquem.

Foi embaraçoso, sem dúvida, ter de publicar resultados de pesquisas que meus colegas não tinham como verificar, ainda mais sendo eles de natureza surpreendente e não muito cativante. E não é menos embaraçoso começar a expor ao juízo público parte do material que me conduziu a esses resultados. Não escaparei a recriminações. Se então elas diziam que eu nada informava sobre meus pacientes, agora dirão que falo de meus pacientes o que não se deve falar. Serão, espero, as mesmas pessoas, que dessa forma apenas mudarão o pretexto para o reproche, e de antemão renuncio a qualquer tentativa de desarmar esses críticos.

A publicação de meus casos clínicos ainda é para mim uma tarefa problemática, mesmo não mais cuidando desses incompreensivos malevolentes. As dificuldades são em parte de ordem técnica, e em parte decorrentes da própria natureza das circunstâncias. Se é verdadeiro que as causas das doenças histéricas se encontram nas intimidades da vida psicossexual dos doentes, e que os sintomas histéricos são expressão de seus mais secretos

PREFÁCIO

desejos reprimidos, a elucidação de um caso de histeria não poderá senão revelar essas intimidades e trair esses segredos. É certo que os doentes jamais teriam falado, se lhes tivesse ocorrido a possibilidade de uma utilização científica de suas confissões, e igualmente certo que em vão lhes solicitaríamos autorização para publicá-las. Pessoas delicadas, e talvez também timoratas, poriam em primeiro plano o dever da discrição médica e lamentariam não poder contribuir para o esclarecimento científico nesse ponto. Eu penso, no entanto, que o médico assumiu deveres não só para com o doente, mas também para com a ciência — o que no fundo significa: para com os muitos outros doentes que sofrem ou ainda sofrerão da mesma enfermidade. Tornar público o que acreditamos saber sobre as causas e a estrutura da histeria se torna um dever, e a omissão, uma covardia indecorosa, quando se puder evitar o dano pessoal direto do paciente em questão. Acredito haver feito tudo para preservar a minha paciente de um dano assim. Escolhi uma pessoa cujas experiências se passaram não em Viena, mas numa cidadezinha distante, e cujas circunstâncias de vida são certamente desconhecidas em Viena. Desde o início mantive cuidadosamente em segredo o tratamento, de modo que apenas um colega, digno de toda a confiança, pode saber que a garota foi minha paciente. Após o final do tratamento, esperei ainda quatro anos para a publicação, até que uma mudança na vida da paciente me fez supor que o seu próprio interesse nos eventos e processos psíquicos aqui narrados já teria esvaecido. Evidentemente, não se conservou nenhum nome que pudesse fornecer uma pista ao leitor de fora dos círculos médicos; de resto, a publicação numa revista especializada, rigorosamente científica, deverá servir como proteção frente a leitores indevidos. Naturalmente não posso impedir que a paciente mesma tenha uma impressão penosa, se o acaso lhe puser nas mãos a sua própria história clínica. Mas nada aprenderá que já não saiba, e perguntará a si mesma que outra pessoa poderá descobrir que se trata dela.

Bem sei que — nesta cidade, ao menos — existem muitos médicos que (coisa bem revoltante) não veem em tal história clínica uma contribuição à psicopatologia da neurose, mas um *roman à clef* destinado à sua fruição particular. A esse gênero de leitores eu asseguro que todos os casos que vier a relatar futuramente serão protegidos de sua sagacidade por garantias semelhantes de sigilo, embora esse propósito me restrinja enormemente a utilização do material.

Neste caso clínico, o único que até o momento pude subtrair às limitações da discrição médica e ao desfavor das circunstâncias, questões sexuais serão discutidas com toda a franqueza, os órgãos e funções da vida sexual serão designados por seus verdadeiros nomes, e o leitor pudico terá oportunidade de convencer-se de que não hesitei em tratar desses temas com uma jovem mulher, usando tal linguagem. Por acaso deverei defender-me também dessa recriminação? Eu reivindico simplesmente os direitos do ginecologista — aliás, direitos mais modestos que os dele — e declaro que seria marca de uma estranha e perversa lascívia supor que

PREFÁCIO

tais conversas sejam um bom meio de excitar ou satisfazer apetites sexuais. De resto, inclino-me a expressar minha opinião a respeito com algumas palavras de outro autor:

"É lamentável ter que reservar espaço, numa obra científica, para tais protestos e asseverações, mas não é a mim que se deve recriminar por isso; culpem o espírito da época, graças ao qual chegamos ao ponto de que nenhum livro sério pode estar seguro de sobreviver".[1]

Agora informarei de que modo, neste caso clínico, venci as dificuldades técnicas para a sua comunicação. Elas são consideráveis, para o médico que diariamente conduz seis ou até oito tratamentos psicoterapêuticos assim, e que não pode tomar notas durante a sessão, pois provocaria desconfiança no paciente e perturbaria a si mesmo na apreensão do material que lhe chega. Também não consegui ainda resolver o problema de como registrar, para a comunicação posterior, um tratamento de longa duração. No caso que segue, dois fatos vieram em meu auxílio: primeiro, a duração do tratamento não se estendeu por mais que três meses; segundo, os esclarecimentos se agruparam em torno de dois sonhos — no meio e no final da terapia —, anotados literalmente logo depois da sessão, e que forneceram um apoio seguro para a trama de interpretações e lembranças a eles ligadas. A história clínica mesma redigi de memória, após o fim do tratamento, enquanto minha lembrança

---

[1] Richard Schmidt, *Beiträge zur indischen Erotik* [Contribuições sobre o erotismo hindu], 1902 (Prólogo).

estava ainda fresca e avivada pelo interesse na publicação. Portanto, o registro não é absolutamente — fonograficamente — fiel, mas pode reivindicar um alto nível de confiabilidade. Nada do que seria essencial foi nele alterado, exceto talvez, em alguns lugares, a ordem dos esclarecimentos, algo que fiz em prol da coerência.

Disponho-me agora a precisar o que se achará neste relato e o que dele estará ausente. O trabalho tinha originalmente o nome de "Sonho e histeria", porque este me parecia bem apropriado para evidenciar como a interpretação dos sonhos se entremescla com a história do tratamento, e como pode ajudar no preenchimento das amnésias e no esclarecimento dos sintomas. Não foi sem bons motivos que publiquei um laborioso e exaustivo estudo sobre os sonhos em 1900, antes dos trabalhos sobre psicologia das neuroses que tinha em mente; e pude notar, pela recepção que lhe foi dada, a precária compreensão que ainda hoje os colegas demonstram face a tais esforços. Nesse caso também não era sólida a objeção de que minhas colocações, por haver omissão do material, não podiam produzir uma convicção baseada no teste controlado, pois qualquer um pode submeter os próprios sonhos à investigação psicanalítica, e a técnica de interpretação dos sonhos é fácil de aprender, conforme as indicações e os exemplos dados por mim. Hoje, como então, devo afirmar que um aprofundamento nos problemas do sonho é condição prévia indispensável para o entendimento dos processos psíquicos da histeria e demais psiconeuroses, e quem quiser se poupar esse trabalho preparatório não terá perspectiva de avançar mesmo alguns passos nesse campo. Dado que esta história clínica pressupõe o conhecimento da interpretação dos sonhos, a sua leitura resultará bastante insatisfatória para quem não atender esse pressuposto. Tal leitor encontrará nela, em vez do esclarecimento buscado, apenas estranheza, e sentirá a inclinação de projetar a causa dessa estranheza no autor, visto como fantasioso. Na realidade, tal estranheza é inerente aos fenômenos da própria neurose, apenas por nossa familiaridade médica com os fatos é ali escondida, vindo novamente à luz na tentativa de esclarecimento. Só poderia ser totalmente banida se conseguíssemos fazer derivar cada traço da neurose de fatores já conhecidos por nós. Mas tudo indica, ao contrário, que pelo estudo da neurose seremos levados a supor a existência de muitas coisas novas, que então gradualmente poderão se tornar objeto de um conhecimento mais seguro. O que é novo sempre desperta estranheza e resistência.

Seria errado alguém crer, porém, que os sonhos e sua interpretação assumem em todas as psicanálises um lugar tão destacado como neste exemplo.

Se a presente história clínica parece favorecida no que toca à utilização de sonhos, em outros pontos ela resultou mais pobre do que o desejado. Mas as suas deficiências estão ligadas às mesmas circunstâncias que tornaram possível publicá-la. Já afirmei que não saberia lidar com o material de um tratamento que se estendesse por mais de um ano. Este caso de apenas três meses pôde ser abarcado por inteiro e lembrado; mas os seus resultados permaneceram incompletos em mais de um aspecto. O tratamento não prosseguiu até a meta fixada, sendo interrompido por vontade da paciente ao se chegar a determinado ponto. Nesse momento alguns enigmas do caso não tinham sido atacados ainda, e outros, iluminados incompletamente, quando a continuação do tratamento teria feito avançar até o último esclarecimento possível em todos os pontos. Logo, eu posso aqui oferecer tão só o fragmento de uma análise.

Um leitor familiarizado com a técnica exposta nos *Estudos sobre a histeria* talvez se admire de em três meses não ter havido a possibilidade de solucionar totalmente ao menos os sintomas que foram atacados. Isto se torna compreensível, porém, se eu informar que desde os *Estudos* a técnica psicanalítica sofreu uma completa revolução. Naquele tempo, o trabalho partia dos sintomas e se impunha a meta de desfazê-los um após o outro. Desde então abandonamos essa técnica, por considerá-la inteiramente inadequada à estrutura mais sutil da neurose. Agora deixo o próprio doente determinar o tema do trabalho diário e parto da superfície eventual que o seu inconsciente lhe oferece à atenção. Mas assim obtenho fragmentado, entremeado em contextos diversos e distribuído em épocas bem separadas aquilo que está ligado à solução de um sintoma determinado. Apesar dessa aparente desvantagem, a nova técnica é bastante superior à velha, e indiscutivelmente a única possível.

Em vista da incompletude de meus resultados analíticos, não me restou senão seguir o exemplo dos pesquisadores que têm a fortuna de trazer à luz, após um longo período de soterramento, os inestimáveis, ainda que mutilados, vestígios da Antiguidade. Restaurei o que faltava, segundo os melhores modelos por mim conhecidos de outras análises, mas, como um arqueólogo escrupuloso, não deixei de indicar sempre onde termina a parte autêntica e tem início a minha construção.

Há outra espécie de incompletude que eu mesmo introduzi deliberadamente. Em geral não expus o trabalho de interpretação que tinha de ser realizado com as associações e comunicações da doente, mas somente os resultados dele. À parte os sonhos, portanto, a técnica do trabalho analítico é revelada apenas em uns poucos lugares. Interessava-me, neste caso clínico, mostrar a determinação dos sintomas e a estrutura íntima da neurose; se ao mesmo tempo buscasse cumprir a outra tarefa, isso produziria apenas uma inextricável confusão. Para fundamentar as regras técnicas, a maioria delas encontrada empiricamente, seria preciso juntar o material de muitas histórias de tratamento. Não se imagine, porém, que a abreviação acarretada pela omissão da técnica tenha sido particularmente grande neste caso. Pois justamente a parte mais difícil do trabalho técnico não esteve em consideração com a paciente, já que o fator da "transferência", do qual se fala no fim da história clínica, não veio à baila durante o breve tratamento.

De uma terceira espécie de incompletude, neste relato, nem a paciente nem o médico têm culpa. É óbvio que uma única história clínica, mesmo que fosse completa e não deixasse lugar a dúvidas, não poderia responder a todas as questões levantadas pelo problema da histeria. Ela não pode dar a conhecer todos os tipos da doença, todas as configurações da estrutura interior da neurose, todas as variedades possíveis de conexão entre o psíquico e o somático existentes na histeria. Não é sensato exigir mais de um caso do que aquilo que ele pode oferecer. E quem até hoje não quis crer na validade geral e sem exceções da etiologia psicossexual da histeria, dificilmente obterá essa convicção tomando conhecimento de uma história clínica, fazendo melhor em adiar seu julgamento até adquirir pelo próprio trabalho o direito à convicção.[2]

---

2 [Nota acrescentada em 1923:] O tratamento que aqui se expõe foi interrompido em 31 de dezembro de 1899, o seu relato foi escrito nas duas semanas seguintes, mas publicado apenas em 1905. Não é de esperar que mais de duas décadas de trabalho contínuo nada mudassem na concepção e apresentação de um caso assim, mas seria claramente absurdo colocá-lo *"up to date"*, adequá-lo ao estado presente de nosso saber através de correções e ampliações. Então o deixei essencialmente intacto, corrigindo-lhe apenas descuidos e imprecisões para os quais meus excelentes tradutores ingleses, *Mr.* e *Mrs.* James Strachey, me haviam chamado a atenção. As anotações críticas que me pareceram admissíveis foram incorporadas em notas à história clínica, de modo que o leitor estará correto em supor que ainda hoje sustento as opiniões defendidas no texto, se nas notas não encontrar oposição a elas. O problema da discrição médica, que me ocupou neste prólogo, está fora de consideração no que toca às outras histórias clínicas deste volume, [Freud redigiu esta nota para um volume que reunia os seus cinco principais relatos clínicos; os outros quatro são o do pequeno Hans e o do "Homem dos ratos" (ambos de 1909), o de Schreber (1911) e o do "Homem dos lobos" (1918)], pois três delas foram publicadas com o assentimento formal dos envolvidos — com o do pai, no caso do pequeno Hans —, e num dos casos (Schreber) o objeto da

I. O QUADRO CLÍNICO

Após haver demonstrado, na *Interpretação dos sonhos* (publicada em 1900), que os sonhos em geral são interpretáveis e que, uma vez completada a interpretação, eles podem ser substituídos por pensamentos formados impecavelmente, inseríveis em lugar conhecido dentro do contexto psíquico, nas páginas seguintes eu gostaria de fornecer um exemplo da única utilização prática que a arte de interpretar sonhos parece admitir. Já expus, em meu livro,[3] como vim a lidar com os problemas do sonho. Eles me apareceram no caminho quando eu me empenhava em curar psiconeuroses através de um método particular de psicoterapia, no qual os doentes me relatavam, entre outros acontecimentos de sua vida psíquica, também os sonhos, que pareciam requerer inclusão na longa teia de conexões urdida entre o sintoma da doença e a ideia patogênica. Aprendi, então, como se deve traduzir a linguagem dos sonhos nas formas de expressão de nossa linguagem do pensamento, com-

---

análise não é propriamente uma pessoa, mas um livro por ela deixado. No caso Dora o segredo foi conservado até este ano. Soube recentemente que ela, de quem há muito não ouvia falar, adoeceu novamente por outras causas e revelou a seu médico que quando jovem fora objeto de minha análise, e com tal comunicação foi fácil, para meu bem informado colega, reconhecer nela a Dora de 1899. O fato de que os três meses de tratamento lograram apenas resolver o conflito de então, e de que não puderam constituir salvaguarda contra adoecimentos posteriores, não será visto como objeção à terapia analítica por alguém que raciocine com justeza.

3 *A interpretação dos sonhos*, cap. II.

preensíveis sem maior ajuda. Tal conhecimento, posso afirmar, é indispensável para o psicanalista, pois o sonho representa um dos caminhos pelos quais pode atingir a consciência o material psíquico que, em virtude da aversão que o seu conteúdo provoca, foi bloqueado da consciência, reprimido, e assim tornado patogênico. O sonho é, resumidamente, um dos *desvios para contornar a repressão*, um dos principais meios da chamada forma indireta de representação na psique. Este fragmento da história do tratamento de uma garota histérica deve ilustrar como a interpretação dos sonhos intervém no trabalho da análise. E também me permitirá defender publicamente, pela primeira vez numa extensão que impeça mal-entendidos, parte de meus pontos de vista a respeito dos processos psíquicos e das precondições orgânicas da histeria. Creio que já não preciso me desculpar pela extensão, tendo-se admitido que as enormes exigências que a histeria faz ao médico e investigador são satisfeitas apenas com o mais dedicado aprofundamento, e não com afetado menosprezo. Pois

Não apenas arte e ciência,
Paciência também se requer!*

Oferecer primeiramente uma história clínica harmoniosa e sem lacunas significaria colocar o leitor, já de início, numa situação bem diferente da que foi a do

---

* No original: "*Nicht Kunst und Wissenschaft allein, / Geduld will bei dem Werke sein!*" (Goethe, *Fausto*, parte I, cena 6).

I. O QUADRO CLÍNICO

observador médico. O que é informado pelos familiares do doente — no caso, pelo pai da garota de dezoito anos — proporciona, em geral, um quadro não muito fiel do curso da enfermidade. É certo que depois inicio o tratamento com a solicitação de que o paciente me conte sua história e fale de sua doença, mas o que então venho a saber ainda não basta para me orientar. Esse primeiro relato pode ser comparado a um rio não navegável, cujo leito é, num momento, obstruído por rochedos e, em outro, dividido e tornado raso por bancos de areia. Tenho de assombrar-me com os casos clínicos de histeria tão precisos e fluentes que os autores apresentam. Na realidade, os doentes são incapazes de fornecer tais relatos sobre si mesmos. Podem informar de modo suficiente e coerente sobre esse ou aquele período de sua vida, mas logo aparece outro período em que suas comunicações se empobrecem, deixando lacunas e enigmas, e ainda outras vezes deparamos com épocas inteiramente obscuras, sem o lume de qualquer informação aproveitável. Os nexos, mesmo aqueles ostensivos, estão geralmente partidos, a sequência de diversos eventos não é segura; mesmo durante o relato, a paciente corrige repetidamente uma informação, uma data, para depois, após hesitar longamente, retornar à primeira versão. A incapacidade de os pacientes exporem de forma ordenada a sua história, na medida em que esta corresponde à história de sua doença, não é apenas algo característico da neurose,[4] mas possui também grande importância teó-

---

4 Certa vez, um colega me enviou para tratamento psicoterapêutico

rica. Essa incapacidade tem os seguintes fundamentos. Primeiro, a doente, pelos motivos ainda não superados de timidez e pudor (discrição, quando outras pessoas devem ser consideradas), silencia consciente e propositalmente uma parte daquilo que sabe e que deveria contar; esta seria a participação da insinceridade consciente. Em segundo lugar, uma parte do seu conhecimento anamnésico, do qual a paciente dispõe habitualmente, é excluída durante o relato, sem que ela tenha a intenção de fazê-lo: participação da insinceridade inconsciente. Em terceiro lugar, nunca faltam amnésias verdadeiras, lacunas de memória que envolvem não apenas lembranças antigas, mas também muito recentes, e paramnésias formadas secundariamente, para preencher essas lacunas.[5] Quando os acontecimentos mesmos foram conservados na memória, o propósito subjacente às amnésias é alcançado, com a mesma segurança, pela remoção de um nexo, e o nexo é rompido da maneira mais se-

---

a sua irmã, que, segundo ele, havia anos fora tratada sem sucesso de uma histeria (dores e transtornos ao andar). Essa breve informação parecia condizente com o diagnóstico. Na primeira sessão, fiz com que a paciente mesma narrasse a sua história. Quando essa narrativa se revelou perfeitamente clara e ordenada, não obstante a singularidade dos acontecimentos a que se referia, achei que o caso não podia ser uma histeria e logo iniciei um cuidadoso exame médico. O resultado foi o diagnóstico de uma tabes não muito avançada, que depois teve considerável melhora com injeções de mercúrio (*Oleum cinereum*, ministradas pelo prof. Lang).

5 Amnésias e paramnésias se acham em relação complementar. Quando há grandes lacunas de memória, encontram-se poucas paramnésias. Inversamente, estas podem, à primeira vista, ocultar inteiramente a existência de amnésias.

I. O QUADRO CLÍNICO

gura pela alteração da sequência dos acontecimentos. Esta sempre se mostra o componente mais vulnerável do acervo da memória, o mais facilmente sujeito à repressão. Várias lembranças nós encontramos, por assim dizer, num primeiro estágio da repressão; elas se apresentam tomadas pela dúvida. Algum tempo depois, essa dúvida seria substituída pelo esquecimento ou a lembrança equivocada.[6]

Esse estado das lembranças relativas à história da doença é o correlato necessário, *teoricamente requerido*, dos sintomas da doença. Depois, no curso do tratamento, o paciente comunica o que reteve ou o que não lhe ocorreu, embora sempre o soubesse. As paramnésias se mostram insustentáveis, as lacunas da lembrança são preenchidas. Apenas próximo ao fim do tratamento pode-se enxergar uma história clínica coerente, compreensível e sem lacunas. Se o objetivo prático do tratamento é remover todos os sintomas possíveis e substituí-los por pensamentos conscientes, podemos estabelecer como outro objetivo, teórico, a tarefa de curar todos os danos de memória do paciente. As duas metas coincidem; se uma é alcançada, também a outra é obtida; a mesma via conduz a ambas.

A natureza das coisas que formam o material da psicanálise faz com que, em nossas histórias clínicas,

---

6 Se a exposição é acompanhada de dúvidas, uma regra tirada da experiência ensina que se deve desconsiderar inteiramente esse juízo daquele que narra. Se a exposição hesita entre duas versões, é mais provável que a primeira seja a correta, e a segunda, um produto da repressão.

tenhamos de dar a mesma atenção às condições puramente humanas e sociais dos pacientes que aos dados somáticos e sintomas patológicos. Antes de tudo, nosso interesse se voltará para as relações familiares dos pacientes, e isso, como se verá adiante, não apenas com o propósito de investigar sua hereditariedade.

O círculo familiar da paciente, uma jovem de dezoito anos, compreendia os dois genitores e um irmão, que era um ano e meio mais velho. A pessoa dominante era o pai, tanto por sua inteligência e seus traços de caráter como pelas circunstâncias de sua vida, que forneceram o arcabouço para a infância e a história clínica da paciente. Na época em que iniciei o tratamento da moça, ele era um homem de mais de 45 anos, de energia e capacidade incomuns, um grande industrial em confortável situação econômica. A filha se ligava a ele com afeição especial, e o senso crítico nela precocemente despertado ofendeu-se mais ainda com alguns de seus atos e peculiaridades.

Essa afeição era também intensificada pelos muitos problemas sérios de saúde que ele vinha sofrendo desde que ela tinha seis anos de idade. Naquele tempo, ele adoeceu de tuberculose, e a família precisou mudar-se para uma pequena cidade de clima favorável, numa de nossas províncias do Sul. Lá seus pulmões melhoraram rapidamente, mas devido às precauções necessárias, esse lugar — que designarei como B. — continuou a ser, ainda por uns dez anos, o principal local de residência tanto dos pais como dos filhos. Quando estava bem, o pai se ausentava temporariamente, a fim de visitar

I. O QUADRO CLÍNICO

suas fábricas; no alto verão, eles iam para uma estação de repouso nas montanhas.

Quando a garota tinha cerca de dez anos, um descolamento da retina obrigou o pai a um tratamento na escuridão e teve por resultado uma limitação permanente da vista. A enfermidade mais grave ocorreu uns dois anos depois; consistiu num ataque de confusão mental, seguido de paralisias e ligeiros transtornos psíquicos. Um amigo do doente, que ainda terá um papel na história, convenceu-o a vir até Viena com seu médico para consultar-me, tendo ele melhorado apenas um pouco. Por um momento achei que talvez se tratasse de uma paralisia resultante da tabes, mas decidi-me pelo diagnóstico de uma afecção vascular difusa, e, depois que ele admitiu determinada infecção contraída antes do casamento, prescrevi um enérgico tratamento antiluético, que fez regredirem todos os distúrbios ainda existentes. Foi graças a essa feliz intervenção, creio, que quatro anos depois ele me apresentou sua filha, que então se tornara claramente neurótica, e após mais dois anos a confiou a mim para um tratamento psicoterapêutico.

Naquele meio-tempo eu tinha conhecido, em Viena, uma irmã um pouco mais velha desse homem, que evidenciava uma forma grave de psiconeurose, sem sintomas característicos da histeria. Após uma vida marcada por um casamento infeliz, essa mulher faleceu de um marasmo de evolução rápida, cujas manifestações não foram plenamente esclarecidas. Um irmão mais velho desse senhor, que certa vez conheci por acaso, era um solteirão hipocondríaco.

A garota, que se tornou minha paciente aos dezoito anos, sempre tivera a simpatia voltada para o lado paterno da família, e, desde que adoecera, via como seu modelo a tia mencionada. Também não havia dúvida, para mim, que tanto pelo talento e a precocidade intelectual como pela predisposição à doença ela pertencia à família do pai. A mãe não cheguei a conhecer. Pelo que me disseram a garota e o pai, tive a imagem de uma mulher inculta, mas sobretudo pouco inteligente, que, especialmente após a doença do marido e o afastamento que se seguiu, concentrou todos os interesses nos cuidados domésticos, assim apresentando o quadro a que se pode chamar "psicose de dona de casa". Sem compreensão pelos interesses mais vivazes dos filhos, ocupava-se o dia inteiro da limpeza e conservação da casa, dos móveis e utensílios, de maneira tal que tornava quase impossível o uso e a fruição dos mesmos. Temos de situar essa condição, da qual frequentemente se acham indícios em donas de casa normais, junto às formas de compulsão à lavagem e ao asseio; mas falta inteiramente a essas mulheres, como à mãe de nossa paciente, o reconhecimento da enfermidade e, assim, uma característica essencial da "neurose obsessiva". Havia anos a relação entre mãe e filha era pouco amistosa. A filha não fazia caso da mãe, criticava-a com dureza e subtraía-se totalmente à sua influência.[7]

---

[7] Certamente não adoto a posição de que a única etiologia da histeria é a hereditariedade, mas não quero — em vista de publicações minhas anteriores, como "A hereditariedade na etiologia

I. O QUADRO CLÍNICO

O único irmão da garota, um ano e meio mais velho, havia sido, em anos passados, o modelo que a sua ambição procurava seguir. As relações entre os dois irmãos haviam afrouxado nos últimos anos. O jovem se empenhava em manter distância das desavenças familiares; quando era obrigado a tomar partido, ficava do lado da mãe. Assim, a habitual atração sexual aproximara, de um lado, pai e filha, e do outro, mãe e filho.

Nossa paciente, a quem de agora em diante chamarei

---

das neuroses" (*Revue Neurologique*, 1896), em que combati precisamente a tese acima — dar a impressão de que subestimo a hereditariedade na etiologia da histeria ou a considero dispensável. No caso de nossa paciente, o que foi comunicado sobre o pai e seus irmãos revela uma considerável carga patológica; e quem é de opinião que também estados patológicos como o da mãe são impossíveis sem predisposição hereditária poderá falar, nesse caso, de uma hereditariedade convergente. Quanto à predisposição hereditária — ou melhor, constitucional — da garota, um outro fator me parece mais significativo. Mencionei que o pai tivera uma infecção sifilítica antes do casamento. Ora, uma percentagem *notável* dos pacientes que tratei psicanaliticamente tem pais que sofreram de tabes ou de paralisia. Graças à novidade de meu procedimento terapêutico, cabem-me apenas os casos *mais severos*, que já foram tratados durante anos sem nenhum êxito. De acordo com a teoria de Erb-Fournier, pode-se considerar uma tabes ou paralisia como indicação de uma infecção luética no passado, algo que também constatei diretamente nesses pais, em bom número de casos. No mais recente debate acerca da prole de indivíduos sifilíticos (XIII Congresso Internacional de Medicina de Paris, 2 a 9 de agosto de 1900, comunicações de Finger, Tarnowsky, Jullien e outros), não vejo menção ao fato que minha experiência como neuropatologista me obriga a reconhecer: que a sífilis do genitor deve ser levada em conta na etiologia da constituição neuropática dos filhos.

"Dora", já mostrava sintomas nervosos com oito anos de idade. Nesse tempo ela sofreu de uma dispneia crônica, às vezes com acessos agudos, que primeiramente surgiu após uma breve excursão às montanhas e, por causa disso, foi atribuída a um excesso de esforço. O problema cedeu gradualmente no curso de seis meses, graças ao repouso e aos cuidados prescritos. O médico da família parece não haver hesitado um momento ao diagnosticar um transtorno puramente nervoso e excluir uma causa orgânica para a dispneia, mas evidentemente achou tal diagnóstico compatível com a etiologia do esforço excessivo.[8]

A menina passou pelas doenças infecciosas habituais na infância sem dano permanente. Como ela própria relatou (com a intenção de que isso representasse algo mais), habitualmente o irmão começava por ter uma doença, num grau leve, e em seguida ela fazia o mesmo, com manifestações mais graves. Quando tinha cerca de doze anos, surgiram-lhe dores de cabeça unilaterais, semelhantes a enxaquecas, e ataques de tosse nervosa, sempre juntos no início, até que os dois sintomas se separaram e tiveram cursos diferentes. A enxaqueca ficou mais rara e desapareceu aos dezesseis anos. Os ataques de tosse nervosa, que provavelmente haviam se iniciado com um simples catarro, permaneceram todo o tempo. Quando ela veio a mim para tratamento, tossia de forma característica. Não foi possível precisar o número desses ataques, mas eles duravam de três a cinco

---

8 Sobre o provável motivo desencadeador dessa primeira doença, ver mais adiante.

I. O QUADRO CLÍNICO

semanas, até alguns meses, numa ocasião. Na primeira metade de um ataque desses, o sintoma mais importuno, ao menos nos últimos anos, era a completa perda da voz. Havia muito se estabelecera o diagnóstico de que se tratava de uma enfermidade nervosa; os vários tratamentos costumeiros, inclusive hidroterapia e aplicação local de eletricidade, não surtiram efeito. Crescendo nessas condições, a menina se tornou uma jovem madura, independente em seus juízos, que se acostumou a zombar dos esforços dos médicos e, afinal, prescindiu do auxílio deles. De resto, ela sempre fora contrária a que se consultasse um médico, embora não sentisse aversão pelo médico da família. Toda sugestão de procurar um novo médico despertava sua resistência, e apenas a autoridade do pai a fez vir até mim.

Eu a vi pela primeira vez num início de verão, quando ela tinha dezesseis anos de idade. Ela estava com tosse e rouquidão, e já então propus um tratamento psíquico — que não foi feito, pois também esse ataque, que durou mais, acabou espontaneamente. No inverno do ano seguinte, após o falecimento da tia querida, ela se achava em Viena, na casa do tio e das primas, quando adoeceu e teve febre, o que foi diagnosticado como apendicite.[9] No outono que se seguiu, como a saúde do pai parecia autorizar essa decisão, a família deixou definitivamente a cidade de B. e se mudou para o local onde se situava a fábrica do pai. Pouco menos de um ano depois, passou a morar permanentemente em Viena.

---

9 Cf., quanto a isso, a análise do segundo sonho.

Nesse meio-tempo, Dora crescera e estava na flor da juventude; era uma moça de traços inteligentes e agradáveis, mas que causava preocupação aos pais. As principais características de seu estado doentio eram o ânimo deprimido e uma alteração no caráter. Era evidente que não estava satisfeita consigo e com seus familiares, tratava hostilmente o pai e já não se entendia com a mãe, que queria absolutamente que ela participasse dos cuidados da casa. Evitava os encontros sociais; tanto quanto permitiam o cansaço e a desatenção de que se queixava, ocupava-se em ir a palestras para mulheres e cultivava estudos relativamente sérios. Um dia, os pais se horrorizaram ao encontrar, dentro ou sobre a escrivaninha da garota, uma carta em que ela se despedia deles, dizendo não conseguir mais suportar a vida.[10] O pai, sendo um homem perspicaz, imaginou que não havia séria intenção de suicídio por parte da garota, mas ficou abalado, e quando, um dia após uma banal discussão entre ele e a filha, esta perdeu a consciência pela primeira vez,[11] num

---

10 Como já informei, esse tratamento — e, portanto, minha compreensão dos encadeamentos da história clínica — permaneceu fragmentário. Logo, não posso dar esclarecimento sobre vários pontos, ou tenho de me limitar a indicações e suposições. Quando se veio a falar dessa carta, numa sessão, a garota perguntou, parecendo surpresa: "Como eles puderam achar a carta? Ela estava trancada em minha escrivaninha". Mas, como ela sabia que os pais haviam lido esse esboço de uma carta de despedida, concluo que ela própria a fez cair nas mãos deles.
11 Creio que nesse ataque houve também convulsões e delírios. Mas, como a análise também não avançou até esse acontecimento, não disponho de uma recordação segura sobre ele.

I. O QUADRO CLÍNICO

acesso que depois cedeu à amnésia, determinou-se, apesar da relutância da garota, que ela deveria iniciar um tratamento comigo.

O caso clínico que até agora esbocei não parece, no conjunto, digno de registro. *"Petite hystérie"* com os sintomas somáticos e psíquicos mais comuns: dispneia, tosse nervosa, afonia, possivelmente enxaquecas, também ânimo deprimido, insociabilidade histérica e um *taedium vitae* provavelmente não muito sincero. Casos de histeria mais interessantes já foram publicados e, com frequência, descritos mais cuidadosamente, pois nada se encontrará, nas páginas seguintes, sobre estigmas da sensibilidade cutânea, limitação do campo visual etc. Permito-me somente observar que todas as enumerações de fenômenos raros e espantosos da histeria não nos fizeram progredir muito no conhecimento dessa enfermidade ainda enigmática. O que nos falta é o esclarecimento dos casos mais comuns e dos sintomas mais frequentes neles. Eu ficaria satisfeito se as circunstâncias me tivessem permitido esclarecer inteiramente esse caso de pequena histeria. Após a experiência adquirida com outros pacientes, não duvido que meus recursos analíticos teriam bastado para isso.

Em 1896, pouco depois da publicação de meus *Estudos sobre a histeria*, em colaboração com o dr. J. Breuer, solicitei a um eminente colega especialista sua opinião sobre a teoria psicológica da histeria ali exposta. Ele respondeu francamente que a considerava uma generalização injustificada de conclusões que podiam ser corretas para uns poucos casos. Desde então vi numerosos casos de histeria, ocupei-me de cada um deles durante dias, semanas ou anos, e em nenhum desses casos deixei de notar os determinantes psíquicos postulados nos *Estudos*, o trauma psíquico, o conflito dos afetos e, como acrescentei em trabalhos posteriores, o abalo da esfera sexual. Tratando-se de coisas que se tornaram patogênicas pelo afã de ocultar-se, não se deve esperar que os pacientes as entreguem espontaneamente ao médico, nem satisfazer-se com o primeiro "não" contraposto à investigação.[12]

---

12 Eis um exemplo deste último caso. Um de meus colegas vienenses, cuja convicção da irrelevância dos fatores sexuais na histeria foi provavelmente reforçada por experiências desse tipo, decidiu-se por fazer a uma paciente, uma garota de catorze anos com perigosos vômitos histéricos, a embaraçosa pergunta de se ela, porventura, tinha uma relação amorosa. A menina respondeu que não, provavelmente com bem encenado espanto, e depois disse à mãe, com sua maneira desrespeitosa: "Imagine, aquele idiota me perguntou se eu estou apaixonada". Depois eu a recebi para tratamento, e revelou-se — não em nossa primeira conversa, claro — que ela havia se masturbado durante anos, com forte leucorreia (que tinha estreita relação com os vômitos), que finalmente se livrara do hábito, mas era atormentada, na abstinência, por um violento sentimento de culpa, de modo que via todos os infortúnios que atingiam a família como punição divina por seu pecado. Além disso, estava sob a influência do romance da tia, cuja gravidez ilegítima (um segundo determinante para os vômitos) pensava-se que era felizmente ocultada da garota. Esta era tida como "só uma criança", mas mostrou-se iniciada em tudo o que é essencial das relações sexuais.

I. O QUADRO CLÍNICO

No caso de minha paciente Dora, graças à inteligência do pai, já aqui destacada, não precisei buscar eu mesmo o vínculo entre a enfermidade e a vida, pelo menos quanto à última forma da doença. O pai me informou que ele e sua família, enquanto estavam em B., haviam estabelecido uma amizade íntima com um casal que lá vivia desde vários anos. A sra. K. havia cuidado dele em sua longa doença, e assim conquistara sua perene gratidão. O sr. K. sempre fora muito amável com sua filha Dora, fizera passeios com ela quando estava em B., dera-lhe pequenos presentes, mas ninguém viu algo errado nisso. Dora cuidara bastante dos dois filhos pequenos do casal K., fora quase uma mãe para eles. Quando o pai e a filha me procuraram há dois anos, no verão, iam justamente viajar para ter com o casal K., que passava o verão em um dos nossos lagos nos Alpes. Dora permaneceria várias semanas com os K., o pai voltaria após alguns dias. O sr. K. estava presente naqueles dias. Quando o pai se preparava para a viagem de volta, a garota afirmou de repente, bastante resoluta, que iria também, e conseguiu impor sua decisão. Somente alguns dias depois ela explicou sua estranha conduta, ao relatar à mãe, para que esta informasse ao pai, que o sr. K. havia ousado, numa caminhada após um passeio de barco no lago, fazer-lhe uma proposta amorosa. Na vez seguinte em que o encontraram, o pai e o tio da garota tomaram satisfações ao acusado, que negou enfaticamente qualquer ato seu que pudesse fazer jus a tal interpretação, e lançou suspeitas sobre Dora, que, conforme lhe dissera a sra. K., mostrava interesse apenas por coisas de sexo e havia lido a *Fisiologia do amor*, de Mantegazza, e livros semelhantes, na casa deles à beira do lago. E acrescentou que, excitada por tais leituras, provavelmente ela havia "imaginado" a cena que narrara.

"Não tenho dúvida", disse-me o pai, "de que esse incidente é responsável pelo abatimento, a irritabilidade e as ideias suicidas de Dora. Ela exige que eu rompa relações com o casal K., sobretudo com a sra. K., que antes ela venerava. Mas não posso fazer isso, pois também acho que a história de Dora sobre a sugestão imoral dele é uma fantasia que a dominou; além disso, uma sincera amizade me liga à sra. K. e eu não quero magoá-la. A pobre mulher é muito infeliz com o marido, do qual, aliás, não tenho uma opinião muito boa. Também ela sofreu muito dos nervos, e eu sou o seu único esteio. Com meu estado de saúde, creio que não preciso lhe assegurar que não há nada ilícito por trás dessa relação. Somos dois infelizes que, tanto quanto possível, confortam-se mutuamente pela amizade. O senhor sabe que nada tenho com minha mulher. Mas Dora, que herdou minha obstinação, não abandona o ódio ao casal K. O último ataque que teve foi após uma conversa em que novamente me fez a exigência de não vê-los mais. Por favor, tente fazê-la mais sensata."

Não harmonizava plenamente com essas afirmações o fato de que o pai, em outras ocasiões, havia buscado atribuir a maior culpa pela natureza insuportável da filha à mãe, que infernizava todos em casa com suas idiossincrasias. Mas eu havia decidido, muito antes,

I. O QUADRO CLÍNICO

adiar meu julgamento do estado real das coisas até ouvir também a outra parte.

Portanto, a experiência com o sr. K. — a proposta amorosa e a consequente afronta à honra dela — teria proporcionado à nossa paciente o trauma psíquico que Breuer e eu havíamos enunciado como precondição indispensável para a gênese de um estado patológico histérico. Mas esse novo caso também mostra todas as dificuldades que depois me fizeram ir além dessa teoria,[13] acrescidas por uma nova dificuldade de tipo especial. Pois, como frequentemente sucede nas histórias de casos de histeria, o trauma que conhecemos da vida da paciente não serve para explicar a peculiaridade dos sintomas, para determiná-los. Não apreenderíamos mais nem menos do conjunto, se o resultado do trauma tivesse sido outros sintomas que não tosse nervosa, abatimento e *taedium vitae*. Junte-se também a isso que uma parte dos sintomas — a tosse e a perda da voz — já

---

13 Fui além dessa teoria, mas não a abandonei; isto é, hoje não digo que seja errada, mas incompleta. Abandonei apenas a ênfase no assim chamado estado hipnótico, que surgiria no doente por motivo do trauma e seria responsável pelo funcionamento psíquico anormal subsequente. Se for lícito, no caso de um trabalho em comum, fazer posteriormente uma "separação de bens", eu gostaria de declarar que a tese dos "estados hipnóticos", em que vários resenhistas viram o núcleo de nosso trabalho, nasceu exclusivamente da iniciativa de Breuer. Acho supérfluo e equivocado interromper, com essa designação, a continuidade do problema da natureza do processo psíquico que acompanha a formação dos sintomas histéricos.

tinha sido produzida pela doente anos antes do trauma, e que suas primeiras manifestações remontavam à infância, quando ela tinha oito anos de idade. Portanto, se não quisermos abandonar a teoria do trauma, teremos de retroceder à infância, a fim de lá procurar influências ou impressões que ajam de forma análoga a um trauma; e é muito digno de nota que também a investigação de casos em que os primeiros sintomas não apareceram já na infância me levou a seguir a história da vida até os primeiros anos da infância.[14]

Depois que as primeiras dificuldades do tratamento haviam sido superadas, Dora me comunicou uma vivência anterior com o sr. K., vivência que se prestava ainda mais a agir como trauma sexual. Ela tinha catorze anos na época. O sr. K. havia combinado com ela e sua esposa que elas iriam encontrá-lo em sua loja, na praça principal de B., para dali assistirem a uma festa religiosa. Mas ele induziu a esposa a permanecer em casa, dispensou os empregados e se achava só quando a menina chegou à loja. Quando se aproximava o momento da procissão, ele pediu que ela o esperasse na porta que ficava junto à escada para o andar de cima, enquanto baixava as corrediças externas. Em seguida, voltou e, em vez de passar pela porta, subitamente estreitou contra si a garota e aplicou-lhe um beijo nos lábios. Tal situação tenderia a provocar uma nítida sensação de excitamento sexual numa garota de catorze anos que nunca foi tocada. Mas Dora sentiu

---

14 Cf. meu trabalho "A etiologia da histeria", *Wiener klinische Rundschau*, 1896, n. 22-6.

I. O QUADRO CLÍNICO

um forte nojo nesse momento, desvencilhou-se do abraço e correu para a porta da loja. Apesar disso, continuou a ver o sr. K.; nenhum dos dois fez menção dessa breve cena, e ela a teria conservado como um segredo até confessá-la no tratamento. Por algum tempo, em seguida, ela evitou ocasiões em que estaria só com o sr. K. O casal K. havia programado uma excursão de alguns dias, na qual também Dora tomaria parte. Após o beijo na loja ela recusou a participação, sem fornecer motivos.

Nesta cena, a segunda mencionada, mas a primeira no tempo, o comportamento da garota de catorze anos já é completamente histérico. Toda pessoa que, numa ocasião para a excitação sexual, tem sobretudo ou exclusivamente sensações desprazerosas, eu não hesitaria em considerar histérica, seja ela capaz de produzir sintomas somáticos ou não. Explicar o mecanismo dessa *inversão de afeto* é uma das tarefas mais importantes — e, ao mesmo tempo, mais difíceis — da psicologia das neuroses. Eu próprio julgo ainda faltar uma boa parte do caminho para alcançar essa meta; mas nos limites deste trabalho também só poderei apresentar uma parcela do que sei.

Enfatizar a inversão de afeto ainda não basta para caracterizar o caso de nossa paciente Dora; é preciso também dizer que houve um *deslocamento* da sensação. Em vez da sensação genital, que certamente não faltaria numa garota saudável em tais circunstâncias,[15] ocorre nela a sensação desagradável que é

---

15 A apreciação dessas circunstâncias será facilitada por um esclarecimento que ainda virá.

própria da mucosa da entrada do canal digestivo — o nojo. Certamente, a estimulação dos lábios pelo beijo influiu nessa localização; mas creio discernir outro fator atuante.[16]

O nojo então sentido por Dora não se tornou um sintoma permanente; mesmo na época do tratamento estava presente só de forma potencial, por assim dizer. Ela comia mal e admitiu alguma aversão à comida. Mas aquela cena havia deixado outra consequência, uma alucinação sensorial que, de vez em quando, reaparecia também durante seu relato. Ela afirmava ainda sentir, naquele momento, a pressão daquele abraço na parte superior de seu corpo. Conforme certas regras que conheço da formação de sintomas, juntamente com outras peculiaridades da paciente, de outro modo inexplicáveis — por exemplo, ela não queria passar por nenhum homem que estivesse em animada ou afetuosa conversa com uma mulher —, fiz a seguinte reconstrução do que aconteceu naquela cena. Acho que ela sentiu, no abraço impetuoso, não somente o beijo em seus lábios, mas também a pressão do membro ereto contra seu corpo. Essa percepção, que a chocava, foi eliminada, reprimida na lembrança, e substituída pela sensação inócua da pressão sobre o tórax, que recebia da fonte reprimida a inten-

---

16 Certamente a náusea de Dora com esse beijo não teve causas acidentais, pois ela não deixaria de lembrá-las e mencioná-las. Por acaso conheço o sr. K.; é a mesma pessoa que acompanhou o pai da paciente até meu consultório, um homem ainda jovem, de aspecto atraente.

sidade exagerada. Portanto, um novo deslocamento da parte inferior para a parte superior do corpo.[17] Por outro lado, a compulsão do comportamento se formou como se proviesse da lembrança inalterada. Ela não gostava de passar por nenhum homem que acreditava estar sexualmente excitado, pois não queria ver de novo o sinal somático da excitação.

É digno de nota que temos aqui três sintomas — o asco, a pressão na parte superior do corpo e o medo de homens conversando animadamente — que procedem de uma única vivência, e que apenas a inter-relação desses três fenômenos possibilita a compreensão de como se formam os sintomas. O nojo corresponde ao sintoma de repressão na zona erógena dos lábios (viciada pelo hábito infantil de chupar, como veremos). A pressão do membro ereto provavelmente acarretou uma mudança análoga no órgão feminino correspondente, o clitóris, e a excitação desta segunda zona erógena foi fixada, mediante deslocamento, na simultânea sensação de pressão no tórax. O medo de homens possivelmente excitados segue o mecanismo de uma fobia, para guardar-se de uma revivescência da percepção reprimida.

---

17 Tais deslocamentos não constituem uma suposição para os fins dessa explicação; mostram-se, isto sim, como requisito indispensável para toda uma série de sintomas. Desde então encontrei o mesmo horror de um abraço (sem beijo) numa jovem que me procurou devido a um súbito esfriamento, com grave abatimento de ânimo, em relação ao noivo de quem antes era muito apaixonada. Não houve dificuldade em fazer remontar a sensação de horror a uma ereção do noivo, percebida mas eliminada da consciência.

A fim de provar que essa complementação dos fatos era possível, perguntei à paciente, com a máxima cautela, se tinha algum conhecimento dos sinais físicos de excitação no corpo de um homem. A resposta, no tocante ao momento da pergunta, foi "sim"; em relação à época do episódio, ela achava que não. Desde o início tive enorme cuidado em não transmitir a essa paciente nenhuma informação no âmbito da sexualidade, não por escrúpulos morais, mas porque pretendia submeter a um teste rigoroso minhas premissas nesse caso. Assim, eu só chamava uma coisa pelo nome quando as alusões muito claras da paciente tornavam pouco arriscada a tradução direta. Sua resposta era sempre imediata e franca: já sabia aquilo, mas *de onde* o sabia era um enigma que suas lembranças não resolviam. Ela esquecera a origem daqueles conhecimentos.[18]

Se me é lícito imaginar desse modo a cena do beijo na loja, chego à seguinte derivação para o nojo.[19] A sensação de nojo parece ser, originalmente, a reação ao cheiro (depois também à vista) dos excrementos. Mas os genitais — em especial o membro masculino — podem lembrar as funções excrementícias, pois o órgão, além da função sexual, serve também à da micção. De fato, essa é a de conhecimento mais antigo, e a única que se conhece no período pré-sexual. Assim o nojo se inclui entre as manifestações afetivas da vida sexual. O

---

18 Cf. o segundo sonho.
19 Aqui, como em todos os casos semelhantes, não se deve esperar uma, mas várias causas, uma *sobredeterminação*.

I. O QUADRO CLÍNICO

inter urinas et faeces nascimur, do Pai da Igreja,* é inerente à vida sexual e não pode ser separado dela, não obstante todo o esforço de idealização. Mas quero enfatizar expressamente o ponto de vista de que não considero resolvido o problema com a indicação dessa via associativa. O fato de essa associação poder ser despertada não quer dizer que seja despertada. Não o é, em circunstâncias normais. O conhecimento das vias não torna supérfluo o conhecimento das forças que as percorrem.[20]

Não me pareceu fácil, além de tudo, dirigir a atenção de minha paciente para seus laços com o sr. K. Ela afirmava que nada mais tinha com ele. A camada superior de tudo o que lhe ocorria durante as sessões, o que lhe vinha facilmente à consciência e que ela se lembrava de ter consciência no dia anterior, sempre se relacionava ao pai. Era verdade que ela não podia perdoar ao pai haver prosseguido os laços com o sr. K. e, em especial, com a esposa deste. A concepção que tinha desses laços

---

*Ou *"Inter urinam et faeces nascimur"* ("Entre urina e fezes nascemos"), frase que muitos atribuem a santo Agostinho (354-430, um dos "Pais da Igreja") e alguns a são Bernardo de Claraval (1090-1153, "Doutor da Igreja"), mas que é de origem incerta, na verdade.

20 Nessas observações há muito que é típico e válido para a histeria em geral. O tema da ereção resolve alguns dos mais interessantes sintomas histéricos. A atenção feminina aos contornos dos genitais masculinos perceptíveis através das roupas se torna, após sua repressão, o motivo de muitos casos de timidez e medo da sociedade. A ampla ligação entre o sexual e o excrementício, cuja importância patogênica dificilmente pode ser exagerada, serve de base para grande número de fobias histéricas.

era muito diferente daquela que o pai desejava que se tivesse. Não havia dúvidas, para ela, de que o pai tinha uma relação amorosa comum com aquela mulher jovem e bela. Nada que pudesse contribuir para reforçar essa tese havia escapado à sua percepção, que nisso era implacavelmente aguda; *aqui não havia lacunas em sua memória*. Eles haviam conhecido os K. antes da grave doença do pai; mas a amizade se tornou próxima apenas quando, durante essa doença, a jovem senhora se arvorou em cuidadora do enfermo, enquanto a mãe de Dora se manteve longe do seu leito. No primeiro verão após o seu restabelecimento, sucederam coisas que provavelmente abriram os olhos de todos quanto à verdadeira natureza daquela "amizade". As duas famílias haviam alugado juntas uma ala de quartos num hotel, e um dia a sra. K. declarou que não podia continuar no quarto que até então partilhava com um dos filhos. Poucos dias depois, o pai de Dora abandonou seu quarto, e ambos tomaram novos quartos no final do corredor, separados apenas por este — quartos que asseguravam maior tranquilidade que os anteriores. Quando ela, depois, fazia objeções sobre a sra. K., o pai dizia não compreender essa hostilidade, pois seus filhos tinham todos os motivos para serem gratos à sra. K. Ao se dirigir então à mãe, para obter explicação sobre essa frase obscura, esta lhe disse que o pai havia estado tão infeliz, naquele tempo, que decidira cometer suicídio na floresta; mas a sra. K. suspeitando isso, fora atrás dele e o convencera, com suas súplicas, a manter-se vivo para os seus. Dora, naturalmente, não acreditou nisso; segundo ela, os dois

I. O QUADRO CLÍNICO

foram vistos juntos na floresta e o pai inventou a história do suicídio para justificar o encontro.[21]

Após retornarem a B., o pai visitava a sra. K. diariamente, em determinadas horas, enquanto o marido estava no trabalho. Todas as pessoas falavam disso e perguntavam sobre isso a Dora, de maneira insinuante. O próprio sr. K. se queixava amargamente à mãe de Dora, mas poupava ela mesma de alusões ao assunto, o que ela parecia ver como tato da parte dele. Nas caminhadas que faziam todos, o pai e a sra. K. arranjavam as coisas de modo a andarem juntos. Não havia dúvida de que ela recebia dinheiro dele, pois fazia gastos que não podia se permitir com seus próprios recursos ou os de seu marido. O pai também começou a lhe dar presentes caros; para escondê-los, tornou-se especialmente generoso com a esposa e com ela mesma, Dora. E aquela senhora até então doentia, que inclusive tivera de permanecer num sanatório para doenças nervosas durante meses, porque não conseguia andar, ficou saudável e plena de vida.

Mesmo após terem deixado B., a relação, que já tinha vários anos, prosseguiu; pois de quando em quando o pai dizia que não tolerava o clima inóspito, que devia fazer algo por sua saúde, e começava a tossir e lamentar-se, até que partia subitamente para B., de onde escrevia as cartas mais alegres. Todas aquelas doenças

---

21 Haveria aqui um nexo com sua própria fingida intenção de suicídio, que talvez expresse, portanto, o anseio por um amor desse tipo.

eram pretextos para visitar sua amiga. Um dia, Dora soube que iriam se mudar para Viena, e começou a suspeitar de algum nexo oculto. De fato, nem três semanas após chegarem a Viena, ouviu dizer que também os K. haviam se transferido para a cidade. Achavam-se aqui naquele momento, e ela frequentemente encontrava o pai na rua, com a sra. K. Também o sr. K. ela via com frequência na rua, e ele sempre a acompanhava com os olhos; e, quando a encontrou sozinha, certa vez, ele a seguiu por um longo trecho, para se certificar de aonde ela ia, se não tinha um encontro amoroso.

O pai era insincero, tinha um quê de falsidade no caráter, pensava apenas em sua própria satisfação e possuía o dom de ajustar as coisas para a sua conveniência: comecei a ouvir essas críticas principalmente nos dias em que o pai sentiu seu estado piorar de novo e partiu para B. por algumas semanas, e Dora, sempre perspicaz, descobriu que também a sra. K. saíra da cidade com o mesmo destino, a fim de visitar seus parentes.

De modo geral, eu não podia contestar essa caracterização do pai; e também não era difícil ver em que objeção específica Dora tinha razão. Quando estava amargurada, vinha-lhe a ideia de que fora deixada ao sr. K. como prêmio por tolerar as relações entre seu pai e a mulher dele, e podia-se imaginar, por trás da afeição pelo pai, a raiva por esse uso que dela faziam. Em outros momentos, devia saber que era culpada de exagero por pensar assim. Os dois homens, naturalmente, jamais fizeram um acordo formal em que ela fosse tratada como objeto de troca; seu pai, sobretudo, teria

I. O QUADRO CLÍNICO

se indignado com tal pretensão. Mas ele era um desses homens que sabem atenuar um conflito falseando o próprio juízo sobre uma das alternativas que se opõem. Se alguém lhe chamasse a atenção para a possibilidade de uma adolescente correr perigo no trato constante e não vigiado com um homem insatisfeito com a própria mulher, ele certamente responderia que confiava na filha, e que seu amigo seria incapaz de abrigar tais intenções; ou que Dora ainda era uma criança, sendo tratada como uma criança por K. Na realidade, chegou-se a uma situação em que cada um dos dois homens evitava tirar do comportamento do outro a conclusão que era inoportuna para seus próprios desejos. Por todo um ano, quando estava na cidade, o sr. K. pôde enviar flores a Dora diariamente, aproveitar toda ocasião para lhe dar presentes caros e passar todo o seu tempo livre na companhia dela, sem que os pais da garota enxergassem nessa conduta um cortejo amoroso.

Quando, no tratamento psicanalítico, surge uma série de pensamentos corretamente fundamentada e irrepreensível, pode haver um momento de embaraço para o médico, que o paciente aproveita para perguntar: "Isso é tudo verdadeiro e certo, não é? O que você mudaria no que lhe falei?". Mas logo se percebe que tais pensamentos, inatacáveis pela análise, foram usados pelo paciente para esconder outros, que querem se furtar à crítica e à consciência. Uma série de recriminações a outras pessoas leva a suspeitar de uma série de autorrecriminações com o mesmo teor. É preciso apenas fazer cada recriminação retroceder à própria pessoa que a exprimiu. Há algo indiscutivelmente automático nessa forma de se defender de uma autorrecriminação dirigindo a mesma recriminação a outra pessoa. Seu modelo está nas réplicas das crianças, que imediatamente respondem: "*Você* é um mentiroso", quando alguém as acusa de haver mentido. Na intenção de revidar um xingamento, o adulto buscaria algum verdadeiro ponto fraco do adversário, não daria valor à repetição do mesmo conteúdo. Na paranoia, essa projeção da recriminação em outra pessoa, sem alteração do conteúdo e, portanto, sem apoio na realidade, manifesta-se como processo de formação do delírio.

Também as recriminações de Dora ao pai tinham um "forro", um "enchimento" do mesmo conteúdo, como mostrarei especificamente. Ela estava certa em pensar que o pai não queria ter clareza sobre a conduta do sr. K. para com ela, a fim de não ver perturbada sua relação com a sra. K. Mas ela própria fizera o mesmo. Ela se tornara cúmplice dessa relação e rejeitara todos os indícios de sua verdadeira natureza. Apenas depois da aventura no lago ela enxergou claramente e fez severas exigências ao pai. Nos anos anteriores ela favorecera a relação do pai com a sra. K. de toda maneira possível. Nunca ia ter com a sra. K. quando imaginava que o pai estaria lá. Sabia que então as crianças teriam sido afastadas de casa, fazia de modo a encontrá-las no caminho e ia passear com elas. Tinha havido, em sua casa, uma pessoa que quis abrir-lhe os olhos sobre o relacionamento de seu pai com a sra. K. e induzi-la a

I. O QUADRO CLÍNICO

tomar partido contra ela. Fora a sua última preceptora, uma senhorita mais velha, muito lida e de opiniões liberais.[22] Professora e aluna se entenderam bem durante algum tempo, até que Dora, subitamente, tornou-se hostil a ela e insistiu na sua demissão. Enquanto a preceptora teve influência, utilizou-a para incitar os ânimos contra a sra. K. Expôs à mãe de Dora que era incompatível com sua dignidade tolerar aquela intimidade do marido com outra mulher; e chamou a atenção de Dora para tudo o que era estranho naquele relacionamento. Mas seu empenho foi em vão, a garota continuou afeiçoada à sra. K. e não quis saber de motivo algum que a fizesse ofender-se com a relação entre ela e seu pai. Por outro lado, dava-se conta das razões que moviam sua preceptora. Cega por um lado, era bastante perspicaz pelo outro. Notou que a senhorita era apaixonada por seu pai. Quando ele estava presente, ela parecia outra pessoa, podia ser divertida e solícita. No tempo em que a família viveu na cidade onde se localizava a fábrica e a sra. K. esteve fora do horizonte familiar, ela voltou sua hostilidade contra a mãe de Dora, a rival de então. Mas nada disso a garota levou a mal. Aborreceu-se apenas ao notar que ela própria nada significava para a preceptora, que o amor que esta lhe demonstrava se dirigia ao seu pai, na verdade. Enquanto o pai estava

---

22 Essa preceptora lia toda espécie de livros sobre o sexo e falava com a garota a respeito deles, mas pedia-lhe francamente que escondesse isso dos pais, já que não se podia saber que ponto de vista eles teriam. Por algum tempo eu vi nessa moça a fonte do conhecimento secreto de Dora, e talvez não tenha me equivocado inteiramente nisso.

ausente da cidade, a senhorita não tinha tempo para ela, não queria passear, não se interessava por seus trabalhos. Assim que o pai retornava de B., mostrava-se novamente disposta para todo serviço e toda ajuda. Então Dora se livrou dela.

A pobre mulher lhe fizera ver, com uma clareza não desejada, um aspecto de seu próprio comportamento. O que a preceptora, às vezes, havia sido para Dora, esta havia sido para os filhos do sr. K. Fizera de mãe para eles, instruíra-os, saíra com eles para passear, compensara totalmente o pouco interesse que a própria mãe mostrava por eles. O sr. e a sra. K. haviam falado frequentemente em separação; esta não aconteceu, pois o sr. K., sendo um pai afetuoso, não queria abandonar os dois filhos. O interesse comum pelas crianças havia sido, desde o começo, um traço de união no relacionamento entre o sr. K. e Dora. Evidentemente, ocupar-se das crianças era, para Dora, uma capa que devia ocultar alguma outra coisa de si própria e das demais pessoas.

Seu comportamento para com as crianças, visto à luz do comportamento da preceptora para com ela, leva à mesma conclusão que sua tácita aquiescência às relações do pai com a sra. K., ou seja, que em todos aqueles anos ela estivera apaixonada pelo sr. K. Quando lhe expus essa conclusão, não houve concordância por parte dela. Relatou, é verdade, que também outras pessoas — como uma prima que passara algum tempo em B. — lhe haviam dito: "Você é louca por esse homem"; mas ela própria não podia se lembrar de sentimentos assim. Depois, quando a abundância do material novo dificultava sua negação, ela admitiu que em B. podia estar enamorada do sr. K., mas desde a cena junto ao lago isso havia acabado.[23] De toda forma, era certo que a recriminação que fazia ao pai, de haver ignorado obrigações indiscutíveis e ter visto as coisas de um modo conveniente à sua própria paixão, recaía sobre ela mesma.[24]

A outra recriminação, de que as doenças do pai eram pretextos de que se servia, também corresponde a uma parte da história oculta de Dora. Um dia, ela se queixou de um sintoma supostamente novo, dores agudas no estômago. Quando lhe perguntei: "Quem você está imitando com isso?", atingi o alvo. No dia anterior, ela visitara suas primas, as filhas da tia falecida. A mais jovem tinha ficado noiva, e com isso a mais velha passou a ter dores de estômago e ia ser enviada para o Semmering.* Dora achava que era apenas inveja, a mais velha sempre ficava doente quando queria obter algo, e desejava então afastar-se de casa, para não presenciar a felicidade da mais nova.[25] Mas suas próprias dores de estômago exprimiam que ela se identificava com a prima tida como simuladora, seja porque igualmente

---

23 Cf. o segundo sonho.
24 Aqui surge a pergunta: se Dora amava o sr. K., como se explica sua rejeição dele na cena do lago ou, pelo menos, a forma brutal dessa rejeição, que indicava irritação de sua parte? Como podia uma garota apaixonada sentir-se ofendida com uma proposta que — como depois veremos — não foi expressa de modo grosseiro ou indecente?
* Estação de repouso nas montanhas, cerca de oitenta quilômetros ao sul de Viena.
25 Algo comum entre irmãs.

invejava a prima mais feliz por seu amor, seja porque via sua própria história refletida naquela da irmã mais velha, que pouco antes tivera um caso amoroso que terminou de forma infeliz.[26] Ela já havia notado, observando a sra. K., como podem ser úteis as doenças. O sr. K. passava uma parte do ano em viagens; tão logo voltava, encontrava doente a esposa, que no dia anterior, como sabia Dora, ainda estava bem. Ela entendeu que a presença do marido tornava doente a mulher e que a doença era bem-vinda para esta, permitia-lhe subtrair-se aos odiados deveres conjugais. Uma observação que fez subitamente, nesse ponto, sobre sua própria alternância entre doença e saúde nos primeiros anos passados em B. levou-me a suspeitar que também seus estados de saúde deviam ser considerados dependentes de algo mais, como os da sra. K. Temos como regra, na técnica psicanalítica, que um nexo interior, porém ainda oculto, manifesta-se pela contiguidade, pela proximidade temporal das associações, do mesmo modo que na escrita, quando após *a* é colocado *b*, deve-se formar a sílaba *ab*. Dora havia tido inúmeros acessos de tosse acompanhados de perda de voz; a presença ou ausência do homem que amava teria alguma influência nesse ir e vir dos sintomas? Se era assim, em algum ponto se poderia evidenciar uma concordância reveladora. Perguntei qual havia sido a duração média desses ataques. De três a seis semanas, aproximadamente. Quanto tempo

---

26 Mais adiante falarei de outra conclusão que extraí das dores no estômago.

haviam durado as ausências do sr. K.? Também de três a seis semanas, ela admitiu. Portanto, com sua doença ela demonstrava seu amor por K., tal como a esposa mostrava sua aversão. Era lícito supor que ela se comportara de modo inverso à sra. K., que estivera doente quando ele estava ausente, e saudável, quando ele havia retornado. E assim parecia realmente ser, ao menos no primeiro período dos ataques. Em épocas posteriores houve provavelmente a necessidade de apagar a coincidência entre ataque da doença e ausência do homem secretamente amado, para que o segredo não fosse traído pela repetição. A duração do ataque, então, permaneceu como indício de seu significado original.

Recordei-me de ter visto e escutado, na época em que estava na clínica de Charcot, que nas pessoas com mutismo histérico a escrita tomava o lugar da fala. Elas escreviam de modo mais fácil, mais rápido e melhor que as outras e do que antes. O mesmo acontecera com Dora. Nos primeiros dias em que ficava afônica, "escrever sempre lhe era particularmente fácil". Por exprimir uma função substitutiva fisiológica criada pela necessidade, essa peculiaridade não requeria verdadeiramente uma explicação psicológica; mas era digno de nota que não fosse difícil obtê-la. O sr. K. lhe escrevia bastante nas viagens, enviava-lhe cartões-postais; ocorria de apenas ela saber o dia de seu regresso, e a esposa ser surpreendida por este. O fato de alguém se corresponder com um ausente, com o qual não pode falar, não é menos natural que procurar se fazer entender pela escrita quando perde a voz. Portanto, a afonia de Dora permitiu a seguinte interpretação simbólica. Quando o homem amado estava longe, ela abandonava a fala; esta não tinha valor, pois ela não podia falar com *ele*. Já a escrita adquiria importância, como o único meio de relacionar-se com o ausente.

Sustentarei agora que em todos os casos de afonia periódica deve-se orientar o diagnóstico pela existência de uma pessoa amada que temporariamente se ausenta? Esse não é meu propósito, certamente. A determinação do sintoma no caso de Dora é muito específica para que possamos cogitar num retorno frequente da mesma etiologia acidental. Mas que valor tem, então, a explicação da afonia em nosso caso? Será que nos deixamos enganar por um jogo do pensamento? Não creio. Nisso devemos lembrar a questão, frequentemente colocada, de se os sintomas da histeria são de origem psíquica ou somática, ou se, admitindo-se a primeira, todos têm de ser psiquicamente determinados. Essa questão, como tantas outras que os pesquisadores procuram em vão responder, não é adequada. O estado real das coisas não se encontra na alternativa que ela propõe. Pelo que posso ver, todo sintoma histérico requer a contribuição dos dois lados. Ele não pode se produzir sem alguma *complacência somática*, que é proporcionada por um evento normal ou patológico num órgão ou ligado a ele. Não se produz mais que uma vez — e a capacidade de se repetir é da natureza do sintoma histérico — se não tem uma significação psíquica, um *sentido*. O sintoma histérico não vem com esse sentido; este lhe

I. O QUADRO CLÍNICO

é emprestado, como que soldado a ele, e em cada caso o sentido pode ser outro, conforme a natureza dos pensamentos reprimidos que lutam por expressar-se. No entanto, uma série de fatores tende a fazer com que as relações entre os pensamentos inconscientes e os processos somáticos de que estes dispõem como meios de expressão sejam menos arbitrárias e se aproximem de algumas combinações típicas. Para a terapia, os determinantes de maior peso são aqueles dados no material psíquico acidental; desfazemos os sintomas ao pesquisar sua significação psíquica. Tendo removido o que pode ser eliminado mediante psicanálise, podemos formar todo tipo de ideias, provavelmente acertadas, sobre a base somática dos sintomas, que é, via de regra, constitucional-orgânica. Também quanto aos ataques de tosse e afonia de Dora não nos limitaremos à interpretação psicanalítica, mas indicaremos o fator somático por trás deles, do qual provinha a "complacência somática" para que se exprimisse a inclinação pelo homem amado temporariamente ausente. E se, nesse caso, o vínculo entre expressão sintomática e conteúdo mental inconsciente nos parecer algo habilidosamente engendrado, ficaremos aliviados em saber que ele pode criar a mesma impressão em qualquer outro caso, em qualquer outro exemplo.

Agora estou preparado para escutar que é um ganho muito modesto que então, graças à psicanálise, a solução do enigma da histeria não esteja mais na "particular instabilidade das moléculas nervosas" ou na possibilidade de estados hipnoides, e sim na "complacência somática".

Em resposta a essa observação, enfatizarei que o enigma, desse modo, é não apenas recuado em alguma medida, mas também diminuído. Já não se trata do enigma inteiro, mas da parte dele que encerra a característica especial da histeria que a distingue das outras psiconeuroses. Em todas as psiconeuroses, os eventos* psíquicos são os mesmos por um bom trecho, apenas depois entra em consideração a "complacência somática", que proporciona aos eventos psíquicos inconscientes uma escapatória para o âmbito físico. Quando não há esse fator, surge algo diferente de um sintoma histérico, mas ainda aparentado a ele, uma fobia, digamos, ou uma ideia obsessiva — em suma, um sintoma psíquico.

Retomo agora a recriminação de simular doenças, que Dora fez ao pai. Logo vimos que isso correspondia não só a autorrecriminações referentes a estados doentios passados, mas também presentes. Nesse ponto, geralmente é tarefa do médico adivinhar e completar o que a análise lhe fornece apenas de forma alusiva. Tive de fazer a paciente notar que sua enfermidade presente era motivada e tendenciosa como a da sra. K., que ela compreendera bem. Não havia dúvida, disse-lhe, de que ela tinha um propósito que esperava alcançar com a doença. Tal propósito só podia ser afastar o pai da sra. K. Ela não conseguia fazê-lo com solicitações e argumentos; talvez esperasse ter êxito assustando o pai (com a carta de despedida) ou despertando sua compaixão

---

* No original, *Vorgänge*, que também pode significar "processos".

I. O QUADRO CLÍNICO

(com os desmaios), e, se nada disso ajudasse, pelo menos se vingaria dele. Ela bem sabia, continuei, o quanto ele se ligava a ela, e que sempre lhe vinham lágrimas aos olhos quando lhe perguntavam sobre o estado de sua filha. Eu tinha plena convicção, falei, de que ela ficaria imediatamente boa se o pai lhe declarasse que sacrificava a sra. K. por sua saúde. Mas esperava que ele não se deixasse levar a isso, pois então ela descobriria a arma que tinha em mãos e não hesitaria em se utilizar da possibilidade de adoecer novamente em toda ocasião futura. Se o pai não cedesse, porém, eu estaria preparado: ela não abandonaria facilmente a sua doença.

Omitirei os detalhes que evidenciaram a exatidão de tudo isso e acrescentarei algumas observações gerais sobre o papel que os *motivos da doença* têm na histeria. Os motivos para a doença devem ser nitidamente diferenciados, como conceito, das possibilidades de adoecer, do material a partir do qual os sintomas são produzidos. Eles não participam da formação dos sintomas e tampouco estão presentes no início da doença; aparecem apenas secundariamente, mas é só quando surgem que a doença se constitui plenamente.[27] Pode-se contar

---

27 [Nota acrescentada em 1923:] Nem tudo está correto aqui. A tese de que os motivos da doença não se acham presentes no início da doença, surgindo apenas secundariamente, não pode ser mantida. No parágrafo seguinte já são mencionados motivos para a doença que existem antes da irrupção desta e são corresponsáveis por essa irrupção. Depois levei em conta os fatos de maneira melhor, introduzindo a distinção entre *benefício* [ou ganho] *primário e*

com a sua presença em todo caso de sofrimento real e de certa duração. Primeiramente, o sintoma não é um hóspede bem-vindo na vida psíquica; tem tudo contra ele e, por isso, desaparece facilmente por si mesmo, por influência do tempo, segundo as aparências. No princípio não tem utilidade na casa da psique, mas muitas vezes chega a encontrar uma, secundariamente. Alguma corrente psíquica acha cômodo servir-se do sintoma, e, desse modo, ele obtém uma *função secundária* e permanece como que ancorado na psique. Quem deseja curar o doente depara, surpreso, com uma grande resistência, que lhe mostra que a intenção de livrar-se do sofrimento não é realmente séria.[28] Imagine-se um trabalhador, alguém que faz e conserta telhados, digamos, que levou uma queda e ficou aleijado, e agora passa a vida a mendigar nas esquinas. Um fazedor de milagres

---

secundário da doença. O motivo para adoecer é, afinal, a intenção de obter um ganho. O que afirmo nas frases seguintes desse parágrafo se aplica ao benefício secundário da doença. Mas em toda doença neurótica se pode reconhecer um benefício primário. O adoecimento poupa, a princípio, um esforço psíquico, revela-se a solução economicamente mais cômoda no caso de um conflito psíquico (a *fuga para a doença*), embora depois, na maioria dos casos, apareça inequivocamente a inadequação de tal saída. Essa parte do ganho primário da doença pode ser designada como a *interior*, psicológica; ela é constante, por assim dizer. Além disso, fatores externos — como a situação, dada como exemplo, da mulher reprimida pelo marido — podem fornecer motivos para adoecer e, assim, constituir a parte *externa* do benefício primário da doença.
28 Um escritor que também é médico — Arthur Schnitzler — exprimiu muito bem essa percepção em *Paracelso* [peça teatral em versos, 1899].

I. O QUADRO CLÍNICO

o aborda e lhe promete restaurar completamente a perna. Creio que não devemos esperar uma expressão de enorme felicidade no seu rosto. Claro que ele se sentiu extremamente infeliz quando se machucou, percebeu que nunca mais poderia trabalhar e que morreria de fome ou viveria de esmolas. Desde então, porém, aquilo que inicialmente o tornou incapaz de ganhar a vida se tornou sua fonte de renda; ele vive de sua invalidez. Se esta lhe for tirada, talvez ele fique totalmente desamparado; nesse meio-tempo, esqueceu o ofício, perdeu os hábitos de trabalho, acostumou-se ao ócio e talvez também à bebida.

Com frequência, os motivos para adoecer já começam a estar ativos na infância. A menina ávida de amor, que de mau grado compartilha a afeição dos pais com os irmãos, nota que essa afeição se volta inteiramente para ela, quando adoece e causa preocupação aos pais. Descobre um meio de atrair o amor dos pais, e recorre a ele tão logo tem à disposição o material psíquico para produzir a doença. Depois, quando a menina se tornou mulher e, em total contradição com as exigências de sua infância, acha-se casada com um homem sem consideração, que reprime sua vontade, aproveita-se impiedosamente de sua capacidade de trabalho e não lhe dedica afeição nem lhe cobre nenhuma despesa, então a doença se torna a sua única arma para afirmar-se na vida. Proporciona-lhe a ansiada indulgência, obriga o marido a fazer sacrifícios de dinheiro e de atenção, que não teria feito se ela gozasse de saúde, e força-o a tratá-la cuidadosamente caso ela se cure, pois senão haverá uma recaída. O caráter aparentemente objetivo e involuntário da doença, garantido também pelo médico que a trata, possibilita a essa mulher utilizar oportunamente, sem recriminações conscientes, um recurso que achou eficaz durante a infância.

E, no entanto, essa doença é uma obra intencional! Esses estados patológicos são geralmente dirigidos a determinada pessoa, de modo que desapareçam quando esta se afasta. O juízo cru e banal sobre os distúrbios dos histéricos, que podemos ouvir de parentes incultos e de cuidadoras, é correto em determinado sentido. É verdade que uma mulher acamada, paralisada, saltaria do leito se irrompesse um incêndio no quarto, que uma esposa amimalhada esqueceria os sofrimentos se um filho adoecesse gravemente ou uma catástrofe ameaçasse a família. Todos os que assim falam dos doentes têm razão, exceto num ponto: eles negligenciam a distinção psicológica entre consciente e inconsciente, o que talvez se permita no caso de uma criança, mas num adulto não é mais possível. Por isso, de nada adiantam as asseverações de que "é tudo questão de vontade", e os encorajamentos e invectivas aos doentes. É preciso antes tentar convencê-los, pela via indireta da análise, da existência de sua intenção de estar doente.

É no combate aos motivos da doença que reside, de modo geral, a fraqueza de toda terapia da histeria, também da psicanalítica. As vicissitudes do paciente têm as coisas facilitadas nesse ponto, não precisam atacar a constituição nem o material patogênico; eliminam um motivo para estar doente e ele se acha temporariamente,

I. O QUADRO CLÍNICO

talvez até duradouramente, livre da doença. Como seria menor o número de curas milagrosas e desaparecimentos espontâneos de sintomas que nós, médicos, teríamos de aceitar em casos de histeria, se pudéssemos conhecer mais os interesses vitais dos pacientes, que nos são ocultados! Um certo prazo pode haver expirado, ou se deixou de considerar uma outra pessoa, ou uma situação foi transformada fundamentalmente por um evento exterior, e o distúrbio, até então persistente, foi removido de chofre, aparentemente de forma espontânea; na verdade, porque lhe foi retirado o motivo mais forte, uma de suas utilizações na vida da pessoa.

Provavelmente se encontrarão motivos que sustentam a condição enferma em todos os casos bem desenvolvidos. Mas existem casos com motivos puramente internos, como, por exemplo, a autopunição, ou seja, arrependimento e penitência. Neles a tarefa terapêutica será resolvida mais facilmente do que quando a doença está vinculada à obtenção de uma meta exterior. Para Dora, a meta era, claramente, comover o pai e afastá-lo da sra. K.

Ela ficava fora de si com a ideia de que teria imaginado aquilo. Por um bom tempo tive dificuldade para descobrir que autorrecriminação se escondia atrás de seu apaixonado repúdio a essa explicação. Era razoável supor algo oculto ali, pois uma recriminação injustificada não ofende de forma duradoura. Por outro lado, cheguei à conclusão de que o relato de Dora devia corresponder plenamente à verdade. Após compreender a intenção do sr. K., ela não o deixou terminar de falar, deu-lhe um tapa no rosto e saiu correndo. Sua conduta deve ter parecido tão incompreensível àquele homem como a nós, pois ele certamente havia concluído, a partir de muitos pequenos sinais, que era dono do afeto da garota. Na discussão do segundo sonho, encontraremos tanto a solução desse enigma como a autorrecriminação que inicialmente procuramos em vão.

As queixas contra o pai se repetindo com fastidiosa monotonia e a tosse continuando, tive de pensar que esse sintoma podia ter um sentido relacionado ao pai. De toda forma, estavam longe de serem satisfeitos os requisitos que costumo exigir de uma explicação de sintoma. Segundo uma regra que sempre vi confirmada, mas ainda não tive a coragem de elevar a um princípio geral, um sintoma significa a representação — realização — de uma fantasia com conteúdo sexual, isto é, uma situação sexual. Melhor dizendo, pelo menos um dos significados de um sintoma corresponde à representação de uma fantasia sexual, ao passo que não existe essa limitação do teor para os outros significados. O fato de um sintoma possuir mais de um significado, de servir para representar simultaneamente vários cursos de pensamentos inconscientes, é algo que logo descobrimos no trabalho psicanalítico. Quero ainda acrescentar que, na minha avaliação, dificilmente um só curso de pensamento ou fantasia inconsciente bastará para produzir um sintoma.

Logo se apresentou a oportunidade de interpretar a tosse nervosa dessa maneira, mediante uma situação sexual fantasiada. Quando ela, mais uma vez, afirmou que a sra. K. amava seu pai somente porque ele era um homem *de recursos* [*vermögend*], notei, por alguns detalhes de seu modo de expressão (que aqui omito, como a maioria dos aspectos técnicos do trabalho da análise), que atrás da afirmação se escondia o seu oposto: que o pai era um homem *sem recursos* [*unvermögend*]. Isto só podia ser entendido sexualmente, ou seja: o pai era, como homem, sem recursos, impotente. Depois que Dora confirmou essa interpretação a partir do conhecimento consciente, apontei-lhe a contradição em que ela caía, quando, por um lado, insistia em que a relação do pai com a sra. K. era um caso amoroso comum e, por outro lado, dizia que o pai era impotente, ou seja, incapaz de manter esse relacionamento. Sua resposta mostrou que ela não precisava reconhecer a contradição. Ela bem sabia, disse, que há mais de uma forma de satisfação sexual. A fonte desse conhecimento era incapaz de indicar, porém. Quando perguntei se estava se referindo ao uso de outros órgãos além dos genitais no intercurso sexual, ela respondeu que sim, e eu prossegui dizendo que ela estava pensando naquelas partes do corpo que nela se achavam irritadas (garganta, cavidade da boca). É certo que não queria saber tanto dos próprios pensamentos, mas também não podia ter completa clareza quanto a isso, para que o sintoma fosse possível. Era inevitável, no entanto, concluir que com sua tosse espasmódica, que, como de hábito, respondia ao estímulo de uma cócega na garganta, ela imaginava uma situação de satisfação sexual *per os* [pela boca] entre as duas pessoas cuja relação amorosa a ocupava incessantemente. O fato de a tosse desaparecer logo depois de ela admitir tacitamente essa explicação se harmonizava bem com minha concepção; mas não quisemos dar muito peso a essa transformação, pois ela já havia ocorrido frequentemente, de forma espontânea.

Se essa parte da análise despertou estranhamento e horror no leitor de formação médica — além da incredulidade a que tem direito —, disponho-me agora a examinar essas duas reações, para ver até que ponto se justificam. O estranhamento acredito ser motivado pela ousadia de eu falar de coisas tão delicadas e medonhas com uma jovem — ou, de modo geral, com uma mulher. O horror deve se ligar à possibilidade de uma garota inocente tomar conhecimento dessas práticas e ocupar-se delas na imaginação. Nos dois aspectos eu recomendaria moderação e ponderação. Em nenhum deles há motivo para se indignar. Pode-se falar de temas sexuais com garotas e mulheres sem prejudicá-las nem criar suspeitas, quando, primeiramente, se adota certa maneira de fazê-lo, e, em segundo lugar, quando se desperta nelas a convicção de que isso é necessário. Respeitando as mesmas condições, um ginecologista pode fazê-las desnudar-se completamente. A melhor maneira de falar das coisas é aquela seca e direta; ao mesmo tempo, é a mais distante da lascívia com que os mesmos temas são tratados na "sociedade", com a qual garotas e mulheres estão muito acostumadas. Dou a órgãos e processos os nomes técnicos, e os informo — os nomes — quando elas não os sabem. *"J'appelle un chat un chat"* [literalmente: "Chamo um gato de gato"]. Bem sei que há pessoas — médicos e não médicos — que se escandalizam com uma terapia em que ocorrem tais conversas e que parecem invejar, a mim ou aos pacientes, a comichão que, segundo sua expectativa, isso deve proporcionar. Mas eu conheço muito bem o decoro desses senhores para me irritar com eles. Fugirei à tentação de escrever uma sátira sobre isso. Mencionarei apenas uma coisa: que tenho, com frequência, a satisfação de ouvir uma paciente, que inicialmente não achou fácil ser franca em questões sexuais, exclamar depois: "Ora, o seu tratamento é muito mais decente do que as conversas do sr. X.!".

Antes de empreender o tratamento de uma histeria, é preciso estar convencido da inevitabilidade de tocar em temas sexuais, ou estar disposto a deixar-se convencer pela experiência. *Pour faire une omelette il faut casser les œufs* [Para fazer um omelete, é preciso quebrar os ovos], deve-se dizer a si mesmo. Quanto aos pacientes, são fáceis de se convencer; há muitas oportunidades para isso no decorrer do tratamento. Não há do que se recriminar por discutir fatos da vida sexual normal ou anormal com eles. Tomando alguma cautela, apenas lhes traduzimos para o consciente o que já sabem no inconsciente, e todo o efeito da terapia se baseia, afinal, na compreensão de que o afeto ligado a uma ideia inconsciente atua mais fortemente e, como não pode ser inibido, mais nocivamente do que o de uma ideia consciente. Jamais corremos o risco de estragar uma garota inocente; quando também no inconsciente não há conhecimento dos processos sexuais, também não se produz nenhum sintoma. Se encontramos histeria, já não se pode falar de "inocência do espírito", no sentido que entendem pais e educadores. Em jovens de dez, doze e catorze anos, tanto meninos como garotas, pude me convencer da total validade dessa afirmação.

No tocante à segunda reação emocional, que já não se dirige contra mim, mas contra a paciente — caso eu esteja certo —, e que acha terrível a natureza perversa de suas fantasias, quero sublinhar que tal condenação passional não condiz com um médico. Também acho desnecessário, entre outras coisas, que um médico que escreve sobre os desvios do instinto sexual aproveite qualquer oportunidade para exprimir sua aversão pessoal a coisas repugnantes. Estamos diante de um fato, e é de esperar que, suprimindo nossos gostos particulares, nos habituemos a ele. É preciso poder falar sem se ofender disso que denominamos perversões sexuais, das extensões da função sexual no que toca à área do corpo e ao objeto sexual. A imprecisão dos limites do que se chama vida sexual normal em diferentes raças e diferentes épocas já deveria acalmar os mais fervorosos. Não devemos esquecer que a perversão mais repugnante para nós, o amor sensual de um homem por outro, era não apenas tolerada por um povo culturalmente superior a nós, os gregos, como também dotada de

I. O QUADRO CLÍNICO

importantes funções sociais. Cada um de nós ultrapassa um tanto em sua vida sexual, ora aqui, ora ali, os estreitos limites traçados para o que é normal. As perversões não constituem nem bestialidades nem degenerações no sentido passional do termo. São desenvolvimentos de germens que se acham todos na indiferenciada predisposição sexual da criança, cuja repressão ou direcionamento para metas mais elevadas, assexuais — *sublimação* — destina-se a fornecer a energia para bom número de nossas realizações culturais. Portanto, quando alguém se *tornou* grosseira e manifestamente perverso, é mais correto dizer que *permaneceu* assim, pois representa um estágio de *inibição do desenvolvimento*. Os psiconeuróticos são todos indivíduos com tendências perversas bem marcadas, mas reprimidas no curso do desenvolvimento e tornadas inconscientes. Logo, suas fantasias inconscientes apresentam o mesmo conteúdo que as ações documentadas dos perversos, ainda que não tenham lido a *Psychopathia sexualis* de Krafft-Ebing, à qual pessoas ingênuas atribuem tanta culpa no surgimento de inclinações perversas. As psiconeuroses são, por assim dizer, o *negativo* das perversões. Nos neuróticos, a constituição sexual, em que se inclui também a hereditariedade, atua juntamente com influências acidentais da vida, que perturbam o desdobramento da sexualidade normal. As águas que encontram um obstáculo no leito do rio refluem para cursos antigos, que estavam destinados ao abandono. As forças motrizes que levam à formação dos sintomas histéricos provêm não só da sexualidade normal reprimida, mas também dos impulsos perversos inconscientes.[29]

As menos repulsivas entre as chamadas perversões sexuais são bastante difundidas em nossa população, como sabem todos, com exceção dos médicos que escrevem sobre o tema. Ou, melhor dizendo, eles também o sabem; apenas se esforçam por esquecê-lo no momento em que tomam da pena para se manifestar sobre isso. Não é de admirar, portanto, que essa garota histérica de quase dezenove anos, que ouviu falar da ocorrência de tal forma de intercurso sexual (a sucção do membro), desenvolva essa fantasia inconsciente e a exprima na sensação de garganta irritada e na tosse. Também não seria espantoso se ela tivesse essa fantasia sem esclarecimento de fora, como verifiquei, com segurança, em outras pacientes. Algo digno de nota fornecia, nela, a precondição somática para tal criação autônoma de uma fantasia que coincide com a prática dos perversos. Ela se recordava bem que na infância havia sido uma "chupadora". Também o pai se lembrava de que lhe havia tirado esse costume, que prosseguira até os quatro ou cinco anos de idade. A própria Dora tinha claramente na memória uma cena de seus primeiros anos, em que se encontrava sentada no chão, num canto, chupando o polegar esquerdo, enquanto puxava levemente, com

---

29 Tais observações sobre as perversões sexuais foram escritas alguns anos antes do excelente livro de Iwan Bloch (*Beiträge zur Ätiologie der Psychopathia sexualis*, 1902 e 1903). Cf. também os meus *Três ensaios sobre a teoria da sexualidade*, publicados nesse ano (1905).

I. O QUADRO CLÍNICO

a mão direita, o lóbulo da orelha do irmãozinho que se achava tranquilamente ao seu lado. Eis aqui a forma completa da autossatisfação pelo ato de chupar, que também me foi relatada por outras pacientes — que depois se tornaram anestésicas e histéricas.

De uma delas obtive uma informação que lança uma viva luz sobre a origem desse estranho hábito. A jovem, que nunca havia abandonado o costume de chupar o dedo, via-se numa recordação da infância, entre um e um ano e meio de idade, segundo ela, mamando no peito da ama de leite e puxando ritmicamente o lóbulo da orelha desta. Ninguém discutirá, creio, que a mucosa dos lábios e da boca deve ser considerada uma *zona erógena* primária, pois conserva em parte esse significado no beijo, que é tido como normal. A intensa atividade dessa zona erógena na infância é, portanto, condição para a posterior complacência somática por parte do trato da mucosa que começa nos lábios. Quando, numa época em que já se conhece o objeto sexual propriamente dito, o membro masculino, surgem circunstâncias que fazem aumentar novamente a excitação da zona erógena oral conservada, não se requer grande força inventiva para substituir o mamilo original e o dedo que o representa pelo objeto sexual atual, o pênis, na situação que conduz à satisfação. Assim, essa repugnante fantasia perversa de chupar o pênis tem uma origem bastante inocente; é a modificação do que se pode chamar de impressão pré-histórica de mamar no peito da mãe ou ama de leite, que habitualmente é reavivada pelo contato com crianças que são amamentadas. Em geral, o úbere da vaca serve de representação intermediária entre o mamilo e o pênis.

Essa interpretação dos sintomas relativos à garganta de Dora pode também motivar uma outra observação. Pode-se perguntar como a situação sexual fantasiada se harmoniza com a outra explicação, segundo a qual o ir e vir das manifestações patológicas refletiria a presença ou ausência do homem amado, ou seja, exprimiria, considerando a conduta da esposa, o seguinte pensamento: "Se eu fosse sua esposa, eu o amaria de modo bem diferente; ficaria doente (de saudade, digamos), quando ele estivesse longe, e bem (de felicidade), quando ele voltasse". Eu responderei, com base em minha experiência na resolução de sintomas histéricos, que não é necessário que os diferentes significados de um sintoma se harmonizem, isto é, formem um todo coerente. Basta que a coerência seja fornecida pelo tema que deu origem a todas as diferentes fantasias. Em nosso caso, de resto, essa harmonia não se acha excluída; um dos significados se relaciona mais à tosse; o outro, à afonia e à alternância dos estados. Uma análise mais refinada provavelmente revelaria uma influência psíquica bem maior nos detalhes da doença.

Já vimos que um sintoma corresponde, regularmente, a vários significados *ao mesmo tempo*; agora acrescentemos que pode também exprimir vários significados *sucessivamente*. O sintoma pode mudar um dos seus significados ou seu mais importante significado no decorrer dos anos, ou o papel principal pode passar de um

I. O QUADRO CLÍNICO

significado para outro. Há como que um traço conservador no caráter da neurose: o sintoma uma vez formado é conservado sempre que possível, ainda que o pensamento inconsciente nele expresso tenha perdido seu significado. Mas também é fácil explicar mecanicamente essa tendência à manutenção do sintoma; a produção de um sintoma tal é tão difícil, a tradução de uma excitação puramente psíquica para o plano físico — o que denominei *conversão* — depende de tantas precondições favoráveis, a complacência somática requerida para a conversão ocorre tão raramente, que o ímpeto para a descarga de uma excitação vinda do inconsciente leva a contentar-se, quando possível, com a via de descarga já transitável. Muito mais fácil do que criar uma nova conversão parece ser produzir relações associativas entre um novo pensamento que necessita descarga e o velho, que já não tem tal necessidade. Pela via assim facilitada a excitação flui de sua nova fonte para o local anterior de descarga, e o sintoma se assemelha, na expressão do Evangelho, a um velho odre que é preenchido de vinho novo. Nessas considerações, a parte somática do sintoma histérico aparece como o elemento mais estável, mais difícil de substituir, e a parte psíquica, como o elemento variável, mais facilmente substituível; mas não se queira inferir, a partir dessa comparação, a existência de uma hierarquia entre as duas. Para a terapia psíquica, a parte psíquica é sempre a mais importante.

Na análise de Dora, a incessante repetição dos mesmos pensamentos sobre a relação do pai com a sra. K.

ofereceu a oportunidade para outras explorações importantes.

Tal curso de pensamentos pode ser descrito como bastante forte, ou melhor, *reforçado, sobrevalorado* [*überwertig*] no sentido de Wernicke.* Não obstante seu teor aparentemente correto, ele se revela patológico devido à peculiaridade de não poder ser eliminado ou dissipado, apesar dos esforços mentais conscientes e voluntários da pessoa. Um curso normal de pensamentos, ainda que intenso, termina por ser liquidado. De modo correto, Dora sentia que seus pensamentos acerca do pai requeriam um julgamento especial. "Não consigo pensar em nada mais", queixava-se. "Meu irmão diz que nós, filhos, não temos o direito de criticar esses atos do papai. Então não devemos nos preocupar com isso, e talvez devamos até nos alegrar por ele ter achado uma mulher a quem possa entregar o coração, já que a mamãe o compreende tão pouco. Eu percebo isso e gostaria de pensar como meu irmão, mas não consigo. Não posso perdoá-lo por isso."[30]

Ora, o que fazer ante tal pensamento sobrevalorado, após ouvir suas razões conscientes e as inúteis objeções a ele? Dizemos que *esse curso de pensamentos sobrevalorado deve seu reforço ao inconsciente*. Ele não pode ser re-

---

* Cf. C. Wernicke, *Grundriss der Psychiatrie* [Compêndio de psiquiatria], Leipzig, 1900.

[30] Um pensamento sobrevalorado desse tipo é frequentemente, ao lado do abatimento profundo, o único sintoma de um estado patológico que habitualmente se chama "melancolia", mas que pode ser solucionado como uma histeria pela psicanálise.

solvido pelo trabalho do pensamento, seja porque suas raízes vão até o material inconsciente, reprimido, seja porque outro pensamento inconsciente se oculta por trás dele. Este último é, geralmente, o seu oposto direto. Opostos são sempre muito ligados e com frequência formam pares, de maneira que *um pensamento é muito fortemente consciente, mas sua contraparte é reprimida e inconsciente*. Essa relação é resultado do processo de repressão. Frequentemente a repressão é efetuada de modo que o oposto do pensamento a ser reprimido é reforçado em excesso. Chamo a isso *reforço reativo*, e ao pensamento que se afirma com intensidade excessiva na consciência, mostrando-se indissolúvel como um preconceito, chamo de *pensamento reativo*. Os dois pensamentos se comportam, um em relação ao outro, mais ou menos como as agulhas de um par de agulhas astáticas. Com determinado excesso de intensidade, o pensamento reativo mantém na repressão aquele condenável; mas assim ele próprio é "amortecido" e fica imune ao trabalho do pensamento consciente. O caminho para tirar o reforço do pensamento forte em demasia é tornar consciente o seu oposto reprimido.

Não se deve excluir a possibilidade de que haja não apenas uma das duas causas para a força excessiva, mas uma convergência de ambas. Podem surgir ainda outras complicações, mas elas podem ser facilmente incluídas no quadro.

Apliquemos isso ao exemplo que Dora nos oferece, inicialmente com a primeira hipótese, a de que a origem de sua preocupação compulsiva com o relacionamento entre o pai e a sra. K. era desconhecida dela mesma, porque estava no inconsciente. Não é difícil perceber essa origem nas circunstâncias e manifestações. Era evidente que a conduta de Dora ia muito além da condição de filha; ela se sentia e agia mais como uma esposa ciumenta, como se teria esperado de sua mãe. Com a exigência de "ela ou eu", as cenas que fez e a ameaça de suicídio que deixou vislumbrar, ela claramente se pôs no lugar da mãe. Se percebemos corretamente a situação sexual imaginária subjacente à sua tosse, nessa fantasia ela se colocou no lugar da sra. K. Portanto, ela se identificava com as duas mulheres amadas pelo pai, a anterior e a de agora. É natural concluir que sua afeição pelo pai era maior do que ela sabia ou admitiria, que era apaixonada pelo pai.

Aprendi a ver tais relações amorosas inconscientes entre pai e filha, mãe e filho, que notamos por suas consequências anormais, como revivescência de germens infantis de sentimento. Em outros trabalhos,[31] expus como a atração sexual entre genitores e filhos se mostra bastante cedo, e mostrei que a fábula de Édipo deve ser vista como a elaboração poética do que é típico nessas relações. A precoce inclinação da filha pelo pai, do filho pela mãe, da qual provavelmente se acha um nítido traço na maioria das pessoas, devemos supô-la mais intensa já no início, nas crianças constitucionalmente fadadas

---

31 Na *Interpretação dos sonhos*, 1900 [cap. v, seção D, β], e no terceiro dos *Três ensaios sobre a teoria da sexualidade* [1905].

à neurose, precoces e ávidas de amor. Então entram em jogo certas influências (que não serão abordadas aqui), que fixam o impulso amoroso primário ou o reforçam, de modo que ainda na infância ou somente na puberdade ele se torna algo que se equipara a uma inclinação sexual e que, como esta, dispõe da libido.[32] As circunstâncias externas de nossa paciente não eram desfavoráveis a essa hipótese. Sua natureza sempre a atraíra para o pai, as muitas doenças dele faziam aumentar sua afeição por ele. Em algumas delas, ele permitia que somente ela lhe prestasse os pequenos cuidados necessários; orgulhoso da precoce inteligência da filha, já quando esta era criança ele a fizera sua confidente. Era ela, de fato, e não a mãe, que o aparecimento da sra. K. havia afastado de várias posições.

Quando comuniquei a Dora que eu não podia deixar de supor que sua inclinação pelo pai já tinha o caráter de pleno enamoramento desde muito cedo, ela deu a resposta habitual: "Não me lembro disso", mas imediatamente contou algo análogo de sua prima de sete anos de idade (por parte de mãe), na qual acreditava ver, com frequência, um reflexo de sua própria infância. A menina havia presenciado, mais uma vez, uma discussão inflamada entre os pais, e tinha sussurrado no ouvido de Dora, que lá estava de visita: "Você não imagina como eu detesto essa pessoa (indicando a mãe)! Um

---

32 Nisso, o fato decisivo deve ser o aparecimento precoce de verdadeiras sensações genitais, espontaneamente ou provocadas por sedução ou masturbação.

dia, quando ela morrer, vou me casar com o papai". Estou habituado a ver nessas associações, que apresentam algo que se harmoniza com o teor de minha afirmação, uma confirmação vinda do inconsciente. Não se escuta outra espécie de "Sim" do inconsciente; não existe um "Não" inconsciente.[33]

Essa paixão pelo pai não se manifestara durante anos; pelo contrário, por muito tempo Dora estivera em ótimas relações com a mulher que a suplantara junto ao pai, e havia mesmo favorecido o relacionamento desta com ele, como sabemos por suas autorrecriminações. Portanto, esse amor fora reavivado recentemente, e, se assim era, devemos perguntar com que finalidade isso ocorreu. Claramente, como sintoma reativo, para reprimir algo que ainda era poderoso no inconsciente. Tal como se apresentava a situação, tive de pensar, em primeiro lugar, que o amor pelo sr. K. era essa coisa reprimida. Era inevitável supor que sua paixão prosseguia, mas desde a cena junto ao lago — por motivos desconhecidos — despertava nela mesma forte oposição, e a garota havia retomado e reforçado a velha inclinação pelo pai, a fim de não mais notar, em sua consciência, esse primeiro amor adolescente que havia se tornado

---

33 [Nota acrescentada em 1923:] Outra maneira de confirmação vinda do inconsciente, muito singular e absolutamente confiável, que eu ainda não conhecia na época, é a seguinte exclamação do paciente: "Isso eu não pensei" ou "Não pensei nisso". Essa frase pode ser diretamente traduzida por: "Sim, isso era inconsciente para mim".

penoso. Então eu percebi também um conflito capaz de desorganizar a vida psíquica da garota. Por um lado, ela provavelmente lamentava ter recusado a proposta do homem, ansiava por sua companhia e pelos pequenos sinais de seu afeto; por outro lado, fortes motivos (entre os quais seu orgulho, pode-se facilmente imaginar) se colocavam contra esses impulsos ternos e saudosos. Assim ela chegou a se convencer de que estava tudo acabado com o sr. K. — isso era o que ganhava nesse típico processo de repressão —, mas teve de convocar e exagerar a inclinação infantil pelo pai para se proteger daquela paixão que continuamente buscava alcançar a consciência. O fato de que era quase incessantemente dominada de ciumenta irritação parecia ser determinado por ainda outra coisa.[34]

De modo algum me surpreendeu que essa explicação encontrasse em Dora a mais resoluta oposição. O "não" que ouvimos do paciente, depois de apresentar à sua percepção consciente o pensamento reprimido, apenas atesta a repressão e sua natureza peremptória, como que mede a sua intensidade. Quando não vemos nesse "não" a expressão de um juízo imparcial (de que o paciente é incapaz, afinal), mas deixamos de considerá-lo e seguimos adiante com o trabalho, logo surgem as primeiras evidências de que "não", nesse caso, significa o "sim" desejado. Ela admitiu que não conseguia ficar tão zangada com o sr. K. como ele merecia. Contou que um dia encontrara na rua o sr. K., estando com uma pri-

---

34 Que logo veremos.

ma que não o conhecia. A prima exclamou de repente: "Dora, que houve com você? Ficou pálida!". Ela não havia sentido essa mudança, mas escutou de mim que a fisionomia e a expressão dos afetos obedecem mais ao inconsciente do que à consciência e podem revelar aquele.[35] Em outra ocasião, após vários dias de ânimo sempre alegre, chegou de péssimo humor. Não tinha explicação para ele, sentia-se antipática, disse-me; era o aniversário do tio e não se decidia a dar-lhe parabéns, não sabia por quê. Minha arte interpretativa estava pouco inspirada nesse dia; deixei-a falar e ela se lembrou, de repente, que também o sr. K. fazia aniversário — algo que não deixei de usar contra ela. Então não foi difícil explicar por que os belos presentes no seu próprio aniversário, alguns dias antes, não lhe haviam dado alegria. Faltou um presente, o do sr. K., que havia sido, anteriormente, o mais valioso para ela.

Contudo, ela prosseguiu se opondo à minha afirmação por algum tempo, até que, próximo do fim da análise, surgiu a prova decisiva de que era correta.

Agora devo abordar outra complicação, a que certamente não daria espaço nenhum se fosse um escritor ocupado em inventar um estado psíquico desses para uma novela, em vez de um médico preocupado em dis-

---

35 Cf. os versos: *"Ruhig mag ich Euch erscheinen, / Ruhig gehen sehen"* ["Tranquila posso te ver aparecer/ Tranquila te ver partir". Versos de Schiller, da balada *Cavaleiro Toggenburg*; são palavras dirigidas a um cavaleiro de partida para as Cruzadas, pela amada que finge indiferença].

I. O QUADRO CLÍNICO

secá-lo. O elemento, para o qual chamarei agora a atenção, pode apenas obscurecer e borrar a beleza e poesia do conflito que pudemos atribuir a Dora; ele seria sacrificado, justificadamente, pela censura do escritor, que, afinal, simplifica e abstrai, quando aparece como psicólogo. Mas na realidade — que estou empenhado em retratar aqui — a regra é a combinação de motivos, a acumulação e conjunção de impulsos psíquicos; em suma, a sobredeterminação. Por trás da forte linha de pensamentos vinculada à relação do pai com a sra. K., ocultava-se também um impulso ciumento, cujo objeto era essa mulher — um impulso, portanto, que só podia se basear na inclinação pelo mesmo sexo. Há muito se sabe, e muitas vezes já se disse, que em rapazes e garotas, nos anos da puberdade, podem-se observar claros indícios, também em casos normais, da existência de inclinação homossexual. A amizade entusiasmada com uma colega de escola, incluindo juramentos, beijos, a promessa de correspondência eterna e toda a suscetibilidade dos ciúmes, é a precursora habitual da primeira paixão intensa por um homem. Depois, havendo circunstâncias favoráveis, muitas vezes a corrente homossexual cessa completamente; mas, se não há felicidade no amor pelo homem, com frequência ela é redespertada pela libido, em anos posteriores, e elevada a certo grau de intensidade. Sendo isso constatado sem esforço nos indivíduos sãos, e lembrando observações anteriores sobre o maior desenvolvimento dos germens normais de perversão nos neuróticos, esperaremos encontrar uma mais forte predisposição homossexual na constituição destes. Assim deve ser de fato, pois ainda não realizei uma só psicanálise de homem ou mulher sem ter de levar em conta uma significativa corrente homossexual. Quando, em mulheres e garotas histéricas, a libido sexual dirigida ao homem sofreu enérgica repressão, regularmente encontramos aquela dirigida à mulher reforçada em substituição, inclusive de forma parcialmente consciente.

Não prosseguirei nesse tema importante, e indispensável sobretudo para a compreensão da histeria masculina, porque a análise de Dora terminou antes que pudesse lançar alguma luz sobre esse aspecto de seu caso. Mas quero lembrar aquela preceptora, com a qual ela trocava ideias íntimas até notar que a mulher a estimava e tratava bem por causa do pai, não por sua própria pessoa. Então Dora a obrigou a deixar a casa. Ela também se detinha, com notável frequência e ênfase especial, na história de outro afastamento, que a ela mesma parecia um mistério. Sempre se entendera muito bem e partilhara todos os segredos com a sua segunda prima, aquela que ficou noiva depois. Quando o pai ia retornar a B., pela primeira vez depois que Dora interrompera a estadia junto ao lago, naturalmente ela se recusou a acompanhá-lo, essa prima foi solicitada a fazê-lo e aceitou o convite. A partir de então, Dora sentiu-se esfriar em relação a ela, e admirou-se ela própria como essa prima se lhe tornara indiferente, embora admitisse que não podia lhe recriminar grande coisa. Tais suscetibilidades me fizeram perguntar qual havia sido sua relação com a sra. K. até a ruptura. Soube, então, que a jovem

I. O QUADRO CLÍNICO

senhora e a garota adolescente tinham vivido em grande intimidade durante anos. Quando Dora ficava com os K., dividia o quarto com a sra. K.; o marido era desalojado. Ela fora a confidente e conselheira da mulher em todas as dificuldades de sua vida conjugal; nada havia que não abordassem. Medeia estava muito satisfeita com o fato de Creusa cativar seus dois filhos;* e certamente nada fez para atrapalhar a relação entre o pai desses filhos e a garota. Como Dora conseguiu amar o homem do qual sua amiga querida falava tão mal é um problema psicológico interessante, que pode ser solucionado com a percepção de que no inconsciente os pensamentos vivem lado a lado comodamente, de que mesmo opostos se toleram sem luta, algo que também no consciente persiste muitas vezes.

Quando Dora falava da sra. K., elogiava seu "corpo branco encantador", num tom que lembrava antes o de uma namorada que o de uma rival derrotada. Em certa ocasião me disse, com mais tristeza do que irritação, que estava convencida de que os presentes que o pai lhe dava eram escolhidos pela sra. K., pois reconhecia neles o gosto dela. Outra vez, afirmou que, obviamente por sugestão da sra. K., tinha sido presenteada com umas joias muito semelhantes às que vira na casa dela e que desejara expressamente. Posso dizer, de fato, que jamais ouvi uma palavra dura ou aborrecida sobre a mulher que ela deveria considerar, do ponto de vista de seus pensamen-

---

* Na mitologia grega, Jasão abandonou Medeia, com quem teve dois filhos, por Creusa, que era mais jovem.

tos predominantes, a causadora de sua infelicidade. Ela agia como que de maneira incoerente, mas sua aparente incoerência era a manifestação de uma corrente afetiva que complicava as coisas. Pois como havia se comportado em relação a ela a amiga amada? Depois que Dora acusou o sr. K. e seu pai pediu explicações a este por escrito, ele respondeu inicialmente com protestos de elevada estima por ela e ofereceu-se para ir à cidade da fábrica, a fim de esclarecer todo o mal-entendido. Algumas semanas depois, quando o pai falou com ele em B., não foi mencionada a estima. Ele a depreciou e brandiu o trunfo de que uma garota que lia aqueles livros e se interessava por tais coisas não podia esperar ter o respeito de um homem. Portanto, a sra. K. a havia traído e caluniado; apenas com ela Dora havia falado de Mantegazza e de assuntos embaraçosos. Era uma repetição do que houvera com a preceptora; também a sra. K. não a amava por sua própria pessoa, mas por seu pai. A sra. K. a havia sacrificado sem hesitação, para que sua relação com o pai de Dora não fosse perturbada. Talvez essa ofensa a tenha tocado mais, tenha tido um efeito mais patogênico do que a outra, com que ela quis ocultá-la — a de que o pai a tinha sacrificado. Uma amnésia tão obstinada acerca das fontes do seu conhecimento embaraçoso não apontava para o valor afetivo da acusação e, consequentemente, para a traição pela amiga?

Assim, creio não me equivocar ao supor que o pensamento predominante em Dora, que se ocupava da relação do pai com a sra. K., destinava-se não apenas a reprimir o amor ao sr. K., que antes fora consciente, mas

I. O QUADRO CLÍNICO

também devia esconder o amor à sra. K., inconsciente num sentido mais profundo. Com esta última corrente ele se achava em relação de oposição direta. Ela dizia a si mesma, sem cessar, que o pai a sacrificara por aquela mulher, demonstrava ruidosamente que não se conformava em ceder-lhe o pai, e assim ocultava de si mesma o contrário, que não podia se conformar em ceder ao pai o amor daquela mulher e não havia perdoado à mulher que amava a decepção causada por sua traição. O impulso ciumento de uma mulher estava ligado, no inconsciente, a um ciúme sentido como que por um homem. Essas correntes afetivas masculinas ou, melhor dizendo, *ginecófilas*, devem ser consideradas típicas da vida amorosa inconsciente das garotas histéricas.

II. O PRIMEIRO SONHO

Justamente quando tínhamos a perspectiva de esclarecer um ponto obscuro da infância de Dora através do material que surgia para a análise, ela informou que numa das noites anteriores tivera um sonho que já se repetira várias vezes da mesma forma. Um sonho que retornava periodicamente era, já por essa característica, bastante apropriado para despertar minha curiosidade; e, no interesse do tratamento, era lícito entremear esse sonho no contexto da análise. Decidi, então, examiná-lo cuidadosamente.

Dora relata o sonho: *"Uma casa está pegando fogo.*[36] *Meu pai se acha diante de minha cama e me acorda. Eu me visto depressa. Mamãe ainda quer apanhar sua caixa de joias, mas papai diz: 'Não quero morrer queimado, junto com meus dois filhos, por causa de sua caixa de joias'. Corremos para baixo e, assim que estamos fora, eu acordo".*

Como é um sonho que se repete, pergunto, naturalmente, quando ocorreu a primeira vez. Responde que não sabe. Mas se lembra de que o teve em L. (o local, junto ao lago, em que houve a cena com o sr. K.) por três noites seguidas, e novamente aqui, alguns dias atrás.[37] Naturalmente, a ligação do sonho com os eventos em

---

[36] "Nunca houve um incêndio em nossa casa", disse ela, respondendo a uma pergunta minha.
[37] Pelo conteúdo, pode-se comprovar que o sonho ocorreu *primeiramente* em L.

II. O PRIMEIRO SONHO

L., por ela estabelecida, aumenta minha expectativa de uma solução para ele. Mas antes quero saber o que ocasionou sua volta recente; assim, peço a Dora — que já está instruída na interpretação de sonhos, por alguns pequenos exemplos analisados antes — para decompor o sonho e me informar o que lhe ocorre a respeito dele.

Ela diz: "Alguma coisa me vem, mas não deve ter relação com ele, pois é algo bem novo, e eu certamente tive o sonho antes".

"Não faz mal, continue", digo eu, "será justamente a última coisa relativa ao sonho."

"Pois esses dias papai teve uma briga com mamãe, porque ela tranca a sala de jantar à noite. O quarto de meu irmão não tem entrada própria, é acessível somente pela sala de jantar. O papai não quer que meu irmão fique trancado assim durante a noite. Diz que assim não é possível, que pode acontecer algo de noite, que pode ser preciso sair do quarto."

"E isso fez você pensar no risco de incêndio?"

"Sim."

"Peço-lhe que preste atenção às suas palavras. Talvez precisemos delas depois. Você disse: 'pode acontecer algo de noite, pode ser preciso sair do quarto'."[38]

---

[38] Sublinho essas palavras porque me despertaram suspeita. Parecem-me ambíguas. Não se fala a mesma coisa para indicar certas necessidades físicas? As palavras ambíguas são como um "entroncamento" na via de associações. Se as agulhas do entroncamento são mudadas em relação ao que parecem estar no sonho, chegamos aos trilhos em que se movem os pensamentos buscados e ainda ocultos por trás do sonho.

Mas Dora descobriu agora a ligação entre a causa precipitadora recente e as causas de então para o sonho, pois ela continua:

"Quando chegamos a L. naquele tempo, papai e eu, ele disse abertamente que tinha medo de um incêndio. Chegamos no meio de uma tempestade forte e vimos a casinha de madeira, que não tinha para-raios. Então esse medo era natural."

Cabe-me, então, examinar a relação entre os acontecimentos em L. e os sonhos iguais que ela teve lá. Pergunto, portanto: "Você teve o sonho nas primeiras noites em L. ou nas últimas noites antes de partir, ou seja, antes ou depois da notória cena no bosque [junto ao lago]?" (Pois eu sei que a cena não ocorreu já no primeiro dia, e que depois Dora permaneceu ainda alguns dias em L., sem nada revelar do incidente).

Ela responde, primeiramente: "Não sei"; e após um instante: "Mas creio que foi depois".

Agora sei que o sonho foi uma reação àquela vivência. Mas por que ele se repetiu mais três vezes lá? Pergunto também: "Quanto tempo você ficou em L. após aquela cena?".

"Mais quatro dias, no quinto dia fui embora com papai."

"Agora estou certo de que o sonho foi efeito imediato da vivência com o sr. K. Você teve o sonho primeiro lá, não antes. Você introduziu a incerteza na recordação apenas a fim de apagar o nexo para si mesma.[39] Mas os números ainda não combinam satisfatoriamente para mim. Se

---

39 Cf. o que foi dito na p. 186 sobre a dúvida ao recordar.

II. O PRIMEIRO SONHO

você ficou ainda quatro noites em L., pode ter repetido o sonho quatro vezes. Foi assim, talvez?"

Ela já não contesta minha afirmação; em vez de responder à minha pergunta, prossegue:[40] "Na tarde após o nosso passeio no lago — do qual nós, eu e o sr. K., retornamos ao meio-dia —, eu havia me deitado no sofá do quarto, como costumava fazer, para cochilar. De repente, acordei e vi o sr. K. à minha frente...".

"Tal como você viu seu pai à sua frente, no sonho?"

"Sim. Perguntei-lhe o que estava fazendo ali. Ele respondeu que ninguém iria impedi-lo de entrar em seu quarto quando quisesse; além disso, queria apanhar algo. Isso me fez tomar cuidado, perguntei à sra. K. se não havia uma chave para a porta do quarto, e na manhã seguinte (no segundo dia) me tranquei para fazer a toalete. Quando quis trancar a porta à tarde, para novamente me deitar no sofá, não encontrei a chave. Estou convencida de que o sr. K. desapareceu com ela."

"Esse é o tema de trancar ou não trancar o quarto, que aparece na primeira associação ao sonho e que, por acaso, também teve participação no novo ensejo para o sonho.[41]

---

40 Isso porque deve surgir novo material na memória, antes que possa ser respondida a pergunta que fiz.
41 Eu suponho, ainda sem dizê-lo a Dora, que ela pegou esse elemento devido ao seu significado simbólico. "Quartos" [*Zimmer*], em sonhos, frequentemente representam "mulheres" [*Frauenzimmer*, palavra um pouco pejorativa, literalmente "aposentos de mulheres"], e não é indiferente, claro, que uma mulher esteja "aberta" ou "fechada". Também é notório qual a chave que "abre" nesse caso.

A frase '*eu me visto rapidamente*' também faria parte desse contexto?"

"Foi então que decidi não permanecer com os K. sem papai. Nos dias seguintes, tive medo de que o sr. K. me surpreendesse enquanto fazia a toalete e, *por isso, sempre me vesti rapidamente*. Papai ficava no hotel, e a sra. K. sempre saía cedo, para passear com ele. Mas o sr. K. não me incomodou mais."

"Entendo. Na tarde do segundo dia, você formou a intenção de escapar a essa perseguição e, na segunda, terceira e quarta noite após a cena no bosque teve tempo de repetir essa intenção dormindo. Já na segunda tarde, ou seja, antes do sonho, você sabia que na manhã seguinte — a terceira — não teria a chave para trancar o quarto ao se vestir, e quis fazer a toalete o mais rápido possível. Mas o sonho se repetiu a cada noite, pois correspondia justamente a uma *intenção*. Enquanto não é realizada, uma intenção continua existindo. Você como que disse a si mesma: 'Não tenho sossego, não conseguirei dormir sossegada enquanto não deixar esta casa'. No sonho você diz inversamente: '*Assim que estou fora, acordo*'."

Interrompo aqui o relato da análise, a fim de confrontar esse breve fragmento de interpretação de sonho com minhas teses gerais sobre o mecanismo da formação do sonho. Argumentei em meu livro[42] que todo sonho é um desejo representado como satisfeito, que a representação é um encobrimento quando se trata de um desejo reprimido, que

---

42 *A interpretação dos sonhos* (1900).

II. O PRIMEIRO SONHO

pertence ao inconsciente, e, excetuando os sonhos infantis, apenas um desejo inconsciente, ou que vai até o inconsciente, tem a força para formar um sonho. Creio que a aceitação geral seria mais provável se eu me contentasse em afirmar que todo sonho tem um sentido que pode ser descoberto mediante um trabalho de interpretação. Após a interpretação, o sonho poderia ser substituído por pensamentos que se inserem na vida psíquica desperta em local facilmente reconhecível. Eu prosseguiria, então, dizendo que este sentido do sonho se mostraria variado quanto aos cursos de pensamentos da vida desperta. Ora seria um desejo realizado, ora um temor concretizado, ou, digamos, uma reflexão continuada no sono, uma intenção (como no sonho de Dora), um fragmento de produção intelectual no sono etc. Tal exposição seria atraente pela compreensibilidade e poderia se apoiar em grande número de exemplos bem interpretados, como no do sonho aqui analisado, por exemplo.

Em vez disso, formulei uma tese geral que restringe o sentido dos sonhos a uma única forma, a representação de desejos, e assim aticei a tendência geral a contradizer. Mas devo afirmar que não acreditava ter o direito nem a obrigação de simplificar um processo psicológico para maior comodidade dos leitores, quando este apresentava à minha pesquisa uma complicação que só em outro lugar podia ser resolvida na direção da uniformidade. Por isso, terá valor especial, para mim, mostrar que as aparentes exceções — como este sonho de Dora, que inicialmente se revela como uma intenção diurna prosseguida no sono — confirmam, na verdade, a regra contestada.

Mas ainda temos uma grande parte do sonho a interpretar. Eu continuei a perguntar: "E a caixa de joias que sua mãe queria salvar?".

"Mamãe gosta muito de joias e ganhou muitas de papai."

"E você?"

"Antes eu também gostava muito de joias; mas depois da doença não uso mais nenhuma. — Uma vez, há quatro anos (um ano antes do sonho), papai e mamãe brigaram muito por causa de uma joia. Mamãe queria uma coisa específica, brincos de pérolas em forma de gotas. Mas papai não gosta desse tipo de joia e deu a ela uma pulseira, em vez dos brincos. Mamãe ficou furiosa e disse que, se ele havia gastado tanto dinheiro para lhe presentear uma coisa de que ela não gostava, então devia dar aquilo de presente a uma outra."

"Você pode ter pensado, então, que aceitaria os brincos de bom grado?"

"Não sei,[43] realmente não sei como a mamãe apareceu no sonho; ela não estava conosco em L. naquele momento."[44]

"Depois lhe explicarei isso. Então não lhe ocorre nada mais com relação à caixa de joias? Até agora você falou apenas de joias, nada disse sobre uma caixa."

"Sim, o sr. K. havia me dado de presente uma valiosa caixa de joias, algum tempo antes."

43 Sua expressão habitual na época, para admitir algo reprimido.
44 Essa observação demonstrava total incompreensão das regras da explicação dos sonhos, que ela conhecia bem, porém. Isso, a maneira hesitante e a escassez de associações com a caixa de joias me provaram que se tratava de um material reprimido com intensidade.

II. O PRIMEIRO SONHO

"Então era adequado presenteá-lo de volta. Talvez você não saiba que *Schmuckkästchen* [caixa de joias] é um termo empregado para designar a mesma coisa a que você aludiu com a bolsinha que levava, há pouco tempo[45] — o genital feminino."

"Sabia que o senhor ia dizer isso."[46]

"O que significa que você o sabia. — O sentido do sonho se torna ainda mais claro. Você disse a si mesma: 'Esse homem está atrás de mim, ele quer penetrar em meu quarto, minha *caixa de joias* está em perigo; se acontecer algo, a culpa será de papai'. Por isso você pegou, no sonho, uma situação que exprime o contrário, um perigo do qual seu pai a salva. Nessa região do sonho, tudo é transformado no contrário; logo você saberá por quê. O segredo está em sua mãe, de fato. Como ela aparece aí? Ela é, como você sabe, sua rival anterior no afeto de seu pai. No incidente da pulseira, você gostaria de receber o que sua mãe rejeitou. Vamos substituir 'receber' por 'dar' e 'rejeitar' por 'recusar'. Isso significa, então, que você estava disposta a dar ao pai algo que a mãe recusou a ele, e esse algo teria relação com joias.[47] Lembre-se da caixa de joias que o sr. K. lhe presenteou. Você tem aí o começo de uma linha de pensamentos paralela, em que, como na situação da pessoa em pé ante sua cama, o sr. K. deve ser posto no lugar de

---

45 Sobre essa bolsinha, ver adiante.
46 Um modo bastante comum de afastar de si um conhecimento que emerge do reprimido.
47 Também para os brincos poderemos, depois, dar uma interpretação que o contexto requer.

seu pai. Ele a presenteou com uma caixa de joias, então você deve presenteá-lo com sua caixa de joias; por isso falei em 'presentear de volta'. Nessa linha de pensamentos, sua mãe deverá ser substituída pela sra. K., que se achava mesmo lá. Então você está disposta a dar de presente ao sr. K. o que a mulher recusou a ele. Aqui está o pensamento que precisa ser reprimido com tanto esforço, que torna necessária a transformação de todos os elementos em seu contrário. Como já lhe disse antes desse sonho, ele confirma novamente que você desperta o velho amor ao pai a fim de se proteger do amor ao sr. K. Mas o que demonstram todos esses temores? Não apenas que você teme o sr. K., mas que teme ainda mais a si mesma, a tentação de ceder a ele. Você confirma, desse modo, como era intenso o amor a ele."[48]

Naturalmente, nessa parte da interpretação ela não quis me acompanhar. Mas me aconteceu dar um prosseguimento à interpretação do sonho, que pareceu indispensável tanto para a anamnese do caso como para a teoria dos sonhos. Prometi comunicá-lo a Dora na sessão seguinte.

O fato é que eu não podia esquecer a indicação que

---

48 Ainda acrescentei: "Além disso, o reaparecimento do sonho nos últimos dias me faz concluir que você acha que a mesma situação retornou e que decidiu se afastar do tratamento, que somente seu pai a leva a fazer". O que aconteceu depois mostrou como era correta a minha suposição. Nesse ponto minha interpretação toca no tema da "transferência", de alta importância prática e teórica, mas que não terei muita oportunidade de aprofundar neste ensaio.

II. O PRIMEIRO SONHO

parecia haver nas palavras ambíguas já notadas ("*pode ser preciso sair do quarto, pode acontecer algo de noite*"). Além do que, o esclarecimento do sonho me parecia incompleto enquanto certo requisito não era satisfeito — o qual não quero estabelecer como geral, mas cuja satisfação acho melhor buscar. Um sonho regular se sustenta, digamos, sobre duas pernas, uma das quais se liga ao ensejo atual, essencial, e a outra, a um incidente momentoso da infância. Entre essas duas vivências, a infantil e a presente, o sonho estabelece uma conexão, busca transformar o presente segundo o modelo do passado mais remoto. O desejo que cria o sonho vem sempre da infância, ele quer sempre redespertá-la e torná-la realidade, corrigir o presente segundo a infância. No conteúdo do sonho acreditei já identificar os elementos que podiam ser juntados numa alusão a um evento da infância.

Comecei a abordar isso com um pequeno experimento, que, como de hábito, deu certo. Sobre a mesa se achava, por acaso, um grande porta-fósforos. Pedi a Dora para olhar e me dizer se via sobre a mesa algo especial, que habitualmente não se encontrava lá. Ela nada viu. Então perguntei se ela sabia por que proibimos as crianças de brincar com fósforos.

"Por causa do perigo de fogo. Os filhos de meu tio gostam muito de brincar com fósforos."

"Não só por isso. Nós os advertimos para não 'brincar com o fogo' e ligamos isso a determinada crença."

Ela nada sabia a respeito. — "Há o temor de que elas molhem a cama. Na base disso deve estar a oposição de *fogo* e água. Talvez se acredite que elas sonhem com fogo e tentem apagá-lo com água. Não sei exatamente. Mas vejo que a oposição de água e fogo lhe foi útil no sonho. Sua mãe quer salvar a caixa de joias, para que ela não seja *queimada*; nos pensamentos oníricos, importa que a 'caixa de joias' não fique *molhada*. Mas o fogo não é usado apenas em oposição à água, também serve para representar diretamente o amor, a paixão. Assim, do fogo partem duas linhas: uma leva, por esse significado simbólico, ao pensamento do amor; a outra, pelo oposto 'água', após sofrer uma ramificação que envolve um nexo com o amor (que também deixa *molhada*), conduz em outra direção. Aonde? Pense nas expressões que usou: que *algo acontece* à noite, que é preciso sair do quarto. Isso não alude a uma necessidade física? E se você transpõe o incidente para a infância, pode ser outra coisa que não molhar a cama? Mas o que se faz para impedir que as crianças molhem a cama? Elas são acordadas à noite, *exatamente como faz seu pai com você no sonho*, não é verdade? Este seria, então, o acontecimento real de que você se vale para substituir o sr. K., que a despertou enquanto dormia, por seu pai. Devo concluir, então, que você urinou na cama por mais tempo do que é habitual entre as crianças. O mesmo deve ter se dado com seu irmão, pois o seu pai diz: '*Não quero que meus dois filhos*... morram'. Seu irmão nada tem a ver com a situação real relativa aos K., ele nem foi a L. E agora, o que dizem suas lembranças a respeito disso?"

"De mim não sei", respondeu ela, "mas meu irmão fez xixi na cama até os sete ou oito anos; e isso aconteceu também de dia, às vezes."

II. O PRIMEIRO SONHO

Eu ia justamente observar como é mais fácil recordar algo assim sobre o irmão do que sobre si mesmo, quando ela prosseguiu, recuperando a lembrança: "Sim, também tive isso, mas somente por um período, com sete ou oito anos. Deve ter sido ruim, pois me lembro agora que o médico foi consultado. Isso foi pouco antes da asma nervosa".

"Que disse o médico sobre isso?"

"Ele afirmou que era uma fraqueza nervosa: 'Logo vai passar', disse, e prescreveu um tônico."[49]

A interpretação do sonho me parecia completa.[50] Mas no dia seguinte ela trouxe um adendo ao sonho. Havia esquecido de relatar, disse, que cada vez, após acordar, sentira cheiro de fumo. Sem dúvida, o cheiro de fumaça combinava com o fogo, e também indicava que o sonho tinha uma relação particular com a minha pessoa, pois eu costumava replicar, quando ela dizia não haver nada por trás disso ou daquilo, que "onde há fumaça,* há fogo". Mas ela objetou, a essa interpretação puramente pessoal, que o sr. K. e seu pai eram fumantes inveterados, como eu também, aliás. Ela própria fumou na esta-

---

49 Esse médico era o único no qual ela mostrava confiança, já que notou, por essa experiência, que ele não penetrara em seu segredo. Sentia medo de qualquer outro médico que ainda não pudera julgar, e o motivo para isso era a possibilidade de que ele descobrisse o seu segredo.

50 O núcleo do sonho poderia ser traduzido assim: "A tentação é muito forte. Querido papai, proteja-me de novo, como na minha infância, para que eu não molhe minha cama!".

* Em alemão há uma só palavra, *Rauch*, para "fumo" e "fumaça".

dia junto ao lago, e o sr. K. havia enrolado um cigarro para ela, antes de começar a lhe fazer a proposta infeliz. Ela também acreditava se lembrar com segurança que o cheiro de fumo havia surgido não apenas na última, mas nas três ocorrências do sonho em L. Como ela me recusou outras informações, coube a mim decidir de que forma introduzir esse adendo na trama dos pensamentos do sonho. Pôde me servir de base que o cheiro do fumo viesse como adendo, ou seja, tivesse de superar um esforço especial de repressão. Assim, provavelmente se ligava ao pensamento representado da maneira mais obscura e mais bem reprimido do sonho, ou seja, o da tentação de mostrar-se receptiva ao homem. Então, dificilmente significaria outra coisa do que o anseio por um beijo, que tem necessariamente gosto de fumo, no caso de um fumante. Mas um beijo acontecera entre os dois uns dois anos antes, e certamente teria se repetido mais de uma vez, se a garota tivesse cedido à proposta. Logo, os pensamentos da tentação parecem ter remontado à cena anterior e ter despertado a lembrança do beijo, de cuja sedutora atração a "chupadora de dedo" havia se defendido, na época, com a sensação de nojo. Se reúno, por fim, os indícios que tornam provável uma transferência para mim, já que também sou um fumante, chego à conclusão de que provavelmente lhe ocorreu um dia, durante uma sessão, desejar um beijo meu. Esse foi o motivo que a levou a repetir o sonho de advertência e formar o propósito de abandonar o tratamento. Assim as coisas encaixam muito bem, mas, em virtude das peculiaridades da "transferência", subtraem-se à prova.

II. O PRIMEIRO SONHO

Agora eu poderia hesitar entre abordar primeiramente a contribuição desse sonho para a história clínica do caso ou lidar com a objeção à teoria dos sonhos que se pode fazer a partir dele. Escolho a primeira alternativa.

Vale a pena examinar detidamente a significação da enurese noturna nos primeiros anos de vida dos neuróticos. Para não nos alongarmos demais, porém, limitar-me-ei a observar que o caso de enurese de Dora não era o habitual. O transtorno não havia simplesmente continuado além do período visto como normal; havia, conforme sua declaração precisa, inicialmente desaparecido e depois, relativamente tarde, após os seis anos de idade, se apresentado de novo. Pelo que sei, a causa mais provável para uma enurese desse tipo é a masturbação, que na etiologia da enurese tem um papel ainda não devidamente apreciado. As próprias crianças, segundo minha experiência, souberam muito bem dessa relação, e, por todas as suas consequências psíquicas, é como se nunca a tivessem esquecido. Na época em que Dora relatou o sonho, encontrávamo-nos numa linha da investigação que conduzia diretamente à admissão da masturbação infantil. Ela havia, pouco antes, levantado a questão de por que justamente ela adoecera, e, antes que eu respondesse, havia lançado a culpa no pai. Sua justificação não se baseava em pensamentos inconscientes, mas no conhecimento consciente. Para minha surpresa, ela sabia de que natureza havia sido a doença do pai. Depois que o pai havia retornado de meu consultório, ela escutara um diálogo em que o nome da doença foi mencionado. Num tempo ainda anterior, na época do descolamento da retina, um oftalmologista deve ter indicado uma etiologia luética para a enfermidade, pois a garota curiosa e preocupada ouviu uma velha tia dizer à sua mãe: "Ele já estava mesmo doente antes do casamento", e acrescentar algo incompreensível, que ela depois relacionaria a coisas indecentes.

Portanto, o pai adoecera por levar uma vida desregrada, e ela supôs que ele havia lhe transmitido a saúde ruim por via hereditária. Evitei lhe comunicar que, como já afirmei (p. 190), também sou de opinião que os descendentes de luéticos têm predisposição especial para neuropsicoses graves. Esse curso de pensamentos em que ela acusava o pai prosseguiu por material inconsciente. Durante alguns dias ela se identificou com a mãe em pequenos sintomas e peculiaridades, o que lhe deu ensejo para um comportamento insuportável, e me deu a entender que pensava numa estadia em Franzensbad,* que já tinha visitado — não sei mais em que ano — em companhia da mãe. Esta sofria de dores no abdômen e de um corrimento (catarro) que tornavam necessário o tratamento em Franzensbad. Dora achava — e provavelmente estava certa de novo — que essa enfermidade vinha do pai, que, portanto, ele havia transmitido à mãe sua doença venérea. Era compreensível que nessa inferência ela confundisse, como grande parte dos leigos, gonorreia com sífilis, e o que é contagioso com o que é hereditário. Sua persistência nessa identificação [com a mãe] quase me fez perguntar se ela também ti-

---

* Estação de águas na atual República Tcheca.

II. O PRIMEIRO SONHO

nha uma doença venérea, mas então soube que ela estava com um corrimento (leucorreia), que não se lembrava quando havia começado.

Compreendi então que por trás dos pensamentos que acusavam claramente o pai se escondia, como de hábito, uma autoacusação, e fui complacente com esta, assegurando a Dora que a leucorreia em garotas, a meu ver, indicava primeiramente masturbação, e que todas as outras causas habitualmente referidas para esse problema eu relegava a segundo plano, comparadas à masturbação.[51] Disse-lhe também que ela estava em vias de responder à sua própria questão de por que justamente ela adoecera, admitindo sua masturbação — provavelmente na infância. Ela negou resolutamente lembrar-se de algo assim. Mas alguns dias depois fez algo que não pude deixar de ver como um passo adiante rumo à admissão. Ocorreu que nesse dia — o que não houve antes nem depois — ela trazia pendurada uma bolsinha de um formato que estava na moda, e enquanto falava, deitada, brincava com ela, abrindo-a, enfiando um dedo, fechando-a novamente etc. Observei isso por um momento e então lhe expliquei o que é um *ato sintomático*.[52] Chamo *atos sintomáticos* aquelas ações que a pessoa executa, como se diz, automaticamente, inconscientemente, sem atentar para elas, como que brincan-

---

51 [Nota acrescentada em 1923:] Uma concepção extrema, que hoje eu não mais defenderia.
52 Cf. meu ensaio sobre a *Psicopatologia da vida cotidiana*, na *Monatschrift für Psychiatrie und Neurologie* [Revista Mensal de Psiquiatria e Neurologia], 1901.

do; que acredita não terem nenhuma significação e que afirma serem casuais e irrelevantes, quando alguém lhe pergunta sobre elas. Uma observação mais cuidadosa revela que esses atos, dos quais a consciência nada sabe ou deseja saber, exprimem pensamentos e impulsos inconscientes, e assim, como manifestações permitidas do inconsciente, são valiosas e instrutivas. Há duas espécies de atitude consciente para com os atos sintomáticos. Se podemos achar um motivo singelo para eles, tomamos conhecimento deles; se falta um pretexto assim diante do consciente, não costumamos notar absolutamente que os executamos. No caso de Dora, foi fácil ela encontrar um motivo: "Por que eu não usaria esta bolsinha, que agora está na moda?". Mas uma justificativa dessas não exclui a possibilidade da origem inconsciente da ação. Por outro lado, não é possível demonstrar conclusivamente essa origem e o sentido que se atribui ao ato. É preciso contentar-se em comprovar que o sentido se adéqua muito bem ao contexto da situação e à "pauta" do inconsciente.

Em outra ocasião apresentarei uma coleção desses atos sintomáticos, tal como podem ser observados em indivíduos sãos e em neuróticos. Às vezes a sua interpretação é muito fácil. A bolsinha "bivalve" de Dora não era outra coisa que uma representação dos genitais, e o modo como brincava com ela, abrindo-a e introduzindo o dedo, uma pantomima, desembaraçada mas inconfundível, daquilo que ela gostaria de fazer com eles, da masturbação. Há pouco tempo me sucedeu um caso semelhante, que foi divertido. No meio da sessão, uma

II. O PRIMEIRO SONHO

senhora de meia-idade sacou uma pequena caixa de marfim, supostamente para se refrescar com uma bala. Ela se esforçou em abri-la e, em seguida, passou-a para mim, a fim de que eu me convencesse como era difícil de abrir. Manifestei a suspeita de que a caixa tinha um significado especial, pois eu a via pela primeira vez, embora a dona já me visitasse havia mais de um ano. Ao que a senhora respondeu, sofregamente: "Essa caixa eu sempre tenho comigo, levo-a para todo lugar aonde vou!". Ela se acalmou apenas depois que a fiz notar, sorrindo, que suas palavras se adequavam muito bem a outro significado. A caixa — *box*, πύξις — é, assim como a bolsinha e o guarda-joias, apenas mais uma representante da concha de Vênus, do genital feminino!

Há muito desse simbolismo na vida, mas habitualmente não o percebemos. Quando me propus a tarefa de expor o que as pessoas escondem, não pela coação da hipnose, mas pelo que dizem e mostram, isso me pareceu mais difícil do que é na realidade. Quem tem olhos para ver e ouvidos para escutar, logo se convence de que os mortais não são capazes de esconder segredo algum. Quem silencia com os lábios, fala com a ponta dos dedos; delata-se por todos os poros. Por isso, a tarefa de tornar consciente as coisas mais ocultas da psique é perfeitamente exequível.

O ato sintomático de Dora com a bolsinha não precedeu imediatamente o sonho. Ela iniciou com outro ato sintomático a sessão que nos trouxe o relato do sonho. Quando entrei no cômodo em que ela aguardava, ela escondeu rapidamente uma carta que lia. Naturalmente perguntei de quem era a carta, e a princípio ela se recusou a dizer. Depois vi que se tratava de algo irrelevante e sem relação com o tratamento. Era uma carta da avó, em que esta lhe pedia que escrevesse com mais frequência. Acho que Dora queria apenas encenar um "segredo" para mim, e dar a entender que deixava que o médico lhe extraísse o segredo. Pude então explicar sua aversão a qualquer novo médico: ela tinha medo de que ele chegasse à razão de sua doença, ao examiná-la (pelo corrimento) ou ao interrogá-la (pela informação sobre a enurese), de que descobrisse a sua masturbação. Ela falava com bastante menosprezo dos médicos que antes havia claramente superestimado.

Acusações de que o pai a havia feito adoecer, com a autoacusação por trás delas; a leucorreia; a brincadeira com a bolsinha; a enurese após os seis anos de idade; o segredo que não quer deixar os médicos extraírem — a evidência circunstancial para a masturbação infantil me parece completa. Eu havia começado a suspeitar da masturbação quando ela me falou das dores estomacais da prima (p. 213) e se identificou com esta, queixando-se da mesma sensação dolorosa durante dias. Sabe-se que dores estomacais surgem frequentemente em pessoas que se masturbam. Segundo uma comunicação pessoal de Wilhelm Fliess, são justamente essas gastralgias que podem ser interrompidas pela aplicação de cocaína no "ponto do estômago" no nariz, por ele descoberto, e curadas mediante a cauterização desse ponto. Confirmando minha suspeita, Dora me transmitiu dois fatos de seu conhecimento consciente: que ela própria havia sofrido de dores estomacais frequentemente e que tinha boas razões para achar que a prima era uma masturbadora. É bastante comum, nas pessoas doentes, reconhecer em outras pessoas um nexo que, devido a resistências afetivas, não reconhecem em si próprias. Ela não negava mais minha suposição, embora ainda não se lembrasse de nada. Também a especificação do tempo da enurese, "até pouco antes de aparecer a asma nervosa", considero clinicamente útil. Os sintomas histéricos quase nunca aparecem enquanto as crianças se masturbam, mas apenas na abstinência;[53] eles são um substituto para a satisfação masturbatória, e o anseio por esta continua no inconsciente enquanto não aparece outra satisfação mais normal — quando esta permanece possível. A condição para isso é a possibilidade de cura da histeria mediante casamento e intercurso sexual normal. Se a satisfação no casamento é removida novamente — talvez por *coitus interruptus*, estranhamento psicológico etc. —, a libido procura de novo seu velho canal e se manifesta mais uma vez em sintomas histéricos.

Eu bem gostaria de acrescentar a informação segura de quando e por qual influência especial Dora reprimiu a masturbação, mas a incompletude da análise me obriga a apresentar um material lacunoso neste ponto. Vimos que a enurese foi até pouco antes do primeiro

---

[53] Isso também vale para os adultos, em princípio; mas no caso deles basta uma abstinência relativa, uma diminuição da masturbação, de modo que, sendo a libido forte, histeria e masturbação podem ocorrer juntas.

ataque de dispneia. Ora, a única coisa que ela soube dizer para esclarecimento dessa primeira manifestação foi que, na época, o pai tinha viajado pela primeira vez após melhorar. Nesse fragmento de lembrança conservado tinha de haver uma relação com a etiologia da dispneia. Os atos sintomáticos e outros indícios me deram bons motivos para supor que, quando criança, tendo seu quarto junto daquele dos pais, ela havia notado uma visita noturna do pai à esposa e escutado a respiração ofegante dele (que já tinha pouco fôlego). Em tais situações, as crianças pressentem algo sexual no ruído inquietante. Os movimentos expressivos de excitação sexual já se acham prontos neles, como mecanismos inatos.

Já sustentei, anos atrás, que a dispneia e as palpitações da histeria e da neurose de angústia são apenas elementos desprendidos do ato do coito, e em muitos casos, como no de Dora, pude referir o sintoma da dispneia, da asma nervosa, à mesma causa precipitadora, à escuta do intercurso sexual dos adultos. Sob influência da excitação concomitante então produzida, pôde muito bem ocorrer uma reviravolta na sexualidade da pequena, que substituiu a tendência à masturbação pela tendência à angústia. Pouco depois, quando o pai estava ausente e a criança apaixonada pensava nele com anseio, ela repetiu como ataque de asma a impressão recebida. A partir do evento ocasionador dessa doença, preservado na lembrança, pode-se descobrir os pensamentos angustiados que acompanharam o ataque. Ela o teve, primeiramente, depois que se esforçou demais

II. O PRIMEIRO SONHO

numa expedição às montanhas, provavelmente sentindo mesmo alguma falta de ar. A isso juntou-se a ideia de que era proibido ao pai subir montanhas, de que ele não podia se esforçar em demasia, pois tinha pouco fôlego, e depois a lembrança de que ele havia se extenuado à noite, com a mãe, o que talvez o tivesse prejudicado; também veio a preocupação de que ela própria tivesse se extenuado com a masturbação, que igualmente leva ao orgasmo, com alguma dispneia; por fim, veio o retorno da dispneia, reforçado, em forma de sintoma. Uma parte desse material eu pude depreender da análise, outra parte tive de completar. Ao comprovar a masturbação, vimos que o material de um tema é juntado somente pedaço por pedaço, em tempos e contextos diversos.[54]

54 De modo bem semelhante é estabelecida a prova da masturbação infantil em outros casos. O material para isso é, geralmente, de natureza similar: indícios de leucorreia, enurese, cerimonial com as mãos (lavagem obsessiva) etc. A cada vez se pode inferir seguramente, com base na natureza dos sintomas, se o hábito foi descoberto ou não por alguém que cuidava da criança, se essa prática sexual teve fim após uma demorada luta para desacostumar-se ou uma súbita reviravolta. No caso de Dora, a masturbação não foi descoberta e terminou de uma vez (cf. o segredo, o medo de médicos, a substituição pela dispneia). É verdade que normalmente os pacientes contestam a força comprobatória desses indícios, mesmo quando lhes permanece a lembrança consciente da leucorreia ou da advertência da mãe ("Isso torna estúpido; isso é nocivo"). Mais tarde, contudo, a lembrança tanto tempo reprimida desse trecho da vida sexual infantil aparece com segurança, e isso em todos os casos.

Numa paciente com ideias obsessivas que eram derivados diretos da masturbação infantil, verificou-se que constituíam elementos inalterados do trabalho de dissuasão feito pela pessoa que

Agora surge uma série de questões muito importantes sobre a etiologia da histeria: se o caso de Dora pode ser considerado típico do ponto de vista etiológico, se representa o único tipo de causação etc. Mas é certamente melhor, antes de respondê-las, esperar até que um número maior de casos seja analisado dessa forma e publicado. Além disso, eu teria de começar retificando o modo de lançar as questões. Em vez de responder "sim" ou "não", quando perguntado se a etiologia desse caso clínico deve ser buscada na masturbação infantil, eu teria de, primeiramente, discutir o conceito de etiologia em relação às psiconeuroses. O ponto de vista do qual eu poderia responder se mostraria muito distante do ponto de vista do qual a pergunta me é feita. Basta, para esse caso, chegarmos à convicção de que a masturbação infantil pode ser provada, de que não é algo acidental nem irrelevante na configuração do quadro clínico.[55] Se

---

dela cuidava os seguintes traços: autoproibição, autopunição, não poder fazer isso se havia feito aquilo, não poder ser perturbada, intercalar uma pausa entre uma ação (manual) e a seguinte, lavar as mãos etc. A advertência "Ah, isso é nocivo!" foi a única coisa que lhe permaneceu na memória. Cf., sobre isso, meus *Três ensaios sobre a teoria da sexualidade*, 1905 [seção 4 do segundo ensaio].

55 O irmão deve ter alguma ligação com seu hábito de masturbar-se, pois ela me relatou, nesse contexto — com a ênfase que revela uma "lembrança encobridora" —, que ele costumava lhe passar todas as doenças contagiosas, as quais ele próprio tinha de forma leve, mas ela, de forma grave. No sonho, também o irmão é salvo do "perecimento"; ele próprio sofreu de enurese, mas cessou antes da irmã. Em determinado sentido, também foi uma "lembrança encobridora" a declaração de que até a primeira doença ela pudera acompanhar o irmão, e a partir de então ficara atrás dele nos estu-

II. O PRIMEIRO SONHO

considerarmos a significação da leucorreia admitida por Dora, poderemos ter uma compreensão maior dos seus sintomas. A palavra "catarro", com que ela aprendeu a designar sua doença, quando uma enfermidade semelhante obrigou a mãe a ir para Franzensbad, é também um "entroncamento" [p. 247], que permitiu a toda a série de pensamentos sobre a culpa do pai em sua doença manifestar-se no sintoma da tosse. Além do mais, essa tosse, que originalmente procedia, sem dúvida, de um pequeno catarro real, era imitação do pai também acometido de um problema nos pulmões, e podia expressar o seu compadecimento e sua preocupação com ele. Mas também gritava para o mundo, por assim dizer, algo de que ela talvez ainda não tivesse consciência então: "Eu sou filha de papai. Tenho um catarro, como ele. Ele me fez doente, assim como fez a mamãe doente. Dele tenho as paixões más, que são punidas com a doença".[56]

---

dos. Como se até então ela tivesse sido um garoto, e somente depois se tornado uma menina. Ela tinha sido realmente uma criaturinha selvagem, depois da "asma" é que se tornou quieta e comportada. Essa enfermidade constituiu o limite entre duas fases de sua vida sexual, das quais a primeira teve caráter masculino, e a segunda, feminino.

56 Essa palavra teve igual papel no caso da garota de catorze anos que resumi em poucas linhas na p. 196. Eu havia instalado essa garota numa pensão, com uma senhora inteligente que dela cuidava como um serviço para mim. Essa mulher me relatou que a pequena paciente não tolerava a sua presença quando ia se deitar e que tossia notavelmente na cama, o que não se ouvia durante o dia. Quando perguntei à garota sobre esses sintomas, a única coisa que lhe ocorreu foi que a avó tossia daquele modo, e dela se dizia que tinha um catarro. Ficou claro, então, que também ela tinha

Podemos agora tentar reunir os vários determinantes que encontramos para os acessos de tosse e rouquidão. No estrato mais inferior devemos supor uma irritação real da garganta, organicamente determinada; ou seja, o grão de areia em torno do qual a ostra formou a pérola. Essa irritação pôde se tornar fixa, pois afetou uma região do corpo que na garota manteve, em alto grau, o significado de uma zona erógena. Portanto, ela era adequada para dar expressão à libido excitada. Foi fixada pelo (provavelmente) primeiro revestimento psíquico, a imitação compassiva do pai doente, e, depois, pelas autorrecriminações devido ao "catarro". Esse mesmo grupo de sintomas também se mostrou capaz de representar suas relações com o sr. K., lamentar a ausência deste e expressar o desejo de ser para ele uma esposa melhor. Depois que uma parte da libido se voltou novamente para o pai, o sintoma adquiriu seu último significado talvez, a representação do intercurso sexual com o pai, identificando-se com a sra. K. Devo garantir que esta série não é completa. Infelizmente, uma análise incompleta não permite acompanhar cronologicamente a mudança do significado, a sequência e a coexistência de significados diversos. De uma análise completa é possível fazer tais exigências.

Agora não posso deixar de abordar outras relações en-

---

um catarro e que não desejava ser vista enquanto fazia a limpeza noturna. O catarro, que, por meio dessa palavra [a palavra grega *katárrhoos* significa "que corre para baixo"], havia sido deslocado *de baixo para cima*, mostrava inclusive uma intensidade incomum.

II. O PRIMEIRO SONHO

tre o "catarro" genital e os sintomas histéricos de Dora. Na época em que um esclarecimento psicológico da histeria ainda se achava distante, escutei colegas mais velhos e experientes afirmarem que, nas pacientes histéricas com leucorreia, um aumento do catarro trazia consigo uma intensificação do sofrimento histérico, especialmente da perda de apetite e dos vômitos. O nexo não era muito claro para ninguém, mas creio que a tendência era concordar com os ginecologistas, que admitem, como se sabe, uma influência direta e bastante abrangente, em forma de distúrbio orgânico, das afecções genitais sobre as funções nervosas, embora uma prova terapêutica disso nos falte. No estado atual de nosso conhecimento não se pode excluir tal influência direta e orgânica, mas, de toda forma, o seu revestimento psíquico é mais fácil de ser demonstrado. O orgulho pela forma dos genitais constitui, em nossas mulheres, um elemento especial de sua vaidade; quando são acometidos de doenças consideradas capazes de inspirar aversão ou até mesmo nojo, têm efeito incrivelmente mortificante, diminuem a autoestima, tornam a mulher irritadiça, sensível e desconfiada. Uma secreção anormal da mucosa da vagina é vista como nojenta.

Lembremos que Dora teve uma viva sensação de nojo após o beijo do sr. K., e que encontramos motivos para completar seu relato dessa cena, acrescentando que ela deve ter sentido, no abraço, a pressão do membro ereto contra seu corpo. Agora sabemos que a mesma preceptora que dela havia se livrado por deslealdade lhe havia dito que, por experiência pessoal, todos os homens eram frívolos e duvidosos. Para Dora isso devia significar que todos os homens eram como seu pai. Mas ela considerava que ele tinha uma doença venérea, pois havia transmitido essa doença a ela e a sua mãe. Podia imaginar, então, que todos os homens tinham uma doença venérea, e sua noção desta havia se formado, naturalmente, de acordo com sua única experiência pessoal. Para ela, portanto, ter doença venérea significava estar com um fluxo nojento — não seria isso outra motivação para o nojo que sentiu no momento do abraço? Esse nojo transferido para o contato do homem seria, então, uma sensação projetada conforme o mecanismo primitivo mencionado (cf. p. 209), que se referia, afinal, à sua própria leucorreia.

Suponho que se trata, aqui, de processos inconscientes de pensamento que se acham sobre contextos orgânicos preexistentes, mais ou menos como guirlandas de flores sobre fios de arame, de modo que é possível encontrar, em outra ocasião, outros cursos de pensamento inseridos entre os mesmos pontos de partida e de chegada. Mas o conhecimento das conexões de pensamentos que atuaram individualmente é de valor insubstituível para a resolução dos sintomas. O fato de termos de lançar mão de conjecturas e complementos no caso de Dora se justifica somente pela interrupção precoce da análise. Aquilo que apresento para completar as lacunas se apoia inteiramente em outros casos que foram analisados a fundo.

Como vimos, o sonho cuja análise nos proporcionou essa explicação correspondeu a uma intenção que Dora levou consigo para o sono. Por isso foi repetido cada noite, até a intenção ser concretizada, e reapareceu

II. O PRIMEIRO SONHO

anos depois, quando houve ensejo para uma intenção análoga. Esta pode ser enunciada conscientemente da forma seguinte: "Tenho que sair dessa casa, onde vejo que minha virgindade está ameaçada; partirei com papai, e de manhã, quando estiver fazendo a toalete, tomarei cuidado para não ser surpreendida". Tais pensamentos acham nítida expressão no sonho; pertencem a uma corrente que alcançou consciência e predomínio na vida de vigília. Por trás deles é possível perceber traços obscuros de um curso de pensamentos que corresponde à corrente oposta e que, por isso, sucumbiu à repressão. Ele culmina na tentação de se entregar ao homem, em gratidão pelo amor e pelas atenções demonstrados nos últimos anos, e talvez desperte a lembrança do único beijo que até então recebeu dele. Mas, conforme a teoria elaborada na minha *Interpretação dos sonhos*, esses elementos não bastam para formar um sonho. Pois um sonho não é uma intenção que se representa como concretizada, mas um desejo que se representa como satisfeito — um desejo da infância que vem da infância, se possível. Temos a obrigação de verificar se nossa tese não é refutada por esse sonho.

O sonho contém, de fato, material infantil, embora não se note, à primeira vista, relação entre esse material e a intenção de fugir da casa do sr. K. e da tentação que ele significa. Por que surge a lembrança de quando ela molhava a cama na infância e de como o pai se esforçava para habituá-la à limpeza? Pode-se responder que apenas com a ajuda desse fio de pensamentos é possível reprimir os intensos pensamentos da tentação e tornar dominante a intenção de combatê-los. A garota resolve fugir *com* o pai; na realidade, foge *para* o pai, com medo do homem que a persegue; evoca uma inclinação infantil pelo pai, a qual deve protegê-la da inclinação recente pelo outro homem. O próprio pai é também responsável pelo perigo presente, pois seus interesses amorosos o fizeram deixá-la para o outro. Como era melhor quando esse pai não amava ninguém mais do que a ela e se esforçava em protegê-la dos perigos que a ameaçavam então! O desejo infantil, agora inconsciente, de pôr o pai no lugar do outro homem, tem a potência capaz de formar sonhos. Se houve uma situação similar à presente, diferenciando-se desta por essa substituição de pessoa, tal situação torna-se a principal no conteúdo do sonho. E houve essa situação; exatamente como o sr. K. no dia anterior, certo dia o pai estava diante de sua cama e a acordou, talvez com um beijo, como o sr. K. pode ter querido fazer. Portanto, a intenção de fugir da casa não é capaz, em si, de formar um sonho; torna-se assim pelo fato de a ela juntar-se outra intenção, baseada em desejos infantis. O desejo de substituir o sr. K. pelo pai proporciona a força motriz para o sonho. Lembro aqui a interpretação a que me levou o fio de pensamentos reforçado, ligado à relação do pai com a sra. K., segundo a qual uma inclinação infantil pelo pai foi despertada para poder conservar na repressão o amor reprimido ao sr. K.; o sonho reflete essa reviravolta na vida psíquica da paciente.

Sobre a relação entre os pensamentos da vigília que continuam no sonho — os resíduos diurnos — e

II. O PRIMEIRO SONHO

o desejo inconsciente formador do sonho, fiz algumas observações na *Interpretação dos sonhos* [1900, cap. VII, seção C], que aqui citarei inalteradas, pois nada tenho a lhes acrescentar, e a análise desse sonho de Dora demonstra, de novo, que as coisas são assim.

"Admito que há toda uma categoria de sonhos em que a *incitação* para eles provém sobretudo, ou mesmo exclusivamente, dos resíduos da vida diurna, e creio que inclusive o desejo de enfim me tornar professor extraordinário poderia ter me deixado dormir tranquilamente essa noite, se a preocupação pela saúde de meu amigo não tivesse permanecido ativa. Mas tal preocupação não teria produzido nenhum sonho. A *força motriz* requerida pelo sonho tinha de ser fornecida por um desejo; cabia à preocupação arranjar tal desejo para agir como força motriz do sonho. Vamos empregar uma analogia. É bem possível que um pensamento diurno tenha o papel de um *empresário* para o sonho; mas o empresário — que, como se diz, tem a ideia e o impulso para pô-la em prática — nada pode fazer sem o capital; necessita de um capitalista que cubra o gasto, e esse capitalista que assume o gasto psíquico do sonho é, sempre e invariavelmente, qualquer que seja o pensamento diurno, *um desejo vindo do inconsciente.*"

Quem conhece a sutileza da estrutura de formações tais como os sonhos não ficará surpreso ao descobrir que o desejo de que o pai tome o lugar do homem tentador não traz à lembrança um material infantil qualquer, mas justamente aquele tem os mais íntimos laços com a repressão dessa tentação. Pois se Dora se sente incapaz de ceder ao amor por esse homem, se ocorre a repressão desse amor, em vez da entrega a ele, o fator com que essa decisão está mais intimamente ligada é a sua precoce fruição sexual e as consequências desta: a enurese, o catarro e o nojo. Uma história prévia desse tipo pode fundamentar dois comportamentos diversos ante as exigências do amor na idade adulta, segundo qual for o somatório das precondições constitucionais do indivíduo: ou o abandono completo e sem resistências à sexualidade, beirando a perversão, ou a reação de repúdio a ela, com adoecimento neurótico. Em nossa paciente, a constituição e o alto nível da educação intelectual e moral decidiram em favor da segunda alternativa.

Ainda quero sublinhar que a análise desse sonho nos permitiu alcançar detalhes das vivências patogênicas que, de outro modo, teriam ficado inacessíveis à lembrança ou, pelo menos, à reprodução. Como vimos, a lembrança da enurese na infância já se encontrava reprimida. Os detalhes da perseguição por parte do sr. K. não haviam sido mencionados por Dora, não lhe haviam ocorrido.

Acrescentarei algumas observações que podem ajudar na síntese desse sonho. O trabalho do sonho tem início na tarde do segundo dia após a cena no bosque, depois que ela nota que não pode mais trancar seu quarto. Então diz a si mesma que um sério perigo a ameaça ali, e tem a intenção de não permanecer sozinha na casa, de ir embora com o pai. Essa intenção torna-se capaz de formar um sonho, pois pode prosseguir no in-

II. O PRIMEIRO SONHO

consciente. Lá lhe corresponde o fato de Dora evocar o amor infantil ao pai para se proteger da tentação atual. A mudança que assim ocorre nela se torna fixa e a leva à atitude representada por seu curso de pensamento *preponderante* (ciúme da sra. K. por causa do pai, como se estivesse apaixonada por ele). Nela pelejam a tentação de ceder ao homem que a solicita e a força compósita que se opõe a isso. Esta se compõe de motivos de decência e sensatez, de impulsos hostis causados pelas revelações da preceptora (ciúme, orgulho ofendido, ver adiante) e de um elemento neurótico, o quê de aversão à sexualidade nela já existente, que se baseia na história de sua infância. O amor ao pai, por ela evocado para se proteger da tentação, vem dessa mesma história.

O sonho transforma a intenção de fugir para o pai, imersa no inconsciente, numa situação que mostra como realizado o desejo de que o pai a salve do perigo. Nisso é preciso pôr de lado um pensamento que atrapalha, já que o próprio pai a expôs a esse perigo. Nesse impulso hostil ao pai (inclinação à vingança), aqui reprimido, veremos um dos móveis do segundo sonho.

De acordo com as precondições para a formação do sonho, a situação fantasiada é escolhida de modo a reproduzir uma situação infantil. Um triunfo especial é obtido quando se consegue transformar uma situação recente — justamente aquela que ocasionou o sonho, digamos — numa situação infantil. Nesse caso isso é conseguido por pura casualidade do material. O sr. K. ficou em pé junto à sua cama e a despertou, e o pai havia feito isso com frequência quando ela era criança. Toda a sua mudança pode ser muito bem simbolizada pela sua substituição do sr. K. pelo pai nessa situação.

Mas o pai a acordava, naquele tempo, para que ela não molhasse a cama.

Esse "molhado" se torna decisivo para o conteúdo onírico restante, no qual, porém, é representado apenas por uma alusão distante e por seu contrário.

O contrário de "molhado" e "água" pode facilmente ser "queimado", "fogo". A casualidade de o pai, chegando ao local, ter expressado medo do perigo de fogo contribui para decidir que o perigo do qual o pai a salva é um incêndio. Baseia-se nesse acaso e no oposto de "molhado" a situação escolhida da imagem onírica: há fogo, o pai está diante de sua cama para acordá-la. Provavelmente a manifestação casual do pai não teria essa importância no conteúdo do sonho se não se harmonizasse tão bem com a corrente afetiva vitoriosa que a todo custo quer ver no pai o protetor e salvador. Ele pressentiu o perigo já na chegada, ele estava certo! (Na realidade, ele a colocara nesse perigo.)

Graças a vínculos que facilmente se produzem, nos pensamentos oníricos a palavra "molhado" assume o papel de ponto nodal de vários grupos de ideias. "Molhado" não se liga apenas à enurese, mas também ao grupo dos pensamentos de tentação sexual que se acham reprimidos por trás desse conteúdo onírico. Ela sabe que também se fica molhado no ato sexual, que o homem, na cópula, passa para a mulher algo líquido *em forma de gotas*. Sabe que o perigo está precisamente nisso, que lhe cabe evitar que seus genitais sejam molhados.

II. O PRIMEIRO SONHO

Com "molhado" e "gotas" se abre, ao mesmo tempo, o outro grupo de associações, o do catarro nojento, que, mais tarde em sua vida, deve ter o mesmo significado vergonhoso que teve a enurese na infância. "Molhado" significa, aí, o mesmo que "sujo". Os genitais, que devem ser conservados limpos, já foram sujos pelo catarro, e o mesmo sucedeu com a mãe (p. 260). Ela parece compreender que a mania de limpeza da mãe é uma reação a essa sujeira.

Os dois grupos de ideias se encontram neste: a mãe recebeu as duas coisas do pai, a umidade sexual e o corrimento sujo. O ciúme da mãe é inseparável do grupo de pensamentos do amor infantil ao pai, amor aqui evocado como proteção. Mas esse material ainda não é capaz de representação. Porém, se for encontrada uma lembrança que se ligue igualmente bem aos dois grupos de "molhado", sem ser chocante, ela poderá assumir a representação no conteúdo onírico.

Uma lembrança tal se acha no episódio dos brincos em forma de "gotas", uma joia que a mãe desejava. Aparentemente, a conexão entre essa reminiscência e os dois grupos de pensamentos, ligados ao que é sexualmente "molhado" e à sujeira, é exterior, superficial, intermediada pelas palavras, já que "gotas" é usada de forma ambígua, como "entroncamento", e joia [*Schmuck*] é tomada como equivalente a "limpo", um contrário meio forçado de "sujo".* Na realidade, firmes nexos de con-

---

* Em alemão, *Schmuck* pode significar "joia, adorno, ornamentos em geral", e, como adjetivo (grafado então com minúscula), "bonito, bem cuidado".

teúdo podem ser evidenciados. A lembrança vem do material do ciúme em relação à mãe, de raízes infantis, mas que se prolongou muito além da infância. Por essas duas pontes verbais, pode ser transportada para a reminiscência das "gotas de joia" toda a significação ligada às ideias do ato sexual entre os pais, do corrimento e a atormentadora mania de limpeza da mãe.

Mas é necessário ainda outro deslocamento para que tudo isso entre no conteúdo do sonho. "Gotas", embora mais próximo do original "molhado", não tem acolhida no sonho, mas sim "joia", dele mais distante. Logo, se esse elemento for inserido na situação onírica fixada antes, a ideia poderá ser: "Mamãe ainda quer salvar suas joias". Na nova alteração, "caixa de joias", há a influência posterior de elementos do grupo subjacente, ligado à tentação por parte do sr. K. Ele não a presenteou com joias, mas deu-lhe uma "caixa" para elas, a representação de todas as atenções e distinções pelas quais ela deveria agora ser grata. E a palavra composta que então surge, "caixa de joias" [*Schmuckkästchen*], tem um valor representativo especial. "Caixa de joias" não é uma imagem comum para o genital feminino intacto e imaculado? E também, por outro lado, uma palavra inofensiva, ou seja, apropriada tanto para insinuar como para esconder os pensamentos sexuais por trás do sonho?

Assim, em dois momentos do sonho se encontra "caixa de joias da mamãe", e esse elemento substitui a menção do ciúme infantil, das gotas (ou seja, do "molhado" sexual), da sujeira pelo corrimento e, por outro lado, dos atuais pensamentos ligados à tentação, que

II. O PRIMEIRO SONHO

pressionam por retribuir o amor do homem e pintam a situação sexual iminente, desejada e temida. O elemento "caixa de joias" é, como nenhum outro, um resultado da condensação e do deslocamento, e um compromisso entre correntes opostas. Seu duplo aparecimento no conteúdo do sonho indica provavelmente sua origem múltipla — tanto de fonte infantil como atual.

O sonho é a reação a uma vivência fresca, de efeito excitante, que desperta necessariamente a lembrança da única vivência análoga de anos anteriores. Esta é a cena do beijo na loja, em que ela sentiu nojo [p. 200]. Mas pode-se chegar a essa mesma cena, por associação, a partir de outros pontos: do grupo de pensamentos do "catarro" (cf. p. 270) e daquele da tentação atual. Logo, ela fornece ao conteúdo do sonho uma contribuição própria, que tem de se adequar à situação pré-formada. "Há fogo"... o beijo devia ter gosto de fumo, então ela sente cheiro de fumo no sonho, e continua a senti-lo após acordar [p. 257].

Por descuido, infelizmente deixei uma lacuna na análise desse sonho. Nele o pai diz estas palavras: "Não quero que meus dois filhos morram..." (aqui se poderia acrescentar, a partir dos pensamentos oníricos: "devido às consequências da masturbação"). Essas falas, nos sonhos, são normalmente compostas de falas reais, próprias ou escutadas. Eu deveria ter me informado sobre a origem dessa fala na realidade. O resultado dessa averiguação teria, sem dúvida, mostrado uma constituição do sonho mais intrincada, mas também a tornaria mais transparente.

Devemos supor que esse sonho, quando ocorreu em L., teve exatamente o mesmo conteúdo que depois, ao ser repetido durante o tratamento? Não parece necessário. A experiência mostra que frequentemente as pessoas afirmam ter tido o mesmo sonho, quando cada manifestação do sonho recorrente se diferencia por numerosos detalhes e outras mudanças consideráveis. Assim, uma de minhas pacientes relata que hoje teve novamente seu sonho favorito, que sempre retorna da mesma forma: sonhou que nadava no mar azul, deliciosamente abrindo caminho entre as ondas etc. Verificando mais detidamente, nota-se que, sobre o mesmo fundo, ora se apresenta um detalhe, ora outro: uma vez ela chegou a nadar num mar gelado, em meio a icebergs. Outros sonhos, que ela não diz serem os mesmos, mostram-se intimamente ligados ao sonho recorrente. Por exemplo, está olhando ao mesmo tempo a parte alta e a parte baixa da ilha de Helgoland (conforme uma fotografia, mas em dimensões reais), e no mar há um barco, no qual estão dois conhecidos de sua juventude etc.

É certo que o sonho tido por Dora durante o tratamento adquiriu um novo significado atual — talvez sem mudar seu conteúdo manifesto. O sonho incluiu entre seus pensamentos oníricos uma referência a meu tratamento e correspondeu a uma renovação do propósito de então, de escapar a um perigo. Se a memória não a enganava, quando afirmou ter sentido já em L. o cheiro do fumo após acordar, deve-se reconhecer que ela havia colocado habilmente na forma completa do sonho o provérbio que falei, "Onde há fumaça, há fogo", na

II. O PRIMEIRO SONHO

qual ele aparece usado na sobredeterminação do último elemento. Foi um acaso inegável que o mais recente ensejo atual — o fechamento da sala de jantar pela mãe, de modo que o irmão ficou trancado no quarto — tenha fornecido uma ligação com o assédio do sr. K. em L., onde sua decisão amadureceu quando não pôde trancar seu quarto de dormir. Talvez o irmão não comparecesse nos sonhos de então, de modo que as palavras "meus dois filhos" se juntaram ao conteúdo onírico apenas depois do último ensejo.

III. O SEGUNDO SONHO

Poucas semanas após o primeiro sonho houve o segundo, e a análise foi interrompida depois que lidamos com ele. Não pode ser tornado tão inteligível como o primeiro, mas trouxe a desejável confirmação de uma hipótese que se tornara necessária, sobre o estado psíquico da paciente, preencheu uma lacuna da memória e permitiu uma boa compreensão da gênese de outro de seus sintomas.

Dora relatou: *"Estou passeando numa cidade que não conheço, vejo ruas e praças que são novas para mim.*[57] *Chego à casa onde moro, subo para meu quarto e lá encontro uma carta de mamãe. Ela diz que, como eu saí de casa sem meus pais saberem, ela não queria me escrever dizendo que papai estava doente. Agora ele está morto, e, se você quiser,*[58] *pode vir. Vou para a estação de trens e pergunto umas cem vezes: 'Onde é a estação?'. Sempre me respondem: 'Cinco minutos'. Então vejo um bosque cerrado à minha frente, entro nele e lá pergunto a um homem que encontro. Ele me diz: 'Mais duas horas e meia'.*[59] *Ele se oferece para me acompanhar. Eu recuso e vou só. Vejo a estação de trens* [Bahnhof] *à minha frente e não posso alcançá-la. Nisso há a sensação de angústia habitual, quando não podemos seguir adiante*

---

57 Houve um importante acréscimo nesse ponto: *"Numa das ruas vejo um monumento"*.
58 Houve este acréscimo: *"Depois dessa palavra havia um ponto de interrogação"*.
59 Na segunda vez ela diz: *"Duas horas"*.

III. O SEGUNDO SONHO

nos sonhos. Então me acho em casa, devo ter andado de trem, mas não sei nada sobre isso. — Entro no cubículo do porteiro e lhe pergunto por nosso apartamento. A criada abre a porta e responde: 'Sua mãe e os outros já estão no cemitério [Friedhof]*'"*.[60]

A interpretação desse sonho não ocorreu sem dificuldades. Devido às circunstâncias peculiares em que interrompemos a análise, relacionadas ao seu conteúdo, nem tudo foi esclarecido, e também está ligado a isso o fato de minha memória não haver conservado a ordem das descobertas com a mesma segurança em todos os momentos. Começarei indicando o tema que submetíamos à análise quando o sonho interveio. Havia algum tempo, a própria Dora fazia perguntas sobre o nexo entre suas ações e os motivos presumíveis. Uma dessas perguntas foi: "Por que eu nada disse sobre a cena do lago nos primeiros dias depois dela?". Outra foi: "Por que subitamente contei a meus pais sobre ela?". Eu achava que requeria explicação sobretudo o fato de ela haver se ofendido muito com o assédio do sr. K., ainda mais porque começava a perceber que tal assédio não havia significado uma frívola tentativa de sedução para ele. O fato de ela informar os pais sobre o incidente eu vi como um ato já influenciado por um doentio dese-

---

60 Na sessão seguinte, houve dois acréscimos a isso: *"Eu me vejo subindo a escada muito claramente"*, e *"Depois que ela responde, vou para meu quarto, mas sem tristeza nenhuma, e me ponho a ler um livro grande que está sobre minha escrivaninha"*.

jo de vingança. Uma garota normal, quer me parecer, sabe lidar sozinha com situações desse tipo.

Assim, vou apresentar o material que apareceu durante a análise desse sonho na ordem variada em que se reproduz para mim.

Ela vagueia sozinha por uma cidade desconhecida, vê ruas e praças. Ela garantiu que não foi B., como sugeri primeiramente, mas uma cidade em que nunca esteve. Foi natural eu prosseguir dizendo: "Você pode ter visto imagens ou fotografias e tirado delas as imagens oníricas". Após essa observação houve o acréscimo do monumento numa praça e, imediatamente depois, o reconhecimento da origem. Ela recebera de presente, no Natal, um álbum com vistas de uma estação de águas alemã, e no dia anterior buscara precisamente esse álbum, a fim de mostrá-lo a parentes que se encontravam hospedados em sua casa. Estava numa caixa de guardar fotos que ela não achou de imediato, e então perguntou à mãe: *"Onde está a caixa?"*.[61] Uma das vistas mostrava uma praça com um monumento. O álbum lhe fora enviado por um jovem engenheiro que ela conhecera brevemente na cidade da fábrica. Ele assumira um cargo na Alemanha, para alcançar a independência mais rapidamente, e aproveitava toda ocasião para fazê-la recordar-se dele; era fácil imaginar que tinha a intenção,

---

61 No sonho ela pergunta: *"Onde é a estação de trens?"*. A semelhança entre as perguntas me levou a uma conclusão que exporei mais adiante.

III. O SEGUNDO SONHO

um dia, quando sua posição melhorasse, de apresentar-se a Dora como candidato a seu amor. Mas isso levaria tempo, era preciso esperar.

A caminhada por uma cidade nova era sobredeterminada. Remontava a uma das ocorrências do dia anterior. Um jovem primo viera de visita no feriado, e Dora tinha de lhe mostrar Viena. É verdade que esse ensejo era indiferente para ela. Mas o primo lhe recordou uma curta estadia em Dresden, na primeira vez que lá esteve. Ela vagueou pela cidade como alguém de fora, e, naturalmente, não deixou de visitar a famosa galeria. Outro primo, que estava com eles e conhecia Dresden, quis lhes fazer de guia na galeria. *Mas ela declinou e foi sozinha*, parou diante dos quadros que lhe agradavam. Permaneceu *duas horas* diante da *Madona Sistina*, em extática admiração. Perguntada sobre o que tanto lhe agradava na pintura, não soube o que responder claramente. Por fim, disse: "A Madona".

Não há dúvida de que esses pensamentos fazem parte do material formador do sonho. Incluem componentes que reencontramos, inalterados, no conteúdo onírico (ela rejeitou e foi sozinha — duas horas). Desde já observo que "imagens" [ou "quadros": *Bilder*] correspondem a um ponto nodal na trama dos pensamentos oníricos (as imagens do álbum — os quadros em Dresden). Também quero destacar, para examinar mais adiante, o tema da *Madona*, da mãe virgem. Mas noto, sobretudo, que nessa primeira parte do sonho ela se identifica com um homem jovem. Ele vagueia no estrangeiro, empenha-se em alcançar sua meta, mas é retido, precisa ter paciência, tem de esperar. Se ela pensava no engenheiro, estaria conforme isso que essa meta significasse a posse de uma mulher, dela própria. Mas, em vez disso, era... uma estação de trens — que, no entanto, podemos substituir por uma *caixa*, segundo a relação entra a pergunta do sonho e a pergunta feita na realidade. Uma caixa e uma mulher já concordam mais.*

Ela pergunta umas cem vezes... isso leva a outra ocasião precipitadora do sonho, menos indiferente. Ontem à noite tiveram visitas, e, depois que as pessoas se foram, o pai lhe pediu que pegasse a garrafa de conhaque; ele não dorme sem antes beber conhaque. Ela solicitou à mãe a chave do aparador, mas ela estava absorvida numa conversa e não lhe respondeu, até que Dora exclamou, com impaciente exagero: "Já lhe perguntei *cem vezes* onde está a chave". Na realidade, naturalmente ela havia repetido a pergunta somente umas *cinco vezes*.[62]

"*Onde está a chave?*" parece-me a contrapartida masculina da pergunta "Onde está a caixa?" (ver o primeiro sonho, p. 249). Portanto, são perguntas pelos... genitais.

Na mesma reunião de parentes, alguém brindou a

---

* A palavra alemã *Schachtel*, literalmente "caixa", é também um termo pejorativo para "mulher".

62 No conteúdo do sonho, o número cinco está numa indicação de tempo: "cinco minutos". Em meu livro sobre a interpretação de sonhos dei vários exemplos de como os números que surgem nos pensamentos oníricos são tratados pelo sonho; frequentemente são arrancados de seu contexto e inseridos em novas relações. [Cf. *Interpretação dos sonhos*, 1900, seção F, cap. VI.]

III. O SEGUNDO SONHO

seu pai e manifestou a esperança de que ele ainda gozasse de saúde por muitos anos etc. Nisso um tremor peculiar abalou as feições cansadas do pai, e ela compreendeu que pensamentos ele suprimia. Pobre homem doente! Quem poderia saber quanto ainda lhe restava de vida.

Isso nos leva ao *conteúdo da carta* do sonho. O pai havia morrido, ela havia ido embora de casa por conta própria. Imediatamente lhe recordei, a propósito da carta do sonho, a carta de despedida que ela havia escrito aos pais ou, pelo menos, deixado para que eles vissem. Essa carta se destinava a assustar o pai, para que ele desistisse da sra. K., ou a vingar-se dele, caso ele não o fizesse. Encontramo-nos no tema da morte dela e do pai (cf. *cemitério*, mais adiante no sonho). Estaremos equivocados ao supor que a situação que constitui a fachada do sonho corresponde a uma fantasia de vingança contra o pai? Os pensamentos compassivos do dia anterior se harmonizariam bem com isso. Segundo a fantasia, ela abandonava o lar e ia para o estrangeiro, e o pai sofreria muito, magoado por isso e com saudades dela. Então ela estaria vingada. Ela compreendia muito bem o que faltava ao pai, se ele agora não podia dormir sem conhaque.[63] Tomemos nota do *desejo de vingança* como um novo elemento a ser considerado numa síntese posterior dos pensamentos oníricos.

---

63 A satisfação sexual é, sem dúvida, o melhor sonífero, assim como a insônia é, na maioria das vezes, consequência da insatisfação. O pai não dormia porque lhe faltava o intercurso com a mulher que amava. Cf., pouco adiante, a frase: "Nada tenho com minha mulher" [cf. a mesma frase na p. 198].

Mas o conteúdo da carta tinha que admitir uma determinação mais ampla. De onde vinham as palavras *"Se você quiser"*?

Então lhe ocorreu o acréscimo de que após "quiser" havia um ponto de interrogação, e assim ela reconheceu essas palavras como uma citação da carta da sra. K. que incluíra o convite para ir a L. (no lago). De modo incomum, naquela carta, após este trecho intercalado: "Se você quiser vir", havia uma interrogação no meio da frase.

Assim voltávamos à cena do lago e aos enigmas a ela relacionados. Pedi a ela que me relatasse minuciosamente a cena. Não trouxe muita coisa nova de início. O sr. K. havia começado com um preâmbulo um tanto sério, mas ela não o deixou concluir a fala. Tão logo viu do que se tratava, deu-lhe uma bofetada e saiu correndo. Eu quis saber que palavras ele havia usado; ela se recordava apenas da alegação dele: "Você sabe que eu nada tenho com minha mulher".[64] Então, para evitá-lo, ela quis fazer o caminho para L. a pé, em torno do lago, e *perguntou a um homem que encontrou no caminho qual era a distância até lá*. Ante a resposta, "duas horas e meia", ela desistiu e foi mesmo atrás do barco que partia logo depois. O sr. K. estava também lá, aproximou-se e lhe pediu que o desculpasse e nada contasse do incidente. Ela não lhe respondeu. — O bosque do sonho era muito semelhante ao bosque à beira do lago, onde ocorrera a cena que ela acabava de descrever novamente.

---

64 Essa frase levará à solução de um de nossos enigmas.

III. O SEGUNDO SONHO

Mas ela vira o mesmo bosque cerrado no dia anterior, numa pintura da exposição secessionista.* No fundo do quadro viam-se *ninfas*.⁶⁵

Agora, uma suspeita minha se tornava certeza. O uso "estação de trens [*Bahnhof*, literalmente "pátio de trens"]⁶⁶ e "cemitério [*Friedhof*, literalmente "pátio da paz"], no lugar dos genitais femininos, já era bastante singular, mas havia conduzido minha atenção, já intensificada, para *Vorhof* [vestíbulo, "pátio anterior"], um termo anatômico para determinada região dos genitais femininos. Mas isso podia ser apenas um equívoco engenhoso. Porém, agora que surgiam também as "ninfas", no fundo de um "bosque cerrado", não havia mais dúvida. Isso era geografia sexual simbólica! "Ninfas", como sabem os médicos, mas não os leigos (e o termo não é muito usado nem por aqueles), é uma designação para os pequenos lábios que ficam no fundo do "bosque cerrado" dos pelos pubianos. Mas quem empregava termos técnicos como "vestíbulo" e "ninfas" devia ter extraído seu conhecimento de livros, e não de livros populares, mas de tratados de anatomia ou de uma enci-

---

* "Secessão" era como se denominava um movimento artístico de vanguarda, na Áustria e na Alemanha, na virada do século XIX para o XX.

65 Aqui, pela terceira vez, deparamos com "imagem, quadro" (vistas de cidades, a galeria de Dresden), mas num vínculo bem mais significativo. Mediante o que se vê na imagem, torna-se *imagem de mulher* [ou quadro de mulher, *Weibsbild*, que também significa "mulher" pejorativamente].

66 A *Bahnhof* também serve para o *Verkehr* ["trânsito" e também "intercurso"]. É o revestimento psíquico de várias fobias de trens.

clopédia, o refúgio habitual dos jovens consumidos pela curiosidade sexual. Assim, por trás da primeira situação do sonho se ocultava, sendo essa interpretação correta, uma fantasia de defloração, um homem procurando penetrar no genital feminino.[67]

Comuniquei a Dora minhas conclusões. A impressão deve ter sido forte, pois imediatamente surgiu um fragmento esquecido do sonho: "*Ela vai tranquilamente*[68] *para seu quarto e se põe a ler um livro grande que está sobre a escrivaninha*". Aqui a ênfase recai sobre estes dois pormenores: "tranquilamente" e "grande", com relação a "livro". Eu perguntei: "Era em formato de enciclopédia?". Ela respondeu que sim. Ora, as crianças nunca leem sobre coisas proibidas *tranquilamente* numa enciclopédia. Elas o fazem

---

67 A fantasia de defloração é o segundo componente dessa situação. A ênfase na dificuldade de seguir adiante e a angústia sentida no sonho aludem à virgindade, por ela destacada de bom grado, que em outro ponto vemos indicada pela Madona Sistina. Esses pensamentos sexuais constituem um pano de fundo inconsciente para os desejos (talvez apenas mantidos secretos) relativos ao pretendente que está na Alemanha. Já vimos o primeiro componente da mesma situação do sonho, a fantasia de vingança; os dois não coincidem inteiramente, apenas em parte. Depois encontraremos os traços de um terceiro e mais importante curso de pensamentos.
68 Em outra ocasião ela havia dito "sem tristeza nenhuma", em vez de "tranquilamente" (p. 285). Posso utilizar esse sonho como nova evidência da correção de algo que afirmei na *Interpretação dos sonhos* (cap. VIII, seção A), que os fragmentos de sonho primeiramente esquecidos e apenas depois lembrados são sempre os mais relevantes para compreender o sonho. Lá chego à conclusão de que também o esquecimento dos sonhos deve ser explicado mediante a resistência endopsíquica.

III. O SEGUNDO SONHO

tremendo, com medo, olhando ao redor para ver se não aparece um adulto. Os pais atrapalham essas leituras. Mas tal situação incômoda foi bastante melhorada pelo poder que o sonho tem de satisfazer desejos. O pai estava morto, e as outras pessoas já tinham ido para o cemitério. Ela podia ler tranquilamente o que quisesse. Isso não significava que um de seus motivos de vingança era a revolta contra a coação dos pais? Se o pai estava morto, então ela podia ler e amar à vontade. Primeiramente ela não quis se lembrar de ter lido algo numa enciclopédia; depois admitiu que tal lembrança lhe vinha aos poucos, mas de um teor inofensivo. Na época em que sua tia querida estava gravemente enferma e sua viagem a Viena já fora decidida, recebeu uma carta, de um tio, dizendo que não poderiam ir a Viena, pois um filho dele — um primo de Dora, portanto — adoecera perigosamente, estava com apendicite. Então ela havia procurado ler, numa enciclopédia, sobre os sintomas da apendicite. Ainda recordava, do que lera, a localização característica da dor abdominal.

Lembrei-me eu, então, que pouco depois da morte da tia ela tivera supostamente uma apendicite, em Viena. Até aquele momento eu não me atrevera a incluir essa doença entre as suas produções histéricas. Ela contou que nos primeiros dias sentira febre alta, e a mesma dor no abdômen sobre a qual havia lido na enciclopédia; que lhe haviam aplicado compressas frias, mas ela não as suportara. No segundo dia, sob fortes dores, veio sua menstruação, bastante irregular desde o início de seus males. Naquele tempo ela sofria constantemente de prisão de ventre.

Não era justo compreender esse estado como puramente histérico. Embora se encontre indubitavelmente a febre histérica, parecia arbitrário relacionar a febre dessa discutível doença à histeria, em vez de a uma causa orgânica atuante na época. Eu estava a ponto de abandonar essa pista quando a própria Dora ajudou a persistir nela, ao fornecer este último adendo ao sonho: *"Ela se vê subindo a escada muito claramente"*.

Para esse detalhe solicitei, naturalmente, um determinante particular. Ela objetou, talvez não muito seriamente, que tinha de subir a escada se quisesse ir para o apartamento, que não ficava no térreo — o que pude facilmente rechaçar com a observação de que se, no sonho, ela conseguia viajar da cidade estrangeira para Viena sem tomar um trem, também podia dispensar os degraus da escada. Ela prosseguiu relatando que depois da apendicite não fora capaz de andar normalmente, pois puxava do pé direito. Isso continuara por um bom tempo, e ela preferia não subir escadas. Ainda então arrastava o pé às vezes. Os médicos que consultara, por solicitação do pai, haviam se admirado muito com tal insólita sequela de apendicite, sobretudo porque a dor abdominal não reaparecera e não acompanhava o puxar do pé.[69]

Esse era, portanto, um verdadeiro sintoma histérico.

---

69 É de supor um nexo somático entre a sensação de dor abdominal, chamada "neuralgia ovariana", e o distúrbio motor da perna do mesmo lado, nexo que em Dora experimenta uma interpretação toda especializada, ou seja, superposição e utilização psíquica. Cf. a observação similar feita na análise do sintoma da tosse e no nexo entre catarro e perda de apetite [p. 270].

III. O SEGUNDO SONHO

Ainda que a febre fosse organicamente determinada — por um dos frequentes ataques de gripe sem localização especial, digamos —, estava estabelecido que a neurose se aproveitou da eventualidade, utilizando-a para uma das suas manifestações. Portanto, Dora havia arranjado para si uma doença sobre a qual lera na enciclopédia, havia se castigado por essa leitura, e teve de reconhecer que o castigo não podia se referir à leitura do artigo inocente, que era o resultado de um deslocamento, depois que a essa leitura se juntara outra mais culposa, que naquele momento se ocultava, na lembrança, por trás daquela inocente da mesma época.[70] Talvez ainda se pudesse averiguar sobre que assuntos ela havia lido na segunda ocasião.

O que significava então esse estado, essa tentativa de imitar uma peritiflite? A sequela da afecção, o puxar de uma perna, que não combinava absolutamente com uma peritiflite, certamente convinha melhor ao significado secreto, talvez sexual, do quadro clínico, e podia, sendo esclarecido, lançar alguma luz sobre esse significado buscado. Tentei encontrar um acesso até esse enigma. Tinha havido indicações de tempo no sonho; o tempo nunca é algo irrelevante nos processos biológicos. Perguntei, então, quando havia ocorrido essa apendicite, se antes ou depois da cena no lago. A resposta imediata, que resolveu todas as dificuldades de uma só vez, foi: "Nove meses depois". Esse prazo é característico. A su-

---

70 Um exemplo bem típico da gênese de sintomas a partir de ensejos que aparentemente nada têm a ver com o sexo.

posta apendicite havia realizado a fantasia de um *parto* com os meios modestos de que a paciente dispunha: as dores e o sangue menstrual.[71] Naturalmente, ela conhecia o significado desse período de tempo e não pôde questionar a probabilidade de que naquela ocasião havia lido acerca de gravidez e nascimento na enciclopédia. E quanto ao puxar da perna? Pude arriscar uma conjectura. É assim que alguém anda quando torce um pé. Portanto, ela havia dado um "mau passo", o que era certo se podia dar à luz nove meses após a cena do lago. Mas precisava insistir em outro requisito. É possível ter esses sintomas — é minha convicção — apenas quando há um modelo *infantil* para eles. As lembranças de impressões de uma época posterior não têm força para se impor como sintomas, é o que me faz sustentar firmemente a experiência que tive até agora. Eu dificilmente podia esperar que Dora me fornecesse o desejado material do tempo da infância, pois, na realidade, não posso garantir a validade geral da tese recém-colocada, na qual me inclino a acreditar. Mas a confirmação veio *de imediato*. Sim, ela havia torcido o mesmo pé quando criança; em B., ao descer a escada, havia escorregado um degrau; o pé havia inchado, tivera de ser enfaixado e ela ficara em repouso por algumas semanas. Isso aconteceu pouco tempo antes da asma nervosa, aos oito anos de idade.

---

71 Já indiquei [p. 224] que a maioria dos sintomas histéricos, quando atingem seu pleno desenvolvimento, representam uma situação fantasiada da vida sexual, isto é, uma cena de intercurso sexual, gravidez, parto, puerpério etc.

III. O SEGUNDO SONHO

O passo seguinte era utilizar a prova dessa fantasia: "Se, nove meses após a cena do lago, você passou por um parto e até hoje lida com as consequências desse mau passo, isso prova que no inconsciente você lamentou o desfecho da cena. Então você o corrigiu em seu pensamento inconsciente. O pressuposto de sua fantasia de parto é que algo aconteceu naquela ocasião,[72] que você vivenciou e descobriu então aquilo que depois teve de ler na enciclopédia. Você vê que o seu amor pelo sr. K. não terminou com aquela cena, que prossegue até hoje, como afirmei — mas inconsciente para você". Ela não mais contestou isso.[73]

---

72 Assim, a fantasia de defloração vem a ser aplicada ao sr. K., e se torna claro por que a mesma região do conteúdo onírico inclui material da cena do lago.
73 A essas interpretações acrescento o seguinte. A "Madona" é, evidentemente, ela mesma; primeiro, devido ao "adorador" que lhe enviou as imagens, depois porque ela havia conquistado o amor do sr. K. sobretudo pela atitude materna para com os filhos dele e, enfim, porque, mesmo sendo uma donzela, já teve um filho, uma alusão direta à fantasia do parto. De resto, a "Madona" é uma noção contrária favorecida pelas garotas que são oprimidas por incriminações sexuais, como Dora. A primeira suspeita desse vínculo me veio quando, sendo médico da clínica psiquiátrica da universidade, tive um caso de confusão alucinatória de rápida solução, que se mostrou como reação a uma recriminação feita pelo noivo da paciente.
  Havendo continuação da análise, o anseio maternal por um filho provavelmente se teria revelado como obscuro, mas poderoso motivo do seu agir. As muitas perguntas que ela fizera ultimamente aparecem como derivados tardios das perguntas ligadas à curiosidade sexual, que ela procurara satisfazer com a enciclopédia. É de supor que ela tenha lido sobre parto, gravidez, virginda-

Esse trabalho de esclarecimento do segundo sonho havia tomado duas sessões. No final da segunda, quando expressei minha satisfação com o que havíamos obtido, ela respondeu, de forma desdenhosa: "E porventura saiu muita coisa?", e assim me deixou preparado para novas revelações.

Ela iniciou a terceira sessão com estas palavras: — "O senhor sabe, doutor, que hoje vim pela última vez?". — Como posso saber, você não me falou nada. — "Sim, eu decidi aguentar até o Ano-Novo;[74] depois não

---

de e temas afins. Na reprodução do sonho ela havia esquecido uma das perguntas que devem ser inseridas na trama da segunda situação onírica. Só poderia ser esta pergunta: "Aqui mora o sr. ***?". Deve haver uma razão para ela esquecer essa pergunta aparentemente inofensiva, depois de tê-la incluído no sonho. Vejo essa razão no próprio nome, que designa também um objeto, de significado múltiplo, além disso, e que, portanto, pode ser considerado uma palavra *"ambígua"*. Infelizmente não posso comunicar esse nome, a fim mostrar como foi utilizado habilmente para designar algo "ambíguo" e "indecente". Apoia essa interpretação o fato de encontramos em outra região do sonho, onde o material vem das lembranças da morte da tia, na frase "Já foram para o cemitério", também uma alusão verbal ao *nome* da tia. Essas palavras indecentes indicariam provavelmente uma segunda fonte, *oral*, pois a enciclopédia não as conteria. Eu não teria ficado surpreso de ouvir que essa fonte era a própria sra. K., a caluniadora. Dora teria magnanimamente poupado apenas ela, enquanto perseguia as demais pessoas com vingança quase maligna; por trás da série quase infindável de deslocamentos que assim se revelam poderíamos imaginar um fator simples, o profundamente arraigado amor homossexual pela sra. K.
74 Era o dia 31 de dezembro.

vou esperar mais pela cura." — Você sabe que tem a liberdade de parar quando quiser. Mas hoje ainda vamos trabalhar. Quando você tomou a decisão? — "Há duas semanas, creio." — Isso parece vir de uma empregada doméstica, de uma preceptora: duas semanas de aviso prévio. — "Havia uma preceptora que tinha dado o aviso prévio quando visitei os K. em L., no lago." — Ah, sim? Você ainda não falou dela. Fale, por favor.

"Havia uma jovem na casa, era a preceptora das crianças. Ela se comportava de maneira insólita com o sr. K., não o cumprimentava, não lhe respondia, não lhe passava coisa nenhuma na mesa, quando ele pedia; em suma, tratava-o como se ele não existisse. Ele também não era muito educado com ela. Um ou dois dias antes da cena no lago, essa garota me chamou de lado, queria me dizer algo. Então me contou que o sr. K. havia se aproximado dela, numa época em que a esposa estava ausente por várias semanas, havia lhe feito a corte e pedido que ela lhe agradasse, pois ele nada tinha com sua esposa etc." — São as mesmas palavras que ele usou para cortejar você, que lhe fizeram dar uma bofetada nele. — "Sim. Ela cedeu, mas pouco depois ele não lhe deu mais atenção, e ela o odiava desde então." — E essa preceptora tinha avisado que iria embora? — "Não, ela ia avisar; disse que, quando se sentiu abandonada, escreveu para casa e contou o episódio aos pais, que são gente decente e vivem em algum lugar da Alemanha. Eles exigiram que ela deixasse a casa imediatamente, e depois, quando ela não fez isso, escreveram dizendo que nada mais queriam com ela, que ela não podia mais voltar para casa." — E por que ela não foi embora? — "Ela disse que ia esperar um pouco, para ver se o sr. K. mudava. Não aguentava viver daquele modo. Se não visse nenhuma mudança, iria dar o aviso e partir." — E o que foi feito dessa garota? — "Sei apenas que foi embora." — Não teve um filho dessa aventura? — "Não."

Portanto, aqui vinha à luz em meio à análise — e bem de acordo com as regras — um fragmento de informação real que ajudava a solucionar problemas lançados anteriormente. Pude dizer a Dora: "Agora conheço o motivo para a bofetada com que você respondeu a proposta. Não foi ofensa pelo atrevimento, mas vingança por ciúme. Quando a garota lhe contou a história dela, você ainda se valeu da sua arte de pôr de lado tudo o que não combinava com seus sentimentos. Mas no momento em que o sr. K. usou as palavras: 'Nada tenho com minha mulher', que havia dito também à preceptora, novos impulsos foram despertados em você, e a balança virou. Você disse a si mesma: 'Ele ousa me tratar como uma preceptora, uma empregada?'. Essa afronta ao amor-próprio se juntou ao ciúme e aos motivos sensatos conscientes: era demais.[75] Como prova do quanto você é influenciada pela história da garota, vou lhe mostrar as várias identificações com ela, no sonho e em seu comportamento. Você disse a seus pais o que tinha ocorrido (o que até agora não havíamos compreendido), assim como a preceptora escreveu e con-

---

[75] Talvez não fosse irrelevante o fato de que ela também podia ter escutado o pai fazer essa queixa da esposa, tal como eu a escutei dele, uma queixa cujo significado ela provavelmente entendia.

tou aos pais. Você me deu o aviso prévio de duas semanas, como faz uma preceptora. A carta do sonho, que lhe permitiu voltar para casa, é uma contrapartida da carta dos pais da garota, proibindo-a de voltar."

"Mas por que eu não contei a meus pais imediatamente?"

"Quanto tempo você deixou passar antes de fazê-lo?"

"A cena aconteceu no último dia de junho; em 14 de julho contei à mamãe."

"Portanto, catorze dias, o prazo característico de um empregado! Agora posso responder à sua pergunta. Você compreendeu muito bem a pobre garota. Ela não queria partir imediatamente porque esperava que a afeição do sr. K. se voltasse novamente para ela. Esse deve ter sido o seu motivo também. Você esperou o prazo, para ver se ele renovaria a proposta; então você concluiria que ele falava seriamente, que não pretendia brincar com você, como havia feito com a preceptora."

"Alguns dias depois de partir, ele me enviou um cartão-postal."[76]

"Sim, mas como nada mais chegou, você deu livre curso à sua vingança. Posso inclusive imaginar que nessa época você abrigava a intenção secundária de, com a acusação, fazê-lo viajar até onde você estava."

"... Como ele se ofereceu para fazer inicialmente", ela observou. — "Desse modo a sua ânsia por ele teria sido contentada" — aqui ela meneou a cabeça con-

---

76 Esse é o ponto de contato com o "engenheiro" [p. 286], que se esconde por trás do "eu" na primeira situação do sonho.

firmando, algo que eu não esperava — "e ele teria lhe dado a satisfação que você pedia."

"Que satisfação?"

"Começo a suspeitar que você tomou a relação com o sr. K. muito mais seriamente do que até agora quis admitir. Entre ele e a esposa não se falava de divórcio com frequência?"

"Sem dúvida; primeiro ela não queria, por causa das crianças, e agora ela quer, mas ele não quer mais."

"Você não achou que ele quis se separar da mulher para se casar com você? E que agora não quer mais porque não tem uma substituta para ela? É verdade que dois anos atrás você era muito jovem, mas você mesma me contou que sua mãe ficou noiva aos dezessete anos e esperou mais dois anos pelo marido. Geralmente a história amorosa da mãe se torna o modelo para a filha. Então você também queria esperar por ele e supôs que ele apenas esperava que você amadurecesse o bastante para se tornar sua mulher.[77] Creio que você tinha um plano de vida sério. E você não tem o direito de afirmar que essa intenção estava excluída para o sr. K.; você me contou, sobre ele, coisas que apontam diretamente para essa intenção.[78] Também a conduta dele em L. não

---

[77] A espera para se alcançar um objetivo está no conteúdo da primeira situação onírica; nessa fantasia de esperar pela noiva eu vejo uma parte do terceiro componente desse sonho, ao que já aludi [cf. nota 67].

[78] Sobretudo umas palavras que ele havia dito quando lhe deu de presente, no Natal, uma caixa para guardar a correspondência, no último ano em que conviveram em B.

contradiz isso. Você não o deixou terminar de falar e não sabe o que ele iria lhe dizer. Além disso, o plano não era tão inexequível. As relações entre seu pai e a sra. K., que provavelmente por causa disso você apoiou tanto tempo, forneciam-lhe a certeza de que se obteria a aquiescência da mulher para o divórcio, e com o pai você consegue o que deseja. De fato, se a sua tentação em L. tivesse tido outro desfecho, essa teria sido a única solução possível para todas as partes. Acho também que por isso você lamentou muito o outro desfecho e o corrigiu na fantasia que se apresentou como apendicite. Portanto, deve ter sido uma grave decepção para você, quando o resultado de sua acusação foram, em vez de novas solicitações por parte do sr. K., negativas e calúnias. Você admite que nada a enfurece mais do que alguém acreditar que você imaginou a cena do lago. Agora sei — e isso você não quer que lhe lembrem — que você imaginou que a proposta era séria e que o sr. K. não cessaria até que você o desposasse."

Ela ouviu sem contestar como de outras vezes. Parecia tocada, despediu-se muito amavelmente, com votos efusivos de bom Ano-Novo, e... não retornou. O pai, que me visitou ainda algumas vezes, garantiu que ela retornaria, que nela se notava o anseio pela continuação do tratamento. Mas ele nunca foi inteiramente sincero. Havia apoiado o tratamento enquanto podia ter a esperança de que eu "persuadisse" Dora de que entre ele e a sra. K. havia apenas amizade. Seu interesse diminuiu quando notou que esse resultado não fazia parte de meu propósito. Eu sabia que ela não retornaria. Foi um inconfundível ato de vingança que ela, de forma tão inesperada, quando minhas expectativas de um término feliz estavam no auge, interrompesse o tratamento e destruísse essas esperanças. Também sua tendência a prejudicar a si mesma lucrou com esse ato. Quem, como eu, desperta os piores demônios que, imperfeitamente domados, habitam o peito humano, a fim de combatê--los, tem de estar preparado para não sair ileso dessa luta. Teria eu mantido a garota no tratamento se tivesse representado um papel, exagerando o valor de sua permanência para mim e demonstrando por ela um cálido interesse, que, embora atenuado por minha posição de médico, seria como um substituto para o carinho que ela tanto ansiava? Não sei. Como uma parte dos fatores que deparamos sob forma de resistência permanece desconhecida em todo caso, sempre evitei representar papéis e me contentei com a arte psicológica, mais despretensiosa. Apesar de todo o interesse teórico e de todo o empenho profissional em ajudar, não esqueço de que há limites para o uso da influência psíquica, e respeito como tais a vontade e a inteligência do paciente.

Também não sei se o sr. K. conseguiria mais se lhe fosse revelado que aquele tapa no rosto não significava absolutamente um "não" definitivo de Dora e correspondia antes ao ciúme despertado ultimamente, ao passo que os impulsos mais fortes da psique dela ainda o favoreciam. Tivesse ele desconsiderado esse primeiro "não" e continuado a solicitá-la com persuasiva paixão, o resultado poderia facilmente ter sido outro: a

III. O SEGUNDO SONHO

inclinação da garota poderia ter se colocado acima das dificuldades interiores. Mas acho que, talvez também facilmente, ela poderia ter se sentido estimulada a satisfazer mais amplamente sua ânsia de vingança. Nunca é possível calcular para que lado se inclina a decisão nesse conflito de motivos, se para o cancelamento ou para o reforço da repressão. A incapacidade de satisfazer a exigência amorosa *real* é um dos traços essenciais da neurose; os doentes são dominados pela oposição entre a realidade e a fantasia. Eles fogem daquilo pelo qual anseiam mais vivamente nas fantasias, quando com ele deparam na realidade, e se entregam de muito bom grado às fantasias, quando já não precisam temer que elas se realizem. No entanto, a barreira erguida pela repressão pode cair sob o ataque de excitações violentas ensejadas por algo real, a neurose pode ser vencida pela realidade. Mas não podemos, em geral, calcular em quem e mediante o que essa cura seria possível.[79]

[79] Acrescento algumas observações sobre a estrutura desse sonho, embora ele não possa ser compreendido a fundo, o que nos permitiria tentar sua síntese. A fantasia de vingança contra o pai pode ser destacada, como um fragmento anteposto à maneira de fachada: Dora foi embora de casa por conta própria; o pai adoeceu, depois morreu... Agora ela vai para casa, os outros já foram para o cemitério. Ela sobe para seu quarto sem tristeza nenhuma e se põe a ler tranquilamente uma enciclopédia. Por trás disso há duas alusões ao outro ato de vingança, que ela realmente executou ao fazer os pais encontrarem a carta de despedida: a carta (da mãe, no sonho) e a menção do funeral da tia que era seu modelo. — Atrás dessa fantasia se ocultam os pensamentos de vingança contra o sr. K., aos quais ela deu vazão em seu comportamento em relação a mim. A empregada doméstica, o convite, o bosque, as

duas horas e meia vêm do material dos acontecimentos em L. Sua recordação da preceptora e das cartas entre ela e os pais se relaciona, junto com o elemento de sua carta de despedida, à carta do sonho que lhe permite voltar para casa. A recusa em se deixar acompanhar, a decisão de ir só, poderia ser traduzida desta forma: "Como você me tratou como uma criada, eu o deixo de lado, sigo só o meu caminho e não caso". — Encoberto por esses pensamentos de vingança, transparece, em outros lugares, material proveniente de fantasias carinhosas do amor ao sr. K., que prossegue inconscientemente: "Eu teria esperado por você até me tornar sua mulher", a defloração, o parto. — Por fim, faz parte do quarto grupo de pensamentos, aquele escondido mais profundamente, o do amor pela sra. K., a representação da fantasia de defloração desde o ponto de vista do homem (identificação com o admirador que está fora do país) e as claras alusões, em dois lugares, às falas ambíguas ("Mora aqui o sr. ***?") e à fonte não oral de seus conhecimentos sexuais (a enciclopédia). Impulsos cruéis e sádicos são satisfeitos nesse sonho.

POSFÁCIO

É certo que anunciei este trabalho como uma análise fragmentária, mas o leitor terá percebido que ele é ainda mais incompleto do que esse título dava a entender.* Convém, então, que eu procure justificar essas omissões, que de modo algum são casuais.

Uma série de resultados da análise foi omitida, em parte porque não estavam estabelecidos com suficiente certeza quando o trabalho foi interrompido, e em parte porque requeriam maior exame até alcançarem valor geral. Outras vezes, onde me pareceu lícito, apontei a direção provável de algumas soluções. Deixei inteiramente de fora uma exposição da técnica (nada óbvia) mediante a qual se pode extrair, do material bruto das associações do paciente, o metal puro de pensamentos inconscientes valiosos. Isso tem a desvantagem de que o leitor não pode verificar a correção do meu procedimento no curso da exposição. Mas achei impraticável lidar simultaneamente com a técnica de uma análise e com a estrutura interna de um caso de histeria; para mim, seria uma realização quase impossível, e para o leitor, uma leitura intragável. A técnica exige uma exposição separada, que seja ilustrada com numerosos exemplos extraídos dos mais diferentes casos e não precise levar em conta o resultado de cada um deles. Também não procurei fundamentar aqui as premissas

---

* Referência ao termo original do título, *Bruchstück*, que significa literalmente "pedaço quebrado", a parte restante de um conjunto.

psicológicas que transparecem nas minhas descrições de fenômenos psíquicos. Uma fundamentação ligeira não bastaria; uma minuciosa seria um trabalho à parte. Posso apenas garantir que comecei o estudo dos fenômenos revelados pela observação dos psiconeuróticos sem estar comprometido com um sistema psicológico determinado, e que depois ajustei minhas opiniões até que me pareceram adequadas a dar conta do conjunto observado. Não considero motivo de orgulho ter evitado a especulação; o material para essas hipóteses foi obtido com a mais ampla e laboriosa observação. Sobretudo a firmeza do meu ponto de vista na questão do inconsciente deve causar espécie, pois eu lido com ideias, cursos de pensamentos e impulsos inconscientes como se fossem objetos da psicologia tão bons e válidos como os fenômenos conscientes. Mas estou seguro de que quem se puser a investigar o mesmo âmbito de fenômenos com o mesmo método não poderá deixar de se colocar no mesmo ponto de vista, apesar das admoestações dos filósofos.

Houve colegas médicos que julgaram puramente psicológica a minha teoria da histeria e por isso a declararam, em princípio, incapaz de solucionar um problema patológico. Eles poderão, a partir deste ensaio, reconhecer que sua objeção transfere, de forma injustificada, uma característica da técnica para a teoria. Apenas a técnica terapêutica é puramente psicológica; a teoria não deixa absolutamente de apontar para o fundamento orgânico da neurose, embora não o busque numa alteração anatomopatológica e substitua provisoriamente pela função orgânica a alteração química provável, mas inapreensível no momento. Creio que ninguém negará o caráter de fator orgânico à função sexual, na qual vejo a fundamentação da histeria e das psiconeuroses. Uma teoria da vida sexual não poderá — é o que suponho — prescindir da hipótese de que existem determinadas substâncias sexuais de efeito excitante. De todos os quadros patológicos que a clínica nos dá a conhecer, os mais próximos das psiconeuroses genuínas são as intoxicações e abstinências ligadas ao uso de certos venenos crônicos.

Quanto ao que hoje se pode afirmar sobre a "complacência somática", sobre os germens infantis da perversão, sobre as zonas erógenas e a predisposição à bissexualidade, também não me estendi a respeito disso no presente ensaio; apenas ressaltei os lugares em que a análise depara com esses fundamentos orgânicos dos sintomas. Não era possível fazer mais a partir de um só caso, e eu tinha as mesmas razões de antes para evitar uma discussão ligeira desses fatores. Aqui há grande ensejo para trabalhos posteriores, baseados em número maior de análises.

Com esta publicação incompleta eu quis alcançar dois objetivos. Primeiro, complementando meu livro sobre a interpretação dos sonhos, quis mostrar como essa arte, de resto sem utilidade, pode ser aplicada para desvendar o oculto e reprimido na vida psíquica; portanto, também a técnica da interpretação de sonhos, que é semelhante à técnica psicanalítica, foi considerada na análise dos dois sonhos aqui comunicados. Em segundo lugar, quis despertar o interesse para uma série de coisas que ainda são inteiramente desconhecidas para a ciência de hoje, porque podem ser descobertas somente com a aplicação desse método específico. Creio que ninguém, até agora, pôde ter uma noção correta da complexidade dos processos psíquicos da histeria, da coexistência dos mais diferentes impulsos, da ligação entre os opostos, das repressões e deslocamentos etc. A ênfase de Janet na *idée fixe* que se transforma em sintoma não constitui mais que uma esquematização pobre. Além disso, não podemos evitar a suspeita de que excitações às quais correspondem ideias incapazes de aceder à consciência agem umas sobre as outras diferentemente, têm curso diferente e levam a manifestações diferentes daquelas que chamamos "normais", cujo conteúdo ideativo se torna consciente para nós. Tendo isso claro, já não haverá obstáculos para a compreensão de uma terapia que elimina sintomas neuróticos transformando ideias do primeiro tipo em normais.

Interessava-me também mostrar que a sexualidade não intervém numa só ocasião, como um deus ex machina, em algum ponto dos processos característicos da histeria, mas que fornece a força motriz para cada sintoma e cada expressão de um sintoma. As manifestações patológicas são, por assim dizer, a *atividade sexual dos doentes*. Um único caso não poderá jamais demonstrar uma tese tão geral, mas devo repetir sempre, pois minha experiência nunca é diferente, que a sexualidade é a chave para o problema das psiconeuroses — e das neuroses em geral. Quem desdenha essa chave não conseguirá jamais abrir a porta. Ainda aguardo as pesquisas que devem ser capazes de anular ou limitar essa tese. O que até o momento ouvi contra ela foram expressões de desgosto ou descrença pessoal, às quais basta responder com as palavras de Charcot: *"Ça n'empêche pas d'exister"*.*

O caso do qual aqui publiquei um fragmento da história e do tratamento também não é apropriado para realçar o valor da terapia psicanalítica. Não apenas a curta duração do tratamento, que mal chegou a três meses, mas também um fator inerente ao caso impediu que a terapia terminasse com a melhora, admitida pelo doente e pelos familiares, que geralmente se obtém e que se aproxima da cura completa em maior ou menor grau. Resultados satisfatórios desse tipo são alcançados quando as manifestações patológicas são mantidas apenas pelo conflito interior entre os impulsos ligados à sexualidade. Nesses casos, vê-se que a condição dos doentes melhora na medida em que contribuímos para a solução de seus problemas psíquicos mediante a tradução do material patogênico em material normal. Sucede de outra forma quando os sintomas se colocaram a serviço de motivos externos, como havia acontecido com Dora nos dois últimos anos. É surpreendente, e até mesmo enlouquecedor, ver que o estado do paciente não mudou sensivelmente, embora o trabalho esteja avançado. Na realidade, a situação não está tão ruim; os sintomas não desaparecem com o trabalho, mas algum tempo de-

---

* "Isso não impede que [os fatos, as coisas] existam"; cf. o obituário de Charcot escrito por Freud (1897) e o cap. I da "Autobiografia" (1925).

pois, quando tiverem acabado as relações entre o paciente e o médico. O adiamento da cura ou melhora é causado apenas pela pessoa do médico.

Tenho de retroceder um pouco, a fim de tornar compreensível essa questão. Durante uma terapia psicanalítica, a formação de novos sintomas é — invariavelmente, pode-se dizer — suspensa. Mas a produtividade da neurose não se extingue absolutamente, ocupa-se da criação de um tipo especial de formações mentais, em geral inconscientes, que podemos chamar de "transferências".

Que são transferências? São novas edições, reproduções dos impulsos e fantasias que são despertados e tornados conscientes à medida que a análise avança, com a substituição — característica da espécie — de uma pessoa anterior pela pessoa do médico. Colocando de outra forma: toda uma série de vivências psíquicas anteriores é reativada, mas não como algo passado, e sim na relação atual com o médico. Há transferências que em nada se distinguem do seu modelo no conteúdo, salvo na substituição. São, portanto — prosseguindo na metáfora —, simples reimpressões, novas tiragens inalteradas. Outras são feitas de modo mais engenhoso, sofrem uma atenuação do conteúdo, uma *sublimação*, como eu digo, e podem se tornar conscientes se apoiando em alguma peculiaridade real (habilmente utilizada) da pessoa ou da situação do médico. Já não são reimpressões, mas edições revistas.

Quando nos aprofundamos na teoria da técnica analítica, percebemos que a transferência é algo necessário e inevitável. Na prática nos convencemos de que não

POSFÁCIO

há como evitá-la, e de que temos de combater essa última criação da doença, tal como as anteriores. Essa é, de longe, a parte mais difícil do trabalho. Interpretar os sonhos, extrair os pensamentos e lembranças inconscientes das associações do paciente e outras artes de tradução semelhantes não são difíceis de aprender: nelas o próprio doente sempre fornece o texto. Já a transferência temos que descobrir quase sem ajuda, com base em coisas mínimas e evitando inferências arbitrárias. Mas não podemos eludi-la, pois é usada na produção de todos os obstáculos que tornam o material inacessível ao tratamento, e porque somente depois que ela é resolvida o paciente se sente convencido da validez dos nexos construídos na análise.

Alguns tenderão a considerar uma séria desvantagem desse método — que já não é cômodo: que ele ainda aumente o trabalho do médico, criando uma nova espécie de produtos psíquicos patológicos, e poderão até deduzir, do fato de existirem transferências, que o doente é prejudicado pelo tratamento analítico. As duas coisas seriam equivocadas. O trabalho do médico não é aumentado pela transferência; pode muito bem ser irrelevante para ele que determinado impulso que tem de superar no doente seja relativo à sua pessoa ou a outra. Nem o tratamento impõe ao doente, com a transferência, uma nova tarefa que ele não teria realizado sem ela. Se acontecem curas de neuroses em instituições onde o tratamento analítico é excluído; se se pode dizer que a histeria é curada não pelo método, mas pelo médico; se costuma haver uma espécie de cega dependência e duradoura ligação do doente em relação ao médico que o livrou de seus sintomas mediante a sugestão hipnótica, então a explicação científica para tudo isso deve estar em "transferências" que o paciente faz regularmente para a pessoa do médico. A terapia analítica não cria a transferência, apenas a desvela, como a outras coisas ocultas na psique. A diferença está em que espontaneamente o paciente evoca apenas transferências afetuosas e amigáveis para sua cura; quando isso não pode ocorrer, ele se afasta o mais rapidamente possível, não influenciado pelo médico que não lhe é "simpático". Já na psicanálise, em conformidade com uma base de motivos diferente, todos os impulsos, também os hostis, são despertados, são utilizados para a análise ao serem tornados conscientes, e nisso a transferência sempre volta a ser destruída. Destinada a ser o grande empecilho da psicanálise, a transferência se torna o mais poderoso recurso dela, quando conseguimos percebê-la a cada vez e traduzi-la para o doente.[80]

Tive de falar da transferência porque apenas por esse fator consigo esclarecer as peculiaridades da análise de Dora. O que constitui a vantagem desta e a faz parecer adequada para uma primeira publicação introdutória, sua particular transparência, está intimamente ligada a seu grande defeito, que levou a seu fim prematuro. Não

80 [Nota acrescentada em 1923:] Essas considerações sobre a transferência tiveram prosseguimento no meu artigo técnico sobre o "amor de transferência" [1915, no v. 10 destas *Obras completas*; antes dele, o tema foi tratado em "A dinâmica da transferência", 1912, e no final dos *Estudos sobre a histeria*, 1893-1895].

fui capaz de dominar a tempo a transferência; devido à presteza com que ela punha à minha disposição uma parte do material patogênico na análise, esqueci-me da precaução de atentar para os primeiros sinais de transferência, que ela preparava juntamente com outra parte do mesmo material, que ficou desconhecida para mim. Estava claro, no início, que eu substituía o pai na sua imaginação, o que também era facilitado pela diferença de idade entre mim e ela. Também me comparava a ele conscientemente, buscava certificar-se ansiosamente de minha sinceridade com ela, pois o pai "preferia sempre o segredo e os rodeios". Quando houve o primeiro sonho, em que ela se advertia de que deveria abandonar o tratamento como havia antes deixado a casa do sr. K., eu é que deveria ter escutado a advertência e lhe dito: "Agora você fez uma transferência do sr. K. para mim. Você notou algo que a leve a concluir que tenho más intenções semelhantes às do sr. K. (diretamente ou em alguma forma sublimada), ou algo em mim lhe chamou a atenção, ou soube de algo a meu respeito que a cativou, como sucedeu antes com o sr. K.?". Então sua atenção teria se voltado para algum detalhe de nossa relação, em minha pessoa ou minha situação, por trás do qual se escondia algo análogo, mas muito mais importante, relativo ao sr. K., e a solução dessa transferência teria permitido à análise o acesso a novo material, provavelmente de lembranças reais. Mas eu ignorei esse primeiro aviso, achei que havia tempo bastante, pois não apareciam outros níveis da transferência e o material para a análise não se esgotava. De modo que fui surpreendido pela transferência, e, em virtude desse algo desconhecido em que eu lhe lembrava o sr. K., ela se vingou de mim como quis se vingar dele e me abandonou, tal como acreditou haver sido enganada e abandonada por ele. Assim ela *atuou* uma parte essencial de suas lembranças e fantasias, em vez de reproduzi-la no tratamento. Quanto ao que era esse algo, naturalmente não posso saber; suponho que tinha relação com dinheiro, ou era ciúme de outra paciente que permaneceu ligada à minha família após a cura. Quando é possível incorporar as transferências à análise cedo, o curso desta se torna mais lento e menos claro, mas sua existência fica mais garantida contra resistências súbitas e insuperáveis.

No segundo sonho de Dora, a transferência aparece em várias alusões nítidas. Quando ela me contou o sonho, eu ainda não sabia (soube apenas dois dias depois) que tínhamos somente mais *duas sessões* de trabalho, o mesmo tempo que ela havia passado ante o quadro da Madona Sistina e que — corrigindo para duas horas, em vez de duas horas e meia — havia escutado como a duração do trajeto ao redor do lago, que não fez [p. 290]. O empenho e a espera que há no sonho, que se ligavam ao jovem na Alemanha e vinham de sua espera até o sr. K. poder se casar com ela, já haviam se manifestado alguns dias antes na transferência. Ela havia dito que o tratamento durava tempo demais para ela, que não teria paciência de esperar tanto; mas nas primeiras semanas havia mostrado discernimento bastante para escutar sem essa objeção o meu aviso de que sua plena recuperação tomaria cerca de um ano. Sua recusa em ser acompanhada no sonho, preferindo seguir só, que também se originava da visita à galeria em Dresden, eu mesmo a conheceria no dia designado. Ela teria este significado: "Como todos os homens são detestáveis, prefiro não me casar. Essa é minha vingança".[81]

Quando impulsos de crueldade e motivos de vingança, já empregados durante a vida para manter os sintomas, são transferidos para o médico no tratamento antes que ele tenha tempo de afastá-los de sua pessoa, fazendo-os remontar às origens, não é de admirar que o estado das pacientes não mostre a influência do seu esforço terapêutico. Pois como poderia a paciente se vingar melhor do que demonstrando em sua própria pessoa a impotência e incapacidade do médico? No entanto,

---

81 Quanto maior o tempo que me separa do fim desta análise, mais provável me parece que o meu erro técnico consistiu na seguinte omissão: eu não percebi a tempo e não comuniquei à paciente que a mais forte das correntes inconscientes de sua vida psíquica era o impulso amoroso homossexual (ginecófilo) relativo à sra. K. Eu devia ter percebido que nenhuma outra pessoa podia ser a fonte principal de seu conhecimento das coisas sexuais, a mesma que depois a acusou pelo interesse em tais assuntos. De fato, era muito singular que ela conhecesse tudo que era chocante e não quisesse jamais saber de onde o conhecia. Esse mistério eu devia ter abordado, e procurado o motivo dessa estranha repressão. Então o segundo sonho o teria revelado. A implacável ânsia de vingança que esse sonho exprimia era adequada, como nenhuma outra coisa, para ocultar a corrente oposta, a magnanimidade com que ela perdoou a traição da amiga amada e escondeu de todos que ela mesma lhe fizera as revelações que depois serviram para a sua acusação. Antes de eu reconhecer a importância da corrente homossexual nos psiconeuróticos, muitas vezes permaneci parado ou me vi totalmente confuso no tratamento dos casos.

não me inclino a subestimar o valor terapêutico mesmo de um tratamento fragmentário como o de Dora.

Somente quinze meses após o término do tratamento e a redação deste trabalho é que tive notícia do estado de minha paciente e, assim, do resultado da terapia. Numa data não inteiramente irrelevante, o 1º de abril — sabemos que horas e datas sempre tinham significado para ela —, apresentou-se em meu consultório, a fim de concluir sua história e novamente me pedir auxílio; mas bastou-me uma olhada em seu rosto para notar que esse pedido não era sério. Por quatro ou cinco semanas após interromper o tratamento estivera "muito confusa", disse. Então houve uma grande melhora, os ataques se tornaram menos frequentes, o ânimo se ergueu. Em maio do ano anterior havia morrido um dos dois filhos do casal K., aquele que sempre estivera adoentado. Com o ensejo dessa morte, fez uma visita de condolências aos K. e foi por eles recebida como se nada tivesse ocorrido nos três anos anteriores. Naquele momento se reconciliou com eles, vingou-se deles e pôs fim à questão de maneira satisfatória para ela. Disse à mulher: "Sei que você tem um relacionamento com meu pai", e ela não negou isso. Fez o sr. K. admitir a veracidade da cena junto ao lago, que ele havia contestado, e levou ao pai essa notícia, que a justificava. Não retomou a relação com aquela família.

Depois esteve muito bem até meados de outubro, quando teve outro acesso de afonia que durou seis semanas. Surpreendido com essa informação, perguntei se tinha havido um ensejo para isso, e soube que o ataque acontecera após um grande susto. Ela presenciara alguém ser atropelado por uma carruagem. Por fim, revelou que a vítima do acidente não havia sido outro senão o sr. K. Ela o encontrara um dia na rua, num local de trânsito intenso; ele se voltara para ela, parando à sua frente, desconcertado e esquecido, e fora colhido por uma carruagem.[82] Ela pudera constatar, no entanto, que ele havia escapado sem graves lesões. Disse também que ainda se emocionava um pouco ao ouvir falar da relação do pai com a sra. K., relação em que já não se imiscuía. Estava absorvida com seus estudos, não pensava em casamento.

Procurava minha ajuda por causa de uma neuralgia no lado direito da face, que a atormentava dia e noite. Desde quando? "Desde exatamente duas semanas." — Tive de sorrir, pois lhe mostrei que exatamente duas semanas antes ela havia podido ler no jornal uma notícia sobre mim, algo que ela confirmou (isso foi em 1902).

Portanto, a suposta neuralgia facial correspondia a uma autopunição, ao arrependimento pela bofetada que havia dado no sr. K. tempos atrás, e por haver transferido a vingança para mim. Não sei que tipo de ajuda ela queria de mim, mas prometi perdoá-la por ter me privado da satisfação de livrá-la mais profundamente dos seus males.

---

82 Uma interessante contribuição ao problema das tentativas indiretas de suicídio, de que tratei em *Psicopatologia da vida cotidiana* [1901, cap. VIII].

Novamente se passaram vários anos desde sua visita. Desde então ela se casou, e justamente — se não me enganam todos os indícios — com aquele jovem mencionado nas associações no começo da análise do segundo sonho. Assim como o primeiro sonho denotava seu afastamento do homem amado em direção ao pai, ou seja, a fuga da vida para a doença, o segundo sonho anunciava que ela se desprenderia do pai e seria reconquistada para a vida.*

---

* Revelações sobre a "Dora" real e observações críticas sobre o caso se encontram em *Les patients de Freud*, de M. Borch-Jacobsen (2011) e *Freud's Dora*, de Patrick Mahony (1996). Uma severa avaliação geral dos casos clínicos freudianos é feita por Frank J. Sulloway no ensaio "Reassessing Freud's case histories", *Isis*, 82 (1991), pp. 245-75 (Disponível em: <www.sulloway.org>. Acesso em: abr. 2016).

O MÉTODO PSICANALÍTICO DE FREUD (1904)

TÍTULO ORIGINAL: "DIE FREUDSCHE PSYCHOANALYTISCHE METHODE". PUBLICADO PRIMEIRAMENTE (SEM O NOME DO AUTOR) EM L. LÖWENFELD, *DIE PSYCHISCHEN ZWANGSERSCHEINUNGEN*. WIESBADEN: BERGMANN, PP. 545-51. TRADUZIDO DE *GESAMMELTE WERKE* V, PP. 3-10. TAMBÉM SE ACHA EM *STUDIENAUSGABE. ERGÄNZUNGSBAND* [VOLUME COMPLEMENTAR], PP. 99-106.

O método psicoterapêutico que Freud emprega e designa como psicanálise vem do assim chamado procedimento catártico, sobre o qual ele informou nos *Estudos sobre a histeria*, escritos juntamente com Josef Breuer (1905). A terapia catártica era uma invenção de Breuer, que cerca de dez anos antes, utilizando-se dela, havia curado pela primeira vez uma paciente histérica e adquirido compreensão da patogênese dos seus sintomas. Por sugestão de Breuer, Freud retomou depois esse procedimento e o experimentou em um número considerável de pacientes.

O método catártico pressupunha que o doente fosse hipnotizável e se baseava na ampliação da consciência que sucede na hipnose. Tinha como objetivo a eliminação dos sintomas, e o alcançava fazendo o paciente retornar ao estado psíquico em que o sintoma surgira primeiramente. No paciente hipnotizado afloravam lembranças, pensamentos e impulsos até então ausentes de sua consciência, e depois que ele comunicava ao médico esses eventos psíquicos, sob intensas manifestações afetivas, o sintoma era superado e o seu retorno não ocorria. Essa experiência, que podia ser repetida regularmente, os autores elucidaram da seguinte forma: o sintoma se acha no lugar de eventos* psíquicos reprimidos, que não chegaram à consciência; representam, portanto, uma transformação ("conversão") destes. Eles explicaram a eficácia terapêutica do seu método

---

* No original, *Vorgänge*, que também pode significar "processos"; a mesma palavra surgiu na frase anterior.

pela descarga do afeto até então "estrangulado", que ficou ligado às ações psíquicas reprimidas ("ab-reação"). Mas esse esquema simples de intervenção terapêutica se complicava quase sempre, pois se verificou que não era uma única impressão ("traumática") que participava da gênese do sintoma, mas, geralmente, toda uma série delas, de difícil apreensão.

Assim, a característica principal do método catártico, que o contrapõe a todos os demais procedimentos psicoterapêuticos, está em que a eficácia terapêutica não é transferida para uma sugestão proibitiva feita pelo médico. A expectativa é, isto sim, que os sintomas desapareçam por si mesmos, quando a intervenção — que se baseia em determinados pressupostos sobre o mecanismo psíquico — consegue fazer com que os processos psíquicos tomem um curso diferente daquele que resultou na formação do sintoma.

As modificações que Freud introduziu no procedimento catártico de Breuer foram inicialmente mudanças na técnica; mas elas conduziram a novos resultados e, em seguida, tornaram necessária uma concepção diversa do trabalho terapêutico, que não contradizia a anterior, porém.

Se o método catártico já havia renunciado à sugestão, Freud deu o passo seguinte e abandonou a hipnose. Atualmente ele trata os pacientes desta forma: faz com que se deitem comodamente, de costas, sobre um sofá, enquanto ele próprio fica sentado numa cadeira atrás deles, fora de sua visão. Não solicita que fechem os olhos e evita tocá-los, assim como qualquer outro procedimento que possa lembrar a hipnose. Portanto, uma sessão dessas transcorre como uma conversa entre duas pessoas igualmente despertas, sendo que uma delas se poupa de qualquer esforço muscular e qualquer impressão sensorial que possam impedi-la de concentrar a atenção sobre a própria atividade psíquica.

Como se sabe, ser ou não hipnotizado depende da vontade do paciente, não obstante toda a habilidade do médico, e muitos indivíduos neuróticos não podem ser hipnotizados com nenhum procedimento, de maneira que o abandono da hipnose garantiu a aplicabilidade do tratamento a um número ilimitado de pacientes. Por outro lado, faltava a ampliação da consciência, que fornecera ao médico justamente o material psíquico de recordações e ideias mediante o qual se podia realizar a transformação dos sintomas e a liberação dos afetos. Não se achando um substituto para isso, a intervenção terapêutica estava fora de questão.

Um substituto desses, inteiramente satisfatório, Freud encontrou nos pensamentos espontâneos dos pacientes, isto é, nos pensamentos involuntários, geralmente vistos como inoportunos e por isso descartados em circunstâncias normais, que costumam perturbar a trama de uma exposição deliberada. A fim de apoderar-se desses pensamentos, ele solicita aos pacientes que se deixem levar nessas comunicações, "como se faz numa conversa em que se pula de um assunto a outro". Antes de lhes pedir um relato minucioso da história de sua doença, ele insiste em que falem tudo o que lhes passar pela cabeça, mesmo quando acharem que é insignificante ou não vem ao caso, ou não tem sentido; enfatiza sobretudo que não devem excluir nenhum pensamento ou associação porque relatá-lo lhes seria penoso ou vergonhoso. Ao procurar reunir esse material normalmente negligenciado, Freud fez as observações que se tornaram decisivas para toda a sua concepção. Aparecem lacunas na recordação do paciente já enquanto ele relata sua história clínica: eventos reais são esquecidos, a ordem cronológica é alterada ou nexos causais são rompidos, com resultados incompreensíveis. Não existe caso clínico neurótico sem amnésia de alguma espécie. Se instamos o narrador a preencher essas lacunas da memória com maior esforço da atenção, notamos que os pensamentos que então lhe ocorrem são rechaçados com todos os recursos da crítica, até que ele sente um franco mal-estar quando a recordação se apresenta de fato. Dessa experiência Freud concluiu que as amnésias são o resultado de um processo que ele denominou *repressão*, cujo motivo enxergou em sensações de desprazer. As forças psíquicas que provocaram essa repressão são percebidas, segundo ele, na *resistência* que surge contra a recuperação [da lembrança].

O fator da resistência tornou-se um dos fundamentos de sua teoria. Os pensamentos espontâneos que costumam ser dispensados com todo tipo de pretextos (como aqueles mencionados acima), Freud os vê como derivados dos produtos psíquicos reprimidos (pensamentos e impulsos), como deformações destes, em virtude da resistência que existe à sua reprodução.

Quanto maior a resistência, mais ampla é a deformação. Nesta relação dos pensamentos não intencionais com o material psíquico reprimido é que reside o seu valor para a técnica terapêutica. Quando se tem um procedimento que possibilita chegar ao material reprimido partindo dos pensamentos espontâneos, ao material deformado partindo das deformações, pode-se tornar acessível à consciência, mesmo sem hipnose, o que antes era inconsciente na vida psíquica.

Com base nisso, Freud desenvolveu uma *arte da interpretação*, que tem a tarefa de, por assim dizer, extrair do mineral bruto das ideias não intencionais o metal dos pensamentos reprimidos. O objeto desse trabalho interpretativo não são apenas os pensamentos espontâneos dos pacientes, mas também seus sonhos, que permitem o acesso mais direto ao conhecimento do inconsciente, seus atos não intencionais, não planejados (atos sintomáticos) e os erros nas ações cotidianas (lapsos de fala, confusões etc.). Os detalhes dessa técnica de interpretação ou tradução ainda não foram publicados por Freud. São, conforme ele indicou, uma série de regras, obtidas empiricamente, de como o material inconsciente pode ser construído a partir dos pensamentos espontâneos, instruções sobre como entender o fato de os pensamentos não ocorrerem, e observações sobre as resistências típicas mais importantes que se apresentam no curso de um tratamento desses. Um volumoso livro sobre a *Interpretação dos sonhos*, publicado por Freud em 1900, pode ser visto como precursor de tal introdução à técnica.

Talvez se conclua, dessas indicações sobre a técnica do método psicanalítico, que o seu inventor submeteu-

-se a um esforço inútil e fez mal em abandonar o não tão complicado procedimento hipnótico. Mas, por um lado, a técnica psicanalítica é bem mais fácil de se praticar, uma vez aprendida, do que parece por uma descrição; por outro lado, nenhum outro caminho leva à meta desejada, de maneira que o caminho trabalhoso ainda é o mais curto. A objeção que fazemos à hipnose é que ela encobre a resistência e, desse modo, interdita ao médico a visão do jogo das forças psíquicas. Mas ela não acaba com a resistência, apenas a evita e, por isso, proporciona informações incompletas e sucessos transitórios.

A tarefa que o método psicanalítico se esforça em realizar pode ser expressa de formas diversas, que, no entanto, se equivalem na essência. Pode ser colocada assim: a tarefa do tratamento é remover as amnésias. Quando todas as lacunas de recordação são preenchidas, todos os produtos misteriosos da vida psíquica são elucidados, torna-se impossível o prosseguimento ou mesmo a renovação da doença. Essa precondição pode ser formulada de outra maneira: todas as repressões devem ser desfeitas; o estado psíquico é, então, o mesmo daquele em que todas as amnésias são preenchidas. Há esta outra formulação, mais ampla: a questão é tornar o inconsciente acessível à consciência, o que sucede pela superação das resistências. Não se pode esquecer, porém, que esse estado ideal não existe tampouco na pessoa normal, e que raramente se consegue levar o tratamento a esse ponto. Assim como saúde e enfermidade não são distintas em princípio, mas separadas apenas por um limite quantitativo determinado na prática, assim também jamais teremos como objetivo do tratamento outra coisa que não a recuperação prática do paciente, o restabelecimento de sua capacidade de realização e de fruição. Numa terapia incompleta, ou de êxito parcial, obtém-se uma melhora significativa do estado psíquico geral, enquanto os sintomas podem prosseguir, mas com menor importância para o paciente, sem marcá-lo como um doente.

Excetuando pequeninas modificações, o procedimento terapêutico é o mesmo para todos os quadros sintomáticos da multiforme histeria e para todas as formações da neurose obsessiva. Mas não se pode dizer que a sua aplicação seja irrestrita. A natureza do método psicanalítico gera indicações e contraindicações, tanto no que se refere às pessoas a serem tratadas como no que toca ao quadro clínico. Os mais favoráveis, para a psicanálise, são os casos crônicos de psiconeuroses com sintomas pouco violentos ou perigosos, ou seja, primeiramente todas as espécies de neurose obsessiva, de pensamento e atividade obsessivos, e casos de histeria em que têm papel principal as fobias e abulias; mas também todas as formas somáticas da histeria, desde que a tarefa principal do médico não seja, como na anorexia, a rápida eliminação dos sintomas. Em casos agudos de histeria será preciso aguardar um estágio mais tranquilo; em todos os casos em que predomina o esgotamento nervoso, evitar-se-á um procedimento que por si mesmo exige esforço, traz apenas avanços lentos e durante algum tempo não pode levar em conta a persistência dos sintomas.

A pessoa que quiser submeter-se proveitosamente à psicanálise deve satisfazer vários requisitos. Primeiro, precisa ser capaz de ter um estado psíquico normal; em períodos de confusão ou de depressão melancólica nada se consegue, mesmo em caso de histeria. Além disso, pode-se requerer dela alguma medida de inteligência natural e de desenvolvimento ético; com indivíduos sem valor, logo o médico perde o interesse que o torna capaz de se aprofundar na vida psíquica do paciente. Acentuadas deformações do caráter, traços de constituição realmente degenerada se revelam, durante a terapia, fontes de resistências dificilmente superáveis. Nisso a constituição verdadeiramente estabelece um limite para a possibilidade de cura mediante a psicoterapia. Também uma idade próxima dos cinquenta anos cria condições desfavoráveis para a psicanálise. A massa de material psíquico já não pode ser dominada, o tempo necessário para a recuperação se torna muito longo, e a capacidade de desfazer os processos psíquicos começa a fraquejar.

Apesar de todas essas restrições, o número de pessoas aptas a fazer psicanálise é muito grande, e a ampliação de nosso conhecimento terapêutico mediante esse procedimento é, segundo Freud, bastante considerável. Freud requer períodos longos, de seis meses a três anos, para um tratamento efetivo; mas ele informa que até hoje, graças a circunstâncias diversas, que facilmente podem ser imaginadas, só pôde experimentar seu tratamento em casos graves, em pessoas adoecidas havia muitos anos e incapacitadas para a vida, que, desiludidas de todos os tratamentos, buscaram como que um último refúgio em seu procedimento novo e muito questionado. Em casos de doença mais leve, a duração do tratamento seria bem mais curta e se obteria uma grande vantagem em termos de prevenção futura.

PSICOTERAPIA (1905)

TÍTULO ORIGINAL: "ÜBER PSYCHOTHERAPIE". PUBLICADO PRIMEIRAMENTE NA REVISTA *WIENER MEDIZINISCHEN PRESSE*, PP. 9-16. ORIGINALMENTE UMA CONFERÊNCIA, PROFERIDA NO COLÉGIO MÉDICO DE VIENA EM DEZEMBRO DE 1904. TRADUZIDO DE *GESAMMELTE WERKE* V, PP. 13-26. TAMBÉM SE ACHA EM *STUDIENAUSGABE. ERGÄNZUNGSBAND* [VOLUME COMPLEMENTAR], PP. 107-19.

PSICOTERAPIA

Caros senhores: Cerca de oito anos atrás, a convite do seu falecido presidente, professor Von Reder, tive a oportunidade de lhes falar sobre o tema da histeria. Pouco antes (1895), eu havia publicado, em colaboração com o dr. Josef Breuer, os *Estudos sobre a histeria*, e, com base no novo conhecimento que devemos a esse pesquisador, havia tentado introduzir um novo modo de tratamento das neuroses. Felizmente posso afirmar que o esforço de nossos *Estudos* foi bem-sucedido; as ideias neles defendidas, sobre o efeito produzido pelos traumas psíquicos mediante a retenção de afeto e a concepção dos sintomas histéricos como resultados de uma excitação transposta do âmbito psíquico para o físico — ideias para as quais utilizamos os termos "ab-reação" e "conversão" — são geralmente conhecidas e compreendidas agora. Não há, ao menos nos países de língua alemã, nenhuma descrição da histeria que não as leve em conta em alguma medida, e nenhum colega profissional que não as compartilhe até certo ponto, no mínimo. Contudo, essas teses e esses termos devem ter parecido estranhos quando ainda eram novos!

O mesmo não posso dizer do procedimento terapêutico que foi sugerido aos colegas ao mesmo tempo que nossa teoria. Ainda hoje ele luta por reconhecimento. Pode-se invocar razões especiais para isso. A técnica do procedimento ainda não estava desenvolvida naquele tempo; não fui capaz de fornecer ao leitor médico daquele livro as instruções que o teriam habilitado a realizar inteiramente um tratamento assim. Porém, não há dúvida de que motivos de natureza geral também colaboraram. Para muitos médicos, ainda hoje a psicoterapia é um produto do misticismo moderno e, comparada a nossos meios terapêuticos físico-químicos, cuja aplicação se baseia em conhecimentos fisiológicos, parece francamente não científica, indigna do interesse de um pesquisador. Permitam-me expor-lhes a causa da psicoterapia e assinalar o que pode ser visto como injusto ou equivocado nessa condenação.

Deixem-me lembrar-lhes, primeiramente, que a psicoterapia não é um método de tratamento moderno. Pelo contrário, é a mais velha terapia que a medicina utilizou. Na instrutiva obra de Löwenfeld, *Lehrbuch der gesamten Psychotherapie* [Manual de psicoterapia geral, 1897], os senhores poderão verificar os métodos da medicina antiga e moderna, e terão de classificar a maioria deles como psicoterapia. A fim de obter a cura, os doentes eram induzidos a um estado de "expectativa crédula", que ainda hoje faz a mesma coisa para nós. Mesmo depois que os médicos encontraram outros remédios, esforços psicoterapêuticos de algum tipo nunca faltaram na medicina.

Em segundo lugar, chamarei sua atenção para o fato de que nós, médicos, também não podemos abandonar a psicoterapia, pela simples razão de que a outra parte a ser considerada no processo de cura — o paciente — não tem a menor intenção de fazê-lo. Os senhores sabem dos esclarecimentos que, a propósito disso, devemos à escola de Nancy (Liébault, Bernheim). Um fator que depende da predisposição psíquica do paciente influi, à revelia da nossa intenção, sobre o efeito de todo procedimento terapêutico iniciado pelo médico, geralmente num sentido favorável, mas muitas vezes de forma inibidora. Aprendemos a usar o temo "sugestão" para esse fato, e Moebius nos ensinou que a ausência de confiabilidade que lamentamos em muitas de nossas terapias se explica justamente pela ação perturbadora desse potente fator. Assim, todos nós, médicos, os senhores inclusive, estamos continuamente praticando psicoterapia, mesmo quando não o sabemos e não pretendemos fazê-lo; mas constitui uma desvantagem, na atuação sobre o paciente, deixar inteiramente nas mãos dele o fator psíquico. Dessa maneira este se torna incontrolável, insuscetível de dosagem ou intensificação. Não é então um esforço justificado, por parte do médico, buscar apoderar-se desse fator, servir-se dele intencionalmente, dirigi-lo e fortalecê-lo? É isso, nada mais que isso, que a psicoterapia científica propõe aos senhores.

Em terceiro lugar, caros colegas, quero lembrar-lhes a observação, há muito tempo conhecida, de que determinadas doenças, em especial as psiconeuroses, são muito mais acessíveis a influências psíquicas do que a qualquer outra forma de medicação. Não é uma afirmação moderna, mas uma sentença dos médicos antigos, a de que tais doenças não são curadas pelo medicamento, e sim pelo médico, ou seja, a personalidade do médico, na medida em que ele exerce influência psíquica por meio dela. Bem sei, caros colegas, que entre os senhores goza de estima aquela opinião que Vischer, o professor de estética, expressou classicamente em sua paródia do *Fausto*:

Ich weiß, das Physikalische
Wirkt öfters aufs Moralische.
[Eu sei, o (elemento) físico,
Com frequência, influi sobre o moral.]*

Mas não seria mais apropriado dizer — e não ocorre mais frequentemente — que se pode influir sobre o lado moral de uma pessoa com meios morais, isto é, psíquicos?

Há muitos tipos de psicoterapia e meios de praticá--la. Todos os que levam à cura são bons. As habituais palavras de consolo, "Logo você estará bom!", que dispensamos prodigamente aos pacientes, correspondem a um dos métodos psicoterapêuticos; mas, tendo uma compreensão mais aprofunda da natureza das neuroses, já não precisamos nos limitar a esse consolo. Desenvolvemos a técnica da sugestão hipnótica, da psicoterapia baseada na distração, no exercício, na evocação de afetos convenientes. Não menosprezo nenhuma delas, e em circunstâncias adequadas utilizaria todas. Se na realidade me limitei a um só procedimento, ao método que Breuer denominou *catártico*, que eu prefiro chamar de *analítico*, motivos puramente subjetivos foram determinantes para isso. Em virtude de minha participação na gênese dessa terapia, sinto a obrigação pessoal de me dedicar à sua pesquisa e ao desenvolvimento de sua técnica. Posso afirmar que o método analítico de psicoterapia é aquele que tem efeito mais penetrante, que tem alcance maior,

---

* F. T. Vischer (1807-87), *Fausto: Parte III da Tragédia* (cena 4).

mediante o qual se obtém a mais substancial mudança no paciente. Deixando por um momento o ponto de vista terapêutico, posso alegar que ele é o mais interessante, o único a nos ensinar algo sobre a gênese e a inter-relação dos fenômenos patológicos. Dada a compreensão do mecanismo da doença psíquica que ele nos permite, talvez seja o único método capaz de conduzir além de si mesmo e nos indicar a via para outras formas de influência terapêutica.

Com relação a esse método catártico ou analítico de psicoterapia, permitam-me agora corrigir alguns erros e fornecer alguns esclarecimentos.

a) Noto que esse método é frequentemente confundido com o tratamento por sugestão hipnótica, pois sucede, com relativa frequência, que colegas que normalmente não me confiam seus casos me enviam pacientes — refratários, sem dúvida —, solicitando que os hipnotize. Ora, há cerca de oito anos não uso a hipnose para fins terapêuticos (excetuando uns experimentos isolados), e costumo enviar de volta esses casos, dizendo que quem se fia na hipnose deve utilizá-la ele próprio. Na verdade, entre a técnica da sugestão e a analítica há o maior contraste possível, aquela oposição que o grande Leonardo da Vinci, em relação às artes, resumiu nas expressões *per via di porre* e *per via di levare*. A pintura, diz Leonardo, trabalha *per via di porre* [pondo]; ela aplica pequeninos montes de cores onde não os havia, na tela em branco; já a escultura procede *per via di levare* [tirando], ela retira da pedra tudo o que cobre a superfície da estátua nela contida.* De modo bem semelhante, meus senhores, a técnica sugestiva procura atuar *per via di porre*, não se interessa por origem, força e significado dos sintomas patológicos, e sim acrescenta algo, a sugestão, da qual espera que seja forte o bastante para impedir que a ideia patogênica adquira expressão. Já a terapia analítica não deseja acrescentar ou introduzir algo novo, mas sim retirar, extrair, e para isso cuida da gênese dos sintomas doentios e do contexto psíquico da ideia patogênica, cuja remoção é seu objetivo. Por esse caminho de investigação ela fomentou significativamente a nossa compreensão. Se logo abandonei a técnica de sugestão e, com ela, a hipnose, foi porque me desesperancei de tornar a sugestão algo forte e durável, como era necessário para a cura permanente. Em todos os casos severos, vi que a sugestão aplicada se desfazia novamente, e a doença ou um substituto desta retornava. Também faço a essa técnica a objeção de nos impedir a compreensão do jogo das forças psíquicas, de, por exemplo, não nos deixar perceber a *resistência* com que o paciente se apega à sua doença, com que, portanto, se opõe ao seu restabelecimento, e que é a única coisa que possibilita o entendimento de sua conduta na vida.

b) Parece-me bastante difundido, entre os colegas, o erro de achar que é fácil e natural a técnica de inves-

---

* Cf. Leonardo, *Trattato della pittura*: "[...] *esso scultore solo leva, ed il pittore sempre pone; lo scultore sempre leva di una sola materia, e il pittore sempre pone di varie materie*" (§39 segundo Ludwig, §35 segundo Borzelli).

tigar as origens da doença e, mediante essa pesquisa, eliminar suas manifestações. É o que concluo do fato de nenhum dos muitos profissionais que se interessam por minha terapia e fornecem juízos seguros sobre ela me haver jamais perguntado como procedo. A única razão que pode haver para isso é eles acharem que não há o que perguntar, que a coisa é evidente por si mesma. Às vezes também escuto, assombrado, que nesse ou naquele departamento de um hospital um médico jovem recebeu do seu superior a tarefa de realizar uma "psicanálise" numa histérica. Estou certo de que não o encarregariam de examinar um tumor extirpado sem antes assegurar-se de que tem familiaridade com a técnica da histologia. Também me chega a notícia de que tal colega marca sessões com um paciente, para fazer um tratamento psíquico com ele, quando sei muito bem que ele não conhece a técnica de uma terapia dessas. Deve ter a expectativa de que o paciente o brinde com seus segredos, ou busca a cura em alguma espécie de confissão ou revelação. Não me surpreenderia se o doente assim tratado tivesse antes prejuízo que benefício. Pois o instrumento psíquico não é tão fácil de ser tocado. Nessas ocasiões me lembro das palavras de um neurótico bastante famoso, que nunca foi tratado por nenhum médico, é verdade, tendo existido apenas na imaginação de um poeta. Refiro-me ao príncipe Hamlet, da Dinamarca. O rei enviou dois cortesãos, Rosenkranz e Guildenstern, para que o interroguem e lhe arranquem o segredo de seu abatimento. Ele os rechaça; nesse ponto, flautas são trazidas ao palco. Hamlet apanha uma flauta e pede a um dos seus atormentadores que a toque, dizendo que é tão fácil quanto mentir. O cortesão se recusa, pois não sabe nenhum acorde, e, como não pode ser movido a tentar, Hamlet exclama, por fim:

"Agora vejam que coisa pouca fazem de mim! Querem me tocar; [...] querem extrair o coração do meu mistério; gostariam de fazer soar desde a minha nota mais baixa até o alto do meu registro; e há muita música, há excelente voz neste pequeno órgão; mas não conseguem fazê-lo falar. *Diacho, creem que sou mais fácil de ser tocado do que uma flauta? Chamem-me do instrumento que quiserem; por mais que insistam, de mim não obterão nenhum som*".

(Ato III, cena 2)

c) Os senhores terão percebido, por algumas de minhas observações, que o tratamento analítico possui vários atributos que o distanciam de uma terapia ideal. *Tuto, cito, iucunde* [seguro, rápido, agradável];* a indagação e a busca não apontam para resultados rápidos, e a menção da resistência deve levá-los a esperar coisas desagradáveis. Sem dúvida, o tratamento psicanalítico faz grandes exigências tanto ao paciente como ao médico; do primeiro requer o sacrifício que é a sinceridade total, consome-lhe muito tempo e, portanto, é também custoso; para o médico, igualmente toma tempo e é um tanto laborioso, por

---

* Cf. Aulo Cornélio Celso (séc. I d.C.), *De medicina*, III, 4,1: "Esculápio diz que o oficio do médico é curar de modo seguro, rápido e agradável".

causa da técnica que ele tem de aprender e praticar. Acho plenamente justificado utilizar métodos terapêuticos mais cômodos, desde que se tenha a perspectiva de obter algo com eles. Esse é o único ponto decisivo; conseguindo-se, com o procedimento mais trabalhoso e demorado, sensivelmente mais do que com o mais breve e mais fácil, o primeiro se justifica, apesar de tudo. Considerem, senhores, como a terapia de Finsen para o lúpus é mais incômoda e custosa do que a cauterização e raspagem antes habitual; e, no entanto, significa um enorme progresso, pois realiza mais, obtém uma cura radical. Não quero levar a comparação a extremos, mas o método psicanalítico pode reivindicar prerrogativa semelhante. Na realidade, só pude elaborar e experimentar o meu método terapêutico em casos graves ou gravíssimos; inicialmente meu material consistiu apenas de doentes que haviam tentado tudo e passado anos em sanatórios. Não cheguei a reunir experiência bastante para poder lhes dizer como age minha terapia naquelas doenças mais leves, episódicas, que vemos sarar sob as influências mais diversas e também de modo espontâneo. A terapia psicanalítica foi criada com e para doentes duradouramente incapazes de viver, e seu triunfo é tornar bom número deles duradouramente capazes de viver. Diante desse êxito, todo esforço parece pequeno. Não podemos esconder de nós próprios o que costumamos negar perante o paciente: que uma neurose grave não tem menor importância, para o indivíduo que dela sofre, do que uma caquexia ou alguma das temidas doenças maiores.

d) É difícil apontar de maneira definitiva as indicações e contraindicações desse tratamento, por causa das muitas limitações práticas a que esteve sujeita a minha atividade. Mas procurarei elucidar alguns pontos com os senhores:

1) Não se deixe de considerar, por causa da doença, o valor do indivíduo como um todo, e recusem-se os doentes que não têm certo grau de educação e um caráter razoavelmente confiável. Não se deve esquecer de que também há pessoas sadias que nada valem, e que facilmente nos inclinamos a atribuir à doença, nesses indivíduos inferiores, tudo o que os torna incapazes de viver, quando mostram um sinal qualquer de neurose. Sustento que a neurose não marca absolutamente o seu portador como *dégénéré* [degenerado], mas que frequentemente se acha associada aos fenômenos da degeneração no mesmo indivíduo. Ora, a psicoterapia analítica não é um procedimento para tratar a degeneração neuropática; pelo contrário, encontra nesta o seu limite. Também não se aplica a pessoas que não se sentem levadas à terapia por seus próprios sofrimentos, mas que a ela se submetem por imposição dos parentes. Quanto ao atributo essencial para que se possa utilizar o tratamento psicanalítico, a educabilidade do paciente, nós ainda o discutiremos de outro ponto de vista.

2) Para proceder de modo seguro, deve-se limitar a escolha a indivíduos que têm uma condição normal, pois é a partir desta que no procedimento psicanalítico nos apoderamos do que neles é patológico. Psicoses, estados de confusão e de abatimento profundo (tóxico, poderia dizer) também são inadequados para a psicanálise, ao menos tal como ela é praticada até agora. Mas não excluo absolutamente a possibilidade de, com uma mudança adequada no procedimento, superarmos essa contraindicação e empreendermos uma psicoterapia das psicoses.

3) A idade dos pacientes também conta na seleção para o tratamento analítico, na medida em que, próximo ou depois dos cinquenta anos, costuma faltar a plasticidade dos processos psíquicos de que depende a terapia — as pessoas idosas não são mais educáveis —, e o material a ser trabalhado prolongaria indefinidamente o tratamento. O limite mínimo de idade pode ser determinado apenas individualmente, com frequência, pré-adolescentes são otimamente influenciáveis.

4) Não se deve recorrer à psicanálise quando se trata de eliminar rapidamente manifestações ameaçadoras, como uma anorexia histérica, por exemplo.

Os senhores acharão que a esfera de aplicação da psicoterapia analítica é bastante limitada, pois até agora ouviram apenas contraindicações. No entanto, restam casos e tipos de doenças suficientes em que se pode experimentar essa terapia: todas as formas crônicas de histeria com manifestações residuais, o amplo terreno dos estados obsessivos, abulias etc.

É gratificante que dessa maneira possamos ajudar sobretudo as pessoas que são justamente as mais valiosas e mais desenvolvidas. Mas, nos casos em que pouco foi possível fazer com a terapia analítica, podemos seguramente afirmar que nenhum outro tratamento obteria alguma coisa.

e) Os senhores certamente me perguntarão sobre a possibilidade de fazer mal aplicando a psicanálise. A isso responderei que, se quiserem julgar de modo equânime, abordando esse procedimento com a mesma benevolência crítica que reservam para nossos outros métodos terapêuticos, partilharão minha opinião de que não se há de temer algum mal para o paciente numa terapia analítica realizada com compreensão. Provavelmente julgará de outra forma quem, sendo leigo, está acostumado a imputar ao tratamento tudo o que ocorre numa doença. Afinal, não faz muito tempo que nossos institutos de hidroterapia eram alvo de preconceito semelhante. Vários pacientes, a quem recomendávamos procurar uma instituição dessas, hesitavam porque tinham um conhecido que nela ingressou como doente dos nervos e lá se tornou maluco. Eram casos, como os senhores imaginam, de paralisia geral incipiente, que ainda puderam ser enviados para um instituto de hidroterapia no estágio inicial, e que lá prosseguiram em seu curso inevitável até o distúrbio mental manifesto; para um leigo, a água era a culpada por essa triste mudança. Quando se trata de novos tipos de intervenção, tampouco os médicos estão livres desses erros de julgamento. Lembro-me de que uma vez experimentei a psicoterapia numa mulher que havia passado boa parte da existência alternando entre mania e melancolia. Eu assumi o caso no final de uma melancolia; por duas semanas as coisas pareciam ir bem, mas na terceira já estávamos no começo da mania. Era certamente uma mudança espontânea do quadro clínico, pois em duas semanas a psicoterapia analítica nada pode realizar, mas o eminente — já falecido — médico que juntamente comigo viu a paciente não pôde se furtar à observação de que a psicoterapia devia ser culpada por aquela "piora". Estou convencido de que ele teria mostrado maior discernimento crítico em outras condições.

f) Por fim, caros colegas, devo admitir que não é razoável solicitar sua atenção por tanto tempo, falando em prol da psicoterapia analítica, sem lhes dizer em que consiste e em que se baseia esse tratamento. Como tenho de ser breve, posso apenas fazer algumas referências. Essa terapia, então, baseia-se no entendimento de que ideias inconscientes — ou melhor, a natureza inconsciente de determinados processos psíquicos — são a causa imediata dos sintomas patológicos. Partilhamos essa convicção com a escola francesa (Janet), que, de resto, numa esquematização extrema, relaciona o sintoma histérico à *idée fixe* inconsciente. Mas não receiem que isso nos leve às profundezas da filosofia mais obscura. Nosso inconsciente não é exatamente o mesmo dos filósofos, e, além disso, a maioria deles não quer ouvir falar de "psique inconsciente". Colocando-se em nosso ponto de vista, porém, verão que a tradução desse material inconsciente da psique dos doentes em consciente terá por resultado corrigir seu desvio em relação ao normal e remover a compulsão que domina sua psique. Pois a vontade consciente não vai além dos processos psíquicos conscientes, e toda compulsão psíquica está fundamentada no inconsciente. Tampouco devem temer que o paciente seja ferido pelo abalo que a entrada do material inconsciente na consciência implica, pois podem convencer-se teoricamente de que o efeito somático e afetivo do impulso tornado consciente não pode jamais ser tão grande como o do inconsciente. Afinal, dominamos todos os nossos impulsos apenas aplicando a eles nossas funções mentais superiores, ligadas à consciência.

Mas os senhores também podem escolher outra perspectiva para a compreensão do tratamento psicanalítico. A revelação e tradução do inconsciente sucede sob contínua *resistência* por parte do doente. O emergir desse inconsciente é ligado ao desprazer, e por causa desse desprazer isso é sempre rejeitado por ele. É nesse conflito na psique do paciente que os senhores intervêm; se conseguirem levar o paciente a aceitar, pelo motivo de um melhor entendimento, aquilo que até agora rejeitou (reprimiu) em consequência da regulação automática do desprazer, então realizam nele certo trabalho educativo. Pois constitui educação induzir a sair da cama de manhã quem reluta em fazê-lo. Os senhores podem conceber o tratamento psicanalítico, de maneira bem ampla, como uma tal *reeducação para a superação de resistências interiores*. Mas em nenhum ponto essa reeducação é mais necessária, nos doentes dos nervos, do que no tocante ao elemento psíquico de sua vida sexual. Em nenhuma outra parte a civilização e a educação provocaram tamanho dano, e aí também se acham, como a experiência lhes mostrará, as etiologias influenciáveis das neuroses; pois o outro elemento etiológico, o aporte constitucional, nós recebemos como algo imutável. Mas disso resulta uma exigência importante para o médico. Não apenas seu caráter deve ser íntegro — "O que é moral é evidente", como diz o protagonista do romance *Auch Einer*, de Theodor Vischer —; ele também precisa haver superado, em sua própria pessoa, a mescla de concupiscência e hipocrisia com que muitos, infelizmente, estão acostumados a defrontar os problemas sexuais.

Aqui talvez seja o lugar para mais uma observação. Sei que se tornou conhecida a ênfase que dou ao papel da sexualidade na gênese das psiconeuroses. Mas também sei que delimitações e especificações têm pouca serventia para o grande público; na memória da multidão há espaço para pouco, ela retém apenas o âmago aproximado de uma afirmação, criando para si uma versão extrema fácil de recordar. Também é possível que alguns médicos entendam, como o teor de minha doutrina, que eu relaciono as neuroses à privação sexual, em última instância. Sem dúvida, essa não falta entre as condições de vida de nossa sociedade. Dado esse pressuposto, deve ser plausível evitar o caminho longo e laborioso do tratamento psíquico e buscar diretamente a cura, recomendando a atividade sexual como meio terapêutico! Não sei o que poderia me levar a suprimir essa conclusão, se ela fosse justificada. Mas a questão é outra. A necessidade e a privação sexuais são apenas um dos fatores que atuam no mecanismo da neurose; se fosse o único, o resultado não seria a doença, mas a dissipação. O outro fator, igualmente indispensável, e que é esquecido facilmente, é a aversão dos neuróticos ao sexo, sua incapacidade de amar, aquele traço psíquico que denominei "repressão". Somente do conflito entre as duas tendências é que nasce a enfermidade neurótica, e, portanto, recomendar atividade sexual raramente pode ser qualificado como um bom conselho nas psiconeuroses.

Deixem-me concluir com essa observação defensiva. Esperamos que seu interesse na psicoterapia, isento de todo preconceito hostil, venha a nos apoiar no esforço de obter resultados satisfatórios também no tratamento dos casos graves de psiconeuroses.

MEUS PONTOS DE VISTA SOBRE O PAPEL DA SEXUALIDADE NA ETIOLOGIA DAS NEUROSES (1906)

TÍTULO ORIGINAL: "MEINE ANSICHTEN ÜBER DIE ROLLE DER SEXUALITÄT IN DER ÄTIOLOGIE DER NEUROSEN" PUBLICADO PRIMEIRAMENTE EM L. LÖWENFELD, *SEXUALLEBEN UND NERVENLEIDEN*. WIESBADEN: BERGMANN, PP. 313-22. TRADUZIDO DE *GESAMMELTE WERKE* V, PP. 149-59. TAMBÉM SE ACHA EM *STUDIENAUSGABE* V, PP. 147-57.

O PAPEL DA SEXUALIDADE NA ETIOLOGIA DAS NEUROSES

Acredito que a melhor maneira de avaliar minha teoria sobre a importância etiológica do fator sexual nas neuroses é acompanhando sua evolução. Não pretendo absolutamente negar que ela passou por uma evolução e se transformou no curso desta. Meus colegas profissionais podem ver, nessa admissão, a garantia de que essa teoria não é outra coisa do que a sedimentação de uma experiência contínua e aprofundada. O que se origina da especulação, ao contrário, pode facilmente emergir de uma vez, completo, e permanecer inalterável.

Originalmente essa teoria dizia respeito apenas aos quadros patológicos reunidos sob a designação de "neurastenia", entre os quais me chamaram a atenção dois, que ocasionalmente aparecem como tipos puros e que caracterizei como "neurastenia propriamente dita" e "neurose de angústia". Sempre se soube que fatores sexuais podem ter um papel na causação dessas formas de doença, mas não se achava que eles atuam regularmente nem se pensava em lhes conceder a primazia diante de outras influências etiológicas. Inicialmente me surpreendeu a frequência de distúrbios graves na *vita sexualis* dos neuróticos; quanto mais eu me punha a procurar tais distúrbios — não esquecendo que todas as pessoas escondem a verdade em questões sexuais —, e quanto mais habilidade adquiria em prosseguir na demanda, apesar da negação inicial dos pacientes, mais constantemente surgiam tais fatores patogênicos oriundos da vida sexual, até que me pareceu faltar pouco para que fossem universais. Mas desde logo foi preciso levar em conta que irregularidades sexuais sucedem com igual frequência por pressão das condições sociais, e permaneceu a dúvida quanto ao grau de desvio da função sexual normal que podia ser considerado patogênico. Por isso, dei menos valor à evidência regular de transtornos sexuais do que a outra descoberta, que me pareceu mais clara. Verificou-se que a forma tomada pela doença — neurastenia ou neurose de angústia — mostrava relação constante com a natureza do distúrbio sexual. Nos casos típicos de neurastenia, encontrava-se a masturbação regular ou a poluição frequente; na neurose de angústia, havia fatores como o *coitus interruptus*, a "excitação frustrada" e outros, em que o elemento comum parecia ser a descarga insuficiente da libido produzida. Somente após essa descoberta, fácil de se fazer e que pode ser confirmada à vontade, é que tive a coragem de reivindicar para as influências sexuais uma posição privilegiada na etiologia das neuroses. Além disso, nas frequentes formas mistas de neurastenia e neurose de angústia também se podia assinalar uma mistura das etiologias que eu havia suposto para as duas formas distintas, e essa divisão no modo de manifestação da neurose parecia se harmonizar bem com o caráter polar (masculino e feminino) da sexualidade.

Ao mesmo tempo que atribuía à sexualidade essa importância na gênese das neuroses simples,[1] eu sustentava, em relação às psiconeuroses (histeria e ideias obsessivas), uma teoria puramente psicológica, em que o fator sexual

---

[1] "Sobre os motivos para separar da neurastenia determinado complexo de sintomas, designado como 'neurose de angústia'", *Neurologisches Zentralblatt*, 1895.

não contava mais do que outras fontes emocionais. Juntamente com Josef Breuer, e prosseguindo observações que ele havia feito numa paciente histérica dez anos antes, estudei o mecanismo da gênese de sintomas histéricos mediante o despertar de lembranças em estado hipnótico, e chegamos a conclusões que permitiam fazer uma ponte entre a histeria traumática de Charcot e aquela comum, não traumática.[2] Formamos a concepção de que os sintomas histéricos são efeitos duradouros de traumas psíquicos, em que a grandeza de afeto que lhes corresponde foi impedida de elaboração consciente e, por isso, trilhou o caminho anormal da inervação somática. As expressões "afeto estrangulado", "conversão" e "ab-reação" resumem o que é característico desta concepção.

Porém, dadas as relações entre as psiconeuroses e as neuroses simples, tão estreitas que o diagnóstico diferencial nem sempre é fácil para o profissional inexperiente, tinha de acontecer que o conhecimento adquirido num âmbito se estendesse também ao outro. Além disso, e sem levar em conta essa influência, o aprofundamento no mecanismo psíquico dos sintomas histéricos levou ao mesmo resultado. Quando, no procedimento "catártico" que Breuer e eu introduzimos, investigava-se cada vez mais os traumas psíquicos de que derivavam os sintomas histéricos, chegava-se finalmente a vivências que pertenciam à infância do paciente e diziam respeito à sua vida sexual, e isso também nos casos em que a irrupção da doença fora ocasionada por uma emoção banal, de na-

---

2 *Estudos sobre a histeria*, 1895.

tureza não sexual. Sem considerar esses traumas sexuais da infância não se podia elucidar os sintomas — compreender como foram determinados — nem impedir sua recorrência. Desse modo, a importância incomparável das vivências sexuais na etiologia das psiconeuroses pareceu estabelecida indubitavelmente, e esse fato permaneceu, até hoje, como um dos pilares da teoria.

Se formularmos essa teoria dizendo que a causa da neurose histérica, que dura toda a vida, está nas vivências sexuais da primeira infância, em geral insignificantes, ela certamente parecerá estranha. Mas, se considerarmos o desenvolvimento histórico da teoria e localizarmos seu conteúdo principal na tese de que a histeria é expressão de um comportamento particular da função sexual do indivíduo e esse comportamento já é, de forma decisiva, determinado pelas primeiras influências e vivências que atuam na infância, abandonaremos um paradoxo, mas conquistaremos um motivo para dar atenção aos efeitos posteriores das impressões infantis, extremamente significativos e até agora bastante negligenciados.

Deixo para abordar mais adiante, de modo mais cuidadoso, a questão de se é lícito encontrarmos nas vivências sexuais infantis a etiologia da histeria (e da neurose obsessiva), e retorno à configuração que a teoria assumiu em algumas pequenas publicações preliminares de 1895 e 1896.[3] Naquele momento, a ênfase dada aos fatores etio-

---

[3] "Novas observações sobre as neuropsicoses de defesa", *Neurologisches Zentralblatt*, 1896; "A etiologia da histeria", *Wiener klinische Rundschau*, 1896.

lógicos supostos permitiu contrapor as neuroses comuns, enquanto doenças com etiologia atual, às psiconeuroses, cuja etiologia devia ser buscada sobretudo nas vivências sexuais de outrora. A teoria culminava nesta tese: na *vita sexualis* normal é impossível a neurose.

Embora ainda hoje eu não veja como erradas tais afirmações, não é de admirar que em dez anos de continuado esforço em compreender esses fenômenos eu tenha ultrapassado em boa medida a minha posição de então, e agora me acredite capaz de corrigir, mediante uma experiência aprofundada, as deficiências, os deslocamentos e mal-entendidos de que sofria então a teoria. O material ainda escasso daquele tempo me trouxe um número desproporcionalmente grande de casos em que a sedução sexual por parte de um adulto ou de outras crianças maiores tinha relevante papel na infância do indivíduo. Superestimei a frequência desses acontecimentos (inquestionáveis, de resto), pois também não estava em condições, naquela época, de distinguir seguramente entre as enganosas recordações infantis dos histéricos e os traços dos eventos reais, e desde então aprendi a explicar muitas fantasias de sedução como tentativas de se defender da recordação da própria atividade sexual (masturbação infantil). Com esse esclarecimento descartou-se a ênfase no elemento "traumático" das vivências sexuais infantis, e restou a compreensão de que a atividade sexual infantil (espontânea ou provocada) prescreve a direção que será tomada pela vida sexual após o amadurecimento. A mesma explicação, que corrigia o mais significativo de meus erros iniciais, também mudaria necessariamente a concepção do mecanismo dos sintomas histéricos. Estes já não se apresentavam como derivados diretos das lembranças reprimidas de vivências sexuais da infância; entre os sintomas e as impressões infantis se intercalavam as fantasias do paciente (lembranças imaginárias), em geral produzidas na puberdade, que se formavam a partir e em cima das recordações infantis, por um lado, e se transformavam diretamente nos sintomas, por outro lado. Apenas com a introdução desse elemento das fantasias histéricas tornou-se clara a trama da neurose e sua relação com a vida do paciente; também se verificou uma surpreendente analogia entre essas fantasias inconscientes dos histéricos e as invenções que na paranoia se tornam conscientes sob a forma de delírios.

Após essa correção, os "traumas sexuais infantis" foram como que substituídos pelo "infantilismo da sexualidade". Não estava longe uma segunda mudança na teoria original. Junto com a suposta frequência da sedução infantil descartou-se também a ênfase excessiva nas influências *acidentais* sobre a sexualidade, às quais eu quis atribuir o papel principal na causação da enfermidade, sem negar os fatores constitucionais e hereditários. Esperei inclusive resolver o problema da escolha da neurose, a decisão sobre que forma de psiconeurose acometeria o doente, mediante as particularidades das vivências sexuais infantis, e acreditei então — embora com reservas — que o comportamento passivo nessas cenas resultasse na predisposição específica para a histeria, e o ativo, naquela para a neurose obsessiva. Depois tive de abandonar totalmente essa concepção, embora alguns fatos exigissem que se mantivesse, de alguma forma, o suspeitado nexo entre passividade e histeria, atividade e neurose obsessiva. Com o recuo das influências acidentais ligadas às vivências, os fatores constitucionais e hereditários readquiriram a predominância, mas, diferentemente da opinião que vigorava de resto, para mim a "constituição sexual" tomava o lugar da predisposição neuropática geral. Em meus *Três ensaios sobre a teoria da sexualidade*, publicados recentemente (1905), procurei descrever as variadas formas assumidas por essa constituição sexual, assim como a natureza composta do instinto sexual e sua procedência de diferentes fontes no organismo.

Ainda como consequência da modificada concepção dos "traumas sexuais infantis", a teoria continuou a se desenvolver numa direção que já fora indicada em minhas publicações dos anos 1894-6. Já então, ainda antes de a sexualidade receber o lugar devido na etiologia, eu havia sustentado, como precondição para o efeito patogênico de uma vivência, que esta deveria ser intolerável para o Eu e provocar tentativas de defesa.[4] A essa defesa eu atribuíra a cisão psíquica — ou, como se dizia então, a cisão na consciência — da histeria. Se a defesa era bem-sucedida, a vivência intolerável e suas consequências afetivas eram expulsas da consciência e da lembrança do Eu. Em determinadas condições, porém, o que fora expulso desenvolvia sua atividade como algo então

---

4 "As neuropsicoses de defesa", *Neurologisches Zentralblatt*, 1894.

inconsciente, e retornava à consciência por meio dos sintomas e dos afetos a estes ligados, de modo que a doença correspondia a um fracasso da defesa. Essa concepção tinha o mérito de penetrar no jogo das forças psíquicas e, assim, aproximar os processos mentais da histeria daqueles normais, em vez de caracterizar a neurose como um distúrbio enigmático e não suscetível de maior análise.

Depois que novas indagações, sobre pessoas que haviam permanecido normais, deram o inesperado resultado de que a história sexual de sua infância não se distinguia essencialmente daquela dos neuróticos, de que sobretudo o papel da sedução era o mesmo, as influências acidentais recuaram mais ainda em relação à da "repressão" (como comecei a dizer, no lugar de "defesa").* O que interessava, portanto, não era o que um indivíduo havia experimentado de excitações sexuais na infância, mas principalmente a sua reação diante dessas vivências, se havia respondido a tais impressões com a "repressão" ou não. Nas práticas sexuais infantis espontâneas foi possível mostrar que com frequência, no curso do desenvolvimento, elas foram interrompidas por um ato de repressão. Assim, o indivíduo neurótico sexualmente maduro trazia consigo da infância, por via de

---

* Como observa James Strachey, o termo "repressão" (*Verdrängung*) surgiu primeiramente na "Comunicação preliminar" dos *Estudos sobre a histeria*, escritos em colaboração com Josef Breuer (1895), e muitos anos depois, em *Inibição, sintoma e angústia* (1926, caps. V e XI), Freud retomou a palavra "defesa" (*Abwehr*) para designar um fenômeno mais abrangente, do qual a "repressão" é um caso especial.

regra, um quê de "repressão sexual" que se manifestava por ocasião das exigências da vida real, e as psicanálises de histéricos mostravam que eles adoeciam como resultado do conflito entre a libido e a repressão sexual e que seus sintomas tinham o valor de compromissos entre as duas correntes psíquicas.

Sem uma discussão detalhada de minhas ideias sobre a repressão eu não poderei elucidar mais essa parte da teoria. Mas aqui deve bastar que eu remeta aos meus *Três ensaios sobre a teoria da sexualidade* (1905), onde procurei lançar alguma luz, ainda que tênue, sobre os processos somáticos em que se deve buscar a essência da sexualidade. Ali mostrei que a disposição constitucional sexual das crianças é muito mais variada do que se podia esperar, que ela merece ser chamada de "polimorficamente perversa" e que dela provém, mediante a repressão de determinados componentes, a assim chamada conduta normal da função sexual. Assinalando as características infantis da sexualidade, pude estabelecer uma conexão simples entre saúde, perversão e neurose. A norma resultava da repressão de determinados instintos parciais e componentes da disposição infantil e da subordinação dos demais à primazia das zonas genitais a serviço da função procriadora; as perversões correspondiam a distúrbios nesta síntese, pelo desenvolvimento forte, como que compulsivo, de alguns desses instintos parciais, e a neurose estava relacionada a uma repressão excessiva das tendências libidinais. Como quase todos os instintos perversos da constituição infantil podem ser evidenciados como forças formadoras da neurose, mas nela se encontram no estado de repressão, pude designar a neurose como o "negativo" da perversão.

Devo ressaltar que, apesar de todas as mudanças, minhas concepções sobre a etiologia das psiconeuroses nunca rejeitaram ou abandonaram dois pontos de vista: a relevância da *sexualidade* e do *infantilismo*. De resto, influências acidentais foram substituídas por fatores constitucionais, e a "defesa", entendida de modo puramente psicológico, pela "repressão sexual" orgânica. Se alguém perguntar onde se acha uma prova concludente da alegada importância etiológica dos fatores sexuais nas psiconeuroses, dado que se vê tais doenças irromperem após emoções banais e até por razões somáticas, e foi preciso abandonar uma etiologia específica, na forma de vivências infantis particulares, responderei que a pesquisa psicanalítica dos neuróticos é a fonte de onde vem essa controvertida convicção. Quando se emprega esse insubstituível método de investigação, descobre-se que *os sintomas representam a atividade sexual dos pacientes*, total ou parcial, oriunda das fontes de instintos parciais normais ou perversos da sexualidade. Não apenas uma boa parte da sintomatologia histérica provém diretamente de manifestações da excitação sexual, não apenas uma série de zonas erógenas assume o significado de genitais na neurose, por intensificação de características infantis, mas inclusive os mais complicados sintomas se revelam como representações convertidas de fantasias que têm por conteúdo uma situação sexual. Quem sabe interpretar a linguagem da histeria pode perceber que a neurose diz respeito somente à sexualidade reprimida do paciente. Mas a função sexual deve ser entendida em sua correta extensão, circunscrita pela predisposição infantil. Quando uma emoção trivial tem de ser incluída entre as causas de uma doença, a análise costuma demonstrar que o infalível componente sexual da vivência traumática exerceu a ação patogênica.

Passamos, inadvertidamente, da questão das causas da psiconeurose ao problema de sua natureza. Querendo-se levar em conta o que aprendemos com a psicanálise, pode-se dizer apenas que a essência dessas enfermidades se acha em distúrbios dos processos sexuais, aqueles processos do organismo que determinam a formação e a utilização da libido sexual. Em última instância, dificilmente podemos deixar de imaginá-los como processos químicos, de modo que seria lícito ver nas chamadas "neuroses atuais" os efeitos somáticos dos distúrbios do metabolismo sexual, e nas psiconeuroses, os efeitos psíquicos desses mesmos distúrbios. A semelhança das neuroses com os fenômenos de intoxicação e de abstinência após o uso de certos alcaloides, e com as doenças de Basedow e de Addison, aparece facilmente na clínica, e, assim como não se pode mais descrever essas duas últimas enfermidades como "nervosas", também as verdadeiras neuroses, apesar do seu nome, talvez tenham de ser excluídas dessa categoria em breve.

Assim, pertence à etiologia das neuroses tudo o que pode agir de forma prejudicial sobre os processos que servem à função sexual. Em primeiro lugar, as patologias que afetam a própria função sexual, na medida em que sejam vistas como tais pela constituição sexual, que varia com a cultura e a educação. Em segundo lugar estão todas as demais patologias e traumas, que, sendo nocivas ao organismo em geral, secundariamente podem prejudicar os processos sexuais deste. Não esqueçamos, porém, que nas neuroses o problema da etiologia é tão complicado, pelo menos, quanto em outras enfermidades. Uma só influência patogênica quase nunca basta; geralmente são necessários múltiplos fatores etiológicos, que favoreçam uns aos outros e que, portanto, não devem ser contrapostos. Também por isso o estado de doença neurótica não se diferencia nitidamente daquele da sanidade. O adoecimento é resultado de uma soma, e a medida de precondições etiológicas pode ser completada a partir de qualquer direção. Buscar a etiologia das neuroses exclusivamente na hereditariedade ou na constituição seria tão unilateral quanto querer elevar à condição de único fator etiológico as influências acidentais que a sexualidade experimenta na vida, quando se chega ao esclarecimento de que a essência dessas enfermidades consiste apenas num distúrbio dos processos sexuais do organismo.

Viena, junho de 1905.

PERSONAGENS PSICOPÁTICOS NO TEATRO (1942 [1905 OU 1906])

TÍTULO ORIGINAL: "PSYCHOPATHISCHE PERSONEN AUF DER BÜHNE".
ESCRITO NO FINAL DE 1905 OU INÍCIO DE 1906. PUBLICADO
PRIMEIRAMENTE NUMA TRADUÇÃO INGLESA, EM *PSYCHOANALYTIC
QUARTERLY*, V. 11, OUT. 1942. TRADUZIDO DE *GESAMMELTE WERKE.
NACHTRAGSBAND* [VOLUME SUPLEMENTAR], PP. 656-61. TAMBÉM
SE ACHA EM *STUDIENAUSGABE* X, PP. 161-8.

NOTA: O texto "Tratamento psíquico (da alma)", que se encontra neste local no volume da edição *Standard* correspondente a este, é de 1890 — não de 1905, como se acreditava —, e será incluído no v. 1 destas *Obras completas*.

Se o objetivo de um drama teatral é despertar "medo e compaixão", gerar uma "purificação dos afetos", como se supõe desde Aristóteles, então podemos descrever tal intenção de modo mais minucioso, dizendo que se trata de abrir fontes de prazer ou fruição em nossa vida afetiva, assim como o elemento cômico, o chiste etc. o fazem na nossa atividade intelectual, a qual, de resto, torna inacessíveis muitas dessas fontes. É certo que nisso cabe mencionar, em primeiro lugar, o *desafogo* dos próprios afetos, e a fruição que daí resulta corresponde, por um lado, ao alívio proporcionado por uma descarga abundante e, por outro, à excitação sexual concomitante, que, é lícito supor, surge como ganho secundário a cada despertar de um afeto e dá ao indivíduo a tão desejada sensação de aumento de tensão em seu nível psíquico. Participar como espectador de um espetáculo propicia aos adultos o mesmo que a brincadeira às crianças, que assim satisfazem a tateante expectativa de poder fazer como os adultos. O espectador vivencia pouco, sente-se como "um pobre coitado a quem nada de grande acontece", que há muito é obrigado a amortecer — melhor, deslocar — a ambição de ter sua pessoa no centro da marcha do mundo; ele quer sentir, atuar, arranjar as coisas todas conforme seu desejo, em suma, quer ser herói, e os escritores e atores tornam isso possível, ao lhe permitir a *identificação* com um herói. Também lhe poupam algo com isso, pois o espectador sabe que conduzir-se heroicamente não é possível sem dores, sofrimentos e graves temores, que quase anulam a fruição; sabe também que possui apenas *uma* vida e que talvez pereça num só combate contra as adversidades. Daí a sua fruição ter como premissa uma ilusão, a atenuação do sofrimento pela certeza de que, primeiramente, é um outro que age e sofre ali no palco, e, em segundo lugar, de que se trata apenas de um jogo,* que não pode produzir dano algum à sua segurança pessoal. Em tais circunstâncias ele pode fruir a si mesmo como "um grande", ceder ousadamente a impulsos reprimidos, como à necessidade de liberdade no aspecto religioso, político, social e sexual, e "desafogar-se" em todas as direções, nos grandes cenários da vida ali representada.

Mas várias formas de expressão literária têm em comum essas precondições para serem fruídas. A poesia lírica serve sobretudo para desafogar sensações intensas e variadas, como fez a dança em certo tempo; a poesia épica deve possibilitar principalmente a fruição da grande personalidade heroica em suas vitórias, enquanto o drama visa descer mais fundo nas possibilidades afetivas, dar uma forma suscetível de fruição até às expectativas de infortúnio, e por isso mostra o herói na luta, ou antes, com satisfação masoquista, na derrota. Pode-se caracterizar o drama por essa relação com o sofrimento e a desdita, seja pelo fato de, como nas peças dramáticas, a preocupação ser apenas despertada e depois mitigada, seja, como nas tragédias, pelo fato de o sofrimento ser concretizado. A gênese do drama nos sacrifícios (de bode e de bode expiatório) do culto

* A palavra alemã *Spiel*, que corresponde à inglesa *play*, pode ser vertida por "brincadeira", "jogo", "execução musical" ou "representação teatral".

aos deuses não deixa de ter relação com esse sentido do drama, ele como que abranda a incipiente revolta contra o ordenamento divino do universo, que determinou o sofrimento. Os heróis são, antes de tudo, rebeldes que confrontam Deus ou algo divino, e deve ser extraído prazer da sensação de miséria do mais fraco ante o poder divino, por satisfação masoquista e fruição direta de uma personalidade cuja grandeza é enfatizada, contudo. É a atitude prometeica do ser humano, mesclada, porém, com a mesquinha disposição de se deixar atenuar por uma satisfação provisória.

Portanto, todas as espécies de sofrimento são tema do drama; é a partir delas que ele promete dar prazer à audiência, e disso resulta, como a primeira condição para essa forma de arte, que ele não faça o espectador sofrer, que saiba compensar, mediante as satisfações possíveis, a participação no sofrimento suscitada — uma regra que os autores recentes desobedeceram com frequência.

Mas esse sofrimento logo se limita ao sofrimento *psíquico*, pois é impossível desejar sofrer *fisicamente* quando se sabe que a sensação corporal assim alterada põe fim a toda fruição psíquica. Quem está doente tem um só desejo: ficar bom, deixar aquele estado; deve-se chamar o médico e o remédio, cessar a inibição do jogo da fantasia que nos acostumou mal a obter fruição de nosso próprio sofrimento. Se o espectador se põe no lugar de alguém fisicamente enfermo, não encontra em si mesmo nenhuma capacidade para a fruição e a atividade psíquica; por isso um indivíduo fisicamente enfermo é possível apenas como acessório no palco, não como herói, a menos que determinados aspectos psíquicos da enfermidade possibilitem o trabalho psíquico, como, por exemplo, o desamparo do doente no *Filoctete* ou sua desesperança nas peças de tuberculosos.

Mas o indivíduo conhece os sofrimentos psíquicos, essencialmente, no contexto das circunstâncias em que são adquiridos, e por isso o drama necessita de uma ação da qual se originam tais sofrimentos, e começa introduzindo esse evento. É uma aparente exceção que algumas peças apresentem o sofrimento psíquico já estabelecido, como o *Ajax* e o *Filoctete*, pois no drama grego, sendo o material bastante conhecido, a cortina sempre se levanta já no meio da peça, por assim dizer. É fácil expor exaustivamente as condições para essa ação, tem de ser uma ação conflituosa, que inclua esforço da vontade e resistência. A luta contra o elemento divino significou o primeiro cumprimento dessa condição, e o mais grandioso. Já dissemos que essa tragédia é uma rebelião, na qual o autor e a audiência tomam o partido do rebelde. Quanto menos se confia no elemento divino, mais ganha importância a ordem *humana*, que as pessoas, com percepção cada vez maior, responsabilizam pelo sofrimento, de modo que a luta seguinte é a do herói contra a sociedade humana, a *tragédia burguesa*. Outro cumprimento [da mencionada condição] é o da luta entre os próprios indivíduos, a *tragédia de caráter*, que tem toda a excitação do *agon* [combate, competição] e que se passa, da melhor maneira, entre pessoas extraordinárias libertas das restrições das instituições humanas, necessitando ter mais de um herói. Naturalmente, admitem-se misturas entre esses dois casos, com o herói lutando contra instituições personificadas em caracteres fortes. A pura tragédia de caráter não possui a fonte de fruição que é a revolta, que nas peças sociais (em Ibsen, por exemplo) torna a aparecer, tão poderosamente como nos dramas principescos dos antigos gregos.

Se os dramas *religioso*, de *caráter* e *social* diferem essencialmente pelo terreno de luta em que ocorre a ação da qual se origina o sofrimento, sigamos agora o drama em outro campo de luta, no qual se torna inteiramente *psicológico*. Na própria psique do herói se dá o conflito, gerador de sofrimento, entre impulsos diversos, conflito que deve terminar não com o fim do herói, mas de determinado impulso, ou seja, com uma renúncia. É possível, naturalmente, qualquer combinação dessa condição com as anteriores, ou seja, as dos dramas social e de caráter, na medida em que justamente a instituição provoca essa luta interior. Nisso tem lugar as tragédias de amor, na medida em que a repressão do amor pela cultura social, pelas convenções humanas ou pelo conflito entre "amor e dever", que conhecemos das óperas, forma o ponto de partida de situações conflituosas que variam de modo quase infinito. Tão infinito quanto os devaneios eróticos dos indivíduos.

Mas a gama de possibilidades aumenta, e o drama psicológico se torna psicopatológico, quando o conflito do qual participamos e devemos tirar prazer já não é entre dois impulsos aproximadamente iguais, mas entre uma fonte consciente e uma fonte reprimida do sofrimento. Nesse caso a condição para que haja fruição é que o espectador seja um neurótico; pois apenas para esse a revelação e o reconhecimento (até certo ponto consciente) do impulso reprimido podem dar prazer e não simplesmente aversão. No indivíduo que não é neurótico, isso deparará apenas com aversão e provocará a disposição a repetir o ato da repressão, pois esse foi bem-sucedido — o impulso reprimido foi mantido sobre controle mediante um único dispêndio de repressão. No neurótico, a repressão está sempre a ponto de falhar, é instável e continuamente requer novo dispêndio, que é poupado mediante o reconhecimento. Apenas nele existe essa luta que pode ser objeto do drama, mas mesmo nele o dramaturgo não produzirá somente *fruição* da liberação, mas também *resistência* a ela.

O primeiro desses dramas modernos é *Hamlet*. Seu tema é como uma pessoa até então normal se torna neurótica devido à natureza especial da tarefa com que se defronta, uma pessoa na qual um impulso até então reprimido com sucesso procura se impor. *Hamlet* se distingue por três características, que parecem importantes para a nossa questão. 1. O herói não é psicopático, torna-se assim no decorrer da ação. 2. O impulso reprimido é um daqueles que se acham igualmente reprimidos em todos nós, cuja repressão está entre os alicerces de nosso desenvolvimento pessoal, e a situação abala justamente essa repressão. Devido a essas duas condições, torna-se fácil, para nós, reconhecermo-nos no herói; somos suscetíveis do mesmo conflito que ele, pois, "em determinadas circunstâncias, quem não perde a razão não tem razão para perder".* 3. Parece ser uma precondição dessa forma de arte que o impulso que peleja por se tornar consciente não é claramente designado, embora seja reconhecível, de maneira que o processo ocorre novamente no espectador com a atenção desviada, e esse é tomado por sentimentos, em vez de examinar o que sucede. Com isso, sem dúvida, é poupado um quê de resistência, como se vê no trabalho analítico, no qual os derivados do reprimido chegam à consciência graças à menor resistência, o que o reprimido mesmo não consegue. Em *Hamlet*, o conflito se acha tão escondido que coube a mim percebê-lo primeiramente.

É possível que, pela inobservância dessas três condições, muitas outras figuras psicopáticas sejam tão inutilizáveis no palco como são na vida. Pois o neurótico é para nós alguém cujo conflito não podemos penetrar, se ele o traz já estabelecido. Inversamente, se conhecemos esse conflito, esquecemos que ele é um doente, assim como ele, tendo conhecimento do mesmo, deixa de estar doente. A tarefa do dramaturgo seria nos colocar na mesma doença, o que sucede melhor quando seguimos tal desenvolvimento junto com o doente. Isso será particularmente necessário ali onde a repressão não existe já em nós, ou seja, tem de ser primeiramente produzida, o que representa um passo além de *Hamlet* no emprego da neurose no palco. Se depararmos com uma neurose desconhecida e já estabele-

---

* No original: *"wer unter gewissen Umständen seinen Verstand nicht verliert, hat keinen zu verlieren"*, Lessing, *Emilia Galotti*, ato IV, cena 7.

cida, chamaremos o médico, como na vida real, e consideraremos a figura inadequada para o palco.

Esse erro parece estar presente em *Die Andere* [A outra],* de Bahr, além de outro implícito no problema [colocado na peça], de que não é possível para nós adquirir a convicção empática de que um só homem tem a prerrogativa de satisfazer plenamente a garota. Portanto, o caso dela não pode se tornar o nosso. Além disso, há o terceiro erro: de que nada resta para descobrirmos e é despertada em nós a completa resistência a essa condicionalidade do amor, que não nos agrada. Das precondições formais em questão, a da atenção desviada parece ser a mais importante.

Em geral, talvez possamos dizer que apenas a instabilidade neurótica do público e a arte do autor em evitar resistências e dar prazer preliminar** é que marcam os limites do emprego de caracteres anormais.

---

* Peça do romancista e dramaturgo austríaco Hermann Bahr (1863-1934), encenada primeiramente no final de 1905. Trata da dupla personalidade da heroína, que não consegue livrar-se da atração por um homem que a domina.
** "Prazer preliminar": no original, *Vorlust*; cf. *O chiste e sua relação com o inconsciente* (1905), cap. IV, *Três ensaios sobre a teoria da sexualidade* (1905), parte III, e "O escritor e a fantasia" (1908).

TEXTOS BREVES
(1903-1904)

RESENHA DE *OS FENÔMENOS PSÍQUICOS COMPULSIVOS*, DE L. LÖWENFELD*

A presente obra de Löwenfeld, que, sob o título *Os fenômenos psíquicos compulsivos*, aborda uma parte considerável da clínica e da sintomatologia das neuroses, reúne mais uma vez todos os méritos que tornaram valiosos e mesmo indispensáveis, para os colegas especialistas, os compêndios descritivos do neuropatologista de Munique. Mas o extraordinário domínio da literatura sobre o tema, a riqueza de observações próprias e a clareza do estilo não devem fazer o leitor esquecer que o valor maior do livro não reside nesses atributos do compilador, mas na crítica prudente e imparcial e na concepção independente do autor. Parece-me especialmente proveitoso que Löwenfeld não tenha voltado seus esforços para a apresentação de um tema já inúmeras vezes tratado, mas sim atacado um âmbito ainda pouco explorado, ordenando-o e classificando-o.

As dificuldades que nessas circunstâncias se colocam a quem elabora o tema não são de natureza comum. To-

---

* "Besprechung von Leopold Löwenfeld, *Die psychischen Zwangserscheinungen*, Wiesbaden, 1904"; publicada primeiramente no *Journal für Psychologie und Neurologie*, v. 3 (1904), caderno 4. Traduzida de *GW. Nachtragsband* [Volume suplementar], pp. 496-9. Leopold Löwenfeld (1847-1923) era um conhecido psiquiatra de Munique; Freud se refere a ele na 16ª das *Conferências introdutórias à psicanálise*. O artigo "O método psicanalítico de Freud" (pp. 321-30 deste volume) fazia parte do livro resenhado. Cabe lembrar que o seu título também pode ser traduzido por "Os fenômenos psíquicos obsessivos", pois *Zwang* significa "compulsão, obsessão, coação".

das as definições são provisórias, ainda não se chegou a uma concordância a respeito das delimitações. O que Löwenfeld aborda como "compulsão psíquica" vai muito além da extensão da assim chamada enfermidade obsessiva e inclui também as fobias, uma parte das abulias e todos os estados de angústia neurótica, também os ataques de angústia "sem conteúdo". Disso resulta, para o leitor, um ganho inesperado, mas para o autor se verifica a impossibilidade de afirmar algo de validez geral sobre o mecanismo, a etiologia e o decurso dos "fenômenos psíquicos compulsivos", pois as afecções, díspares em sua natureza, também divergem bastante uma da outra em todos esses aspectos.

Löwenfeld mantém uma unidade — artificial, na opinião deste resenhador — através da definição de compulsão psíquica, cuja característica básica vê como a "imobilidade, a insuscetibilidade à repressão por influência da vontade". Mas ele também reconhece — certamente com razão — sentimentos e afetos compulsivos, enquanto nós estamos acostumados a requerer da atividade normal de nossa vontade somente a repressão de ideias e complexos de ideias, não a exclusão de sentimentos também. Quem sofre um ataque de angústia costuma se queixar de que se sente mal, não se admira de não conseguir eliminar uma "compulsão". Aplicando coerentemente seu critério, o autor deveria também tratar de boa parte da sintomatologia histérica, que possui, de modo marcante, a característica de imobilidade, de impossibilidade de ser reprimida por influência da vontade.

Por isso, talvez não fosse adequado utilizar "compulsão", em seu sentido lógico, como conceito de delimitação. Mas é difícil, no momento, pôr algo melhor no lugar. Na realidade, é mais fácil intuir e descobrir com base em certos indícios a dissimilaridade interna das afecções reunidas pelo autor do que esclarecê-la. As diferenças exatas seriam indicadas apenas quando fosse conhecido mais precisamente o mecanismo psicológico de cada forma. No centro de todas as questões relativas ao entendimento dos fenômenos compulsivos está o problema da angústia neurótica. Explicando-se de onde vem essa angústia e em que condições ela surge, seria obtida a chave para a compreensão das psiconeuroses. Este resenhador pode apenas lamentar que o autor, mesmo agora, não tenha subscrito a fórmula que lhe foi por ele (resenhador) apresentada, segundo a qual a angústia neurótica é de origem somática, provém da vida sexual e corresponde a uma libido transformada. A correção, ou pelo menos o valor heurístico dessa colocação, este resenhador procurou demonstrar, na época (1895), com o exemplo da "neurose de angústia". Contra essa derivação da angústia, Löwenfeld argumenta que não se podem comprovar fatores sexuais nocivos em todos os casos de neurose de angústia, mas apenas em cerca de 75%. Este resenhador aceita esse número; mas quer acautelar-se contra a provável objeção de ter se mostrado cego à observação por mor de uma teoria. Este resenhador conheceu e avaliou casos de neurose de angústia sem etiologia sexual já em 1895, pois diz expressamente, no mencionado artigo sobre a neurose de angústia: "A última precondição etiológica a ser aduzida parece, primeiramente, não ser de natureza sexual. A neurose de angústia aparece — nos dois sexos — também devido ao fator do trabalho em excesso, do esforço exaustivo; por exemplo, após vigílias noturnas, cuidados com pessoas doentes e até mesmo após enfermidades severas" ["Sobre a legitimidade de separar da neurastenia, como 'neurose de angústia', um determinado complexo de sintomas"]. Esta passagem os críticos costumam ignorar, no interesse da simplificação.

Se, não obstante, a teoria deste resenhador faz a angústia neurótica derivar da libido de forma bastante geral (ou seja, também nesses casos), parece inevitável que haja ou incoerência deste resenhador ou incompreensão por parte de seus críticos. Não é difícil demonstrar esta última. Este resenhador distinguiu conceitualmente, de forma clara, a etiologia do mecanismo, o que seus críticos não fazem. Ele sustenta que na neurose de angústia a *etiologia* do caso de doença não é sempre um fator sexual nocivo, mas que o *mecanismo* do transtorno diz respeito normalmente à sexualidade. Tal diferenciação vai dar na hipótese, certamente não inverossímil, de que os processos orgânico-sexuais podem sofrer um transtorno tanto por causa de fatores nocivos da própria vida sexual como por profundos agentes nocivos gerais, da mesma forma como, por exemplo, os processos da digestão podem ser morbidamente alterados pelo que se ingere, de um lado, e por enfermidades tóxicas gerais, caquexias e alterações do sangue, de outro.

Este resenhador conhece também os casos de neurose de angústia mencionados por Löwenfeld em resposta a ele, casos com sensível aumento, em vez de diminuição da libido; mas sabe que o que se encontra neles é uma oscilação entre excitação libidinal e excitação (parcialmente) transformada em angústia.

Entre as causas da neurose de angústia, Löwenfeld também destaca sustos e outros fatores nocivos emocionais. Este resenhador deve afirmar, conforme os resultados de suas próprias pesquisas, que esses casos, muito frequentes, costumam produzir as reações da histeria, ou seja, devem ser incluídos nessa neurose.

É impossível, nos limites de uma resenha, expor o grande número de informações e sugestões que contém o livro de Löwenfeld sobre os fenômenos psíquicos compulsivos. Esperamos que sua publicação tenha por consequência um extraordinário aumento do interesse por essas formas de doença tão singulares e de tamanha importância prática.

TEXTOS BREVES

TRÊS COLABORAÇÕES PARA O JORNAL *NEUE FREIE PRESSE*

RESENHA DE *LUTANDO CONTRA OS BACILOS DO CÉREBRO*, DE GEORG BIEDENKAPP*

Por trás desse título pouco atraente se acha o livro de um homem ousado, que sabe dizer ao leitor muita coisa digna de interesse. O subtítulo da obra, "Uma filosofia das palavras pequenas", revela mais do seu conteúdo. De fato, o autor luta contra aquelas "palavrinhas e expressões que incluem ou excluem coisas demais", que mostram, naqueles que costumam usá-las de preferência, uma nociva propensão a "juízos exclusivos ou superlativos". Evidentemente — palavra a que ele também faria objeção —, a luta não diz respeito a tais palavras inofensivas, mas à tendência a inebriar-se com elas e esquecer, pelo realce na exposição assim obtido, as necessárias limitações de seus pronunciamentos e a inevitável relatividade dos seus juízos. Serve realmente como admoestação útil mostrar que muitas coisas consideradas "evidentes" ou "absurdas" por indivíduos de uma geração anterior são hoje tidas, inversamente, como absurdas ou evidentes; ou quando observamos, numa série de exemplos bem escolhidos, de que estrei-

---

* "Besprechung von G. Biedenkapp, *Im Kampf gegen Hirnbazillen*, Berlin, 1902"; publicada em 8 de fevereiro de 1903; traduzida de *GW. Nachtragsband* [Volume suplementar], pp. 491-2. Georg Biedenkapp (1868-1924), doutor em filosofia, publicou numerosos trabalhos de divulgação científica.

tamento do próprio horizonte devem ser recriminados até mesmo escritores de relevo, em virtude do seu abuso de superlativos. Mas a exortação à sobriedade no julgamento e na linguagem serve, para nosso autor, apenas como ponto de partida para mais discussões sobre outros "erros de pensamento" dos indivíduos, sobre a ilusão de estar no centro, a fé, sobre a moral ateísta etc. Em todas essas observações se mostra o honesto empenho do autor em levar a sério as implicações da visão de mundo que nos é imposta pela ciência moderna, em especial pela teoria da evolução. Nelas há muita coisa psicologicamente correta e muitas daquelas verdades que já foram ditas com frequência, mas nunca são suficientemente repetidas. O autor assumiu a tarefa ingrata de "melhorar e converter os homens" pela via da sóbria influência, sem procurar levá-los ao riso mediante o humor ou arrastá-los mediante a paixão. Vamos desejar-lhe completo sucesso!

RESENHA DE *O MISTÉRIO DO SONO*, DE JOHN BIGELOW*

Resolver o mistério do sono deveria estar reservado à ciência; mas esse piedoso autor trabalha com argumentos bíblicos e razões teleológicas como, por exemplo, de

* "Besprechung von John Bigelow, *The mystery of sleep*, Londres, 1903 [1ª ed. 1897]"; publicada em 4 de fevereiro de 1904; traduzida de *GW. Nachtragsband*, p. 493. John Bigelow (1817-1911) foi um jornalista e diplomata norte-americano.

que seria indigna da Providência divina a concepção de que ela deixaria o ser humano passar um terço da vida sem atividade mental. O sonho seria, isto sim, o estado em que a influência divina penetra na psique humana do modo mais livre e eficaz. Mas, embora rejeitemos por completo os raciocínios do autor, não deixaremos de ressaltar o núcleo de verdade que há em sua afirmação. Também as pesquisas científicas sobre o estado da psique durante o sono nos obrigam a abandonar, por inapropriada, a hipótese de que o sono reduz ao mínimo o jogo das atividades mentais. Os processos importantes da atividade mental e inclusive intelectual continuam até mesmo no sono profundo, como mostrou a explicação dos sonhos oferecida por este resenhista. Essa atividade psíquica inconsciente mereceria ser chamada de "demoníaca",* não de "divina".

OBITUÁRIO DO PROF. S. HAMMERSCHLAG**

Samuel Hammerschlag, que cessou sua atividade como professor da religião israelita há cerca de trinta anos, foi uma dessas personalidades que deixam impressões indeléveis na formação dos alunos. Em sua alma ardia uma centelha do espírito dos grandes sábios e profetas

---

* No sentido pré-cristão do termo, do grego *dáimon*, espírito bom ou mau que inspirava os humanos.
** "Nachruf auf Professor S. Hammerschlag"; publicado em 11 de novembro de 1904; traduzido de *GW. Nachtragsband*, pp. 733-4.

judeus, que não se extinguiu até que a idade avançada lhe retirou as forças. Mas a passionalidade de sua natureza era felizmente atenuada pelo ideal do humanismo clássico alemão que o governava, e sua cultura tinha por fundamento os estudos de filologia e Antiguidade clássica, a que ele se dedicara na juventude. A aula de religião lhe servia como forma de educar no humanismo, e do material da história judaica ele sabia extrair os meios para chegar às fontes de entusiasmo ocultas no coração dos jovens e fazê-las fluir muito além das limitações de nacionalidade ou dogma. Os alunos que depois tinham permissão de visitá-lo em seu lar ganhavam um amigo pleno de paterna solicitude, e podiam perceber que a característica principal de sua natureza era uma judiciosa afeição. Os sentimentos de gratidão para com o mestre venerado — gratidão que não decresceu após décadas — foram dignamente expressos, no sepultamento, pelo dr. Friedjung, o historiador.

ÍNDICE REMISSIVO

AS INDICAÇÕES *NA* E *NT* DESIGNAM
AS NOTAS DO AUTOR E DO TRADUTOR,
RESPECTIVAMENTE.

ÍNDICE REMISSIVO

abasia, 115NA
aberrações sexuais, 20, 38-9, 45, 47, 51, 57, 63, 155
"Abérrations de l'instinct sexuel, Les" (Gley), 31NA
Ablauf des Lebens, Der (Fliess), 32NA
Abraham, 108-10NA
absolutos, invertidos, 22, 25NA, 27; *ver também* inversão, invertido(s), invertida(s)
abstinência de tóxicos, 134, 309, 359
abstinência sexual, 129, 265
abuso sexual de crianças, 38-9
Addison, doença de, 359
Adler, 89NA
Adolescence: Its psychology and its relations to physiology, anthropology, sociology, sex, crime, religion and education (Hall), 75NA
adolescente(s), 74, 114, 148, 209, 238, 243, 342
adquirida, inversão como, 27-8, 155
adulto(s), 73, 76, 86, 97, 102NA, 105, 107, 108NA, 114, 131, 146, 149NA, 156, 169, 171, 210, 222, 265NA, 266, 293, 353, 362
afeição, 144, 188, 208, 221, 236-7, 301, 379
afeto(s), 60-1, 102, 116, 166, 196, 201, 224, 227, 239, 240, 253, 323-4, 332, 335, 351, 356, 362, 372
afonia, 195, 215-6, 232, 318

agon, 365
agorafobia, 115NA
Agostinho, Santo, 205NT
agressividade, agressivo, 51-3, 55, 139NA
Ajax (Sófocles), 365
alcaloides, 134, 359
aleitamento *ver* amamentação/aleitamento
Além do princípio do prazer (Freud), 67NA
Alemanha, 286, 291NT, 292NA, 299, 316
algolagnia, 51; *ver também* sadismo, sádico, sádica
alimentos, alimentação, nutrição, 20, 83, 86-7, 89, 92, 108, 119, 135
alucinação, 130, 202
amamentação/aleitamento, 95-6, 143; *ver também* mamar
ambivalência, 55NA, 109
American Journal of Psychology, 74NA
amizade(s), 152, 197-8, 206, 241, 303
amnésia, 23NA, 75-7, 96, 98, 194, 244, 325
amor, amoroso(s), amorosa(s), 21, 33, 37, 40NA, 42-3, 46-7, 57, 65, 74-5NA, 76, 102NA, 103, 143-6, 150-1, 152-3NA, 161, 196NA, 197, 199, 206, 207NA, 208-9, 211, 214-5, 221, 225-6, 228, 236-8, 241, 244-5, 254, 256, 273-4, 276-7, 279, 281, 287, 297, 298NA, 300, 302,

ÍNDICE REMISSIVO

305, 306NA, 314NA, 317NA, 366, 369
"'Anal' und 'Sexual'" (Andreas-Salomé), 93NA
Análise da fobia de um garoto de cinco anos (Freud), 102NA
Análise fragmentária de uma histeria (Freud), 60NT
anatomia, 29, 291
Andere, Die (Bahr), 369
Andreas-Salomé, 93NA
androginia, 30-1
anfígenos, invertidos, 22
angústia, 114, 146, 149NA, 266, 284, 292NA, 349, 350NA, 372-5; *ver também* medo
animais, intercurso sexual com, 38-9
animal, animais, 16, 20, 37NA, 79NA, 80NA, 101, 105, 108, 132-3, 139NA, 152, 159
ânimo deprimido, 194-5
Anna O. (paciente), 62NA
anormal, sexualidade, 63
ansiedade, 146
Antiguidade, 26NA, 33, 181, 379
ânus, anal, 35NA, 37, 44-5, 64, 67, 91-3, 108-9, 118NA, 159, 166NA
aparelho sexual, 29, 41, 46, 67, 97, 129-30
apendicite, 193, 293-5, 303
apoio da sexualidade, 91
Archiv für Gynäkologie, 31NA
Arduin, dr., 32NA
Aristóteles, 362
arrependimento, 223, 319
articulares, estruturas, 113

asma, 257, 265-6, 269NA, 296
assexual, amor, 144, 150
ataque epiléptico, 97
ateísta, moral, 377
atividade sexual, 23, 54, 60, 72-3, 82, 84-5, 90, 94-7, 99, 101, 108-9, 115, 126, 131, 136, 142-3, 153, 157, 159, 164, 310, 346, 353, 358
ato sexual, 22-3, 40, 49, 70, 105, 123, 126, 130, 141, 148NA, 278, 280
ato(s) sintomático(s), 261-3, 266, 326
atração sexual, 21, 39, 191, 236
Auch Einer (Vischer), 346
Aus dem Seelenleben des Kindes (Hug-Hellmuth), 75NA
Austria, 291NT
autoerotismo, autoerótico(s), autoerótica(s), 84-5, 87, 102NA, 107, 109, 115, 121, 138, 143, 158; *ver também* masturbação, masturbatória(s)
autopunição, 223, 268NA, 319
autossatisfação, 231

babás, 83NA, 146
Bahr, 369
Baldwin, 74NA
Basedow, doença de, 359
Bayer, 79NA
bebê(s), 92, 94-5, 105
bebida, 86, 221, 288
beijo, 41, 43, 84, 86, 144, 200, 202, 204, 231, 258, 271, 273-4, 281

ÍNDICE REMISSIVO

Beiträge zur Ätiologie der Psychopathia sexualis (Bloch), 26NA, 230NA
Beiträge zur indischen Erotik (Schmidt), 177NA
beleza, 50, 125, 241
Bell, 74NA, 102NA
"belo", conceito do, 50NA
benefício da doença *ver* ganho primário e secundário da doença
Bernardo de Claraval, São, 205NA
Bernheim, 333
bexiga, doenças da, 97
Biedenkapp, 376
Bigelow, 377
Binet, 47, 71
biologia, 16-7, 20
bissexualidade, bissexual, 28-9, 31, 32NA, 34, 37NA, 55, 133, 140, 309
blastóporo, 109NA
Bleuler, 75NA, 96NA, 109
Bloch, I., 20NA, 26, 43NA, 230
boca, 37, 43, 45, 67, 83, 225, 231
bode expiatório, sacrifício do, 363
Borch-Jacobsen, 320NT
Breuer, 59, 62, 195, 199, 322-3, 332, 335, 351, 356NT
burguesa, tragédia, 365

cabelo, 45-6, 48NA
cadáveres, abuso sexual de, 56
canibal, canibalescos, 53, 108
"Caráter e erotismo anal" (Freud), 91NA, 166NA

caráter histérico, 61
caráter inato, inversão como, 24, 26-8, 155
caráter, drama/tragédia de, 365-6
carinho(s), 144-5, 147, 153, 304
catarro, 192, 260, 269-1, 276, 279, 281, 294NA
catártico, método, 59, 62NA, 322-3, 335-6, 351
cauterização, 264, 340
Cavaleiro Toggenburg (Schiller), 240NA
celibato, 27
Celso, Aulo Cornélio, 339NT
células sexuais, 36, 131-2
centro espinhal, 130, 134NA
cérebro, 31, 376
cerimonial obsessivo, 267NA
Charcot, 215, 311, 351
cheiro, cheirar, 48NA, 204, 257-8, 281-2
Chevalier, 28, 32NA
chiste, 127NA, 362
Chiste e sua relação com o inconsciente, O (Freud), 127NA, 369NA
"chupadoras", 87, 230, 258
chupar, ato de, 82, 84, 86-8, 90, 108, 157, 203, 231
cigarro *ver* fumo/fumar
cisão psíquica, 355
ciúme, 76, 151, 245, 277, 279-80, 300, 304, 316
civilização, 26, 43, 50, 80, 171, 345
clitoridiana, masturbação, 140-1
clitóris, 94, 104, 140-2, 203

383

cloaca, 93NA, 105, 109
cocaína, 264
coceira, 93, 96
coito, 73, 266
coitus interruptus, 265, 350
Colin, 54NA
comichão, 89, 227
compaixão, 101, 138, 155, 218, 362
complacência somática, 216-8, 231, 233, 309
complexo da castração, 51, 53, 104
complexo de Édipo, 59NA, 148-9NA; *ver também* Édipo
"complexo parental", 42NA
compulsão psíquica, 344-5, 372
"Comunicação preliminar" (Freud), 336NT
conceito de sexualidade, ampliação do, 18
Conferências introdutórias à psicanálise (Freud), 146NA, 371NT
Confissões (Rousseau), 102
conflito, 17, 62, 183NA, 196, 209, 220NA, 239, 241, 305, 311, 345, 347, 357, 366-8
conhaque, 288-9
consciência, 61, 63, 76-7, 130, 184, 194, 203NA, 205, 209, 235, 238, 240, 262, 269, 273, 310, 322, 324, 326-7, 345, 355, 368
conscientes, atos e processos, 61, 63, 96, 148NA, 150, 187, 222, 234, 300, 308, 312, 314, 345, 354
contrações musculares, 91-2

contretação, 68NA, 83NT
conversão, 61, 233, 322, 332, 351
copulação, 40
correntes afetivas masculinas, 245
corrimento *ver* leucorreia
corte sexual, 52
Creusa (personagem mitológica), 243
criança(s), 18, 38-9, 72-4, 75NA, 77, 79-80, 82-6, 88, 90-1, 93-4, 97-107, 112-6, 131, 140, 143-7, 149, 153, 156-7, 159-60, 165, 171, 196NA, 209-10, 212, 222, 229, 231, 236-7, 255-6, 259, 265-6, 267NA, 277, 292, 296, 299, 302, 353, 357, 362; *ver também* infância, infantil, infantis
crueldade, 51, 53, 64, 68, 99, 101-2, 112, 166NA, 317
culpa, sentimento de, 53, 96NA, 196NA
cultura, cultural, culturais, 25-6, 40, 53, 80-1, 102, 147, 149, 159, 170-1, 229, 360, 366, 379
curiosidade sexual, 50, 292, 297NA

De medicina (Celso), 339NT
dedo(s), 83-4, 93, 108, 231, 258, 261-3
defecação, 92, 100
defloração, 292, 297NA, 306NA
degeneração, 24-6, 55, 74NA, 341

dementia praecox, 59
depressão melancólica, 329
descarga, 61, 126, 129, 160, 233, 323, 350, 362
descoberta do objeto, 142-3
desejo(s), 20, 60, 105, 111, 175, 209, 250-1, 255, 270, 273-5, 277, 285, 289, 292NA, 293, 362, 364
desenvolvimento sexual, 48, 54, 58, 78, 101, 121, 151, 159, 168, 171
desmaios, 219
desprazer, 81, 88-9, 116, 123-4, 325, 345
desprendimentos sexuais, 166
Dessoir, 152
detumescência, 68NA, 83NT
deus(es), 46, 364
Deutsches Archiv für klinische Medizin, 79NA
Dinamarca, 338
Diskussionen der Wiener Psychoanalytischen Vereinigung, 90NA
dispneia, 192, 195, 266-7
divórcio, 302-3
doença(s), doente(s), 17, 24, 39, 55-6, 60, 62-3, 65, 68-9, 71-2, 97, 100, 131, 145, 151, 164, 174-5, 180-3, 185-7, 189-90, 192, 197, 199NA, 200, 206-7, 213-5, 218-23, 232, 237, 252, 259-61, 264-6, 268NA, 269-72, 284, 289, 293-5, 305, 310-1, 313-4, 320, 322, 324, 327-8, 330, 333-4, 336-8, 340-5, 347, 349-51, 353-4, 356, 358-60, 364-5, 368, 374-5; *ver também* enfermidade(s), enfermo
dor(es), 51-4, 56, 68, 76, 84, 92, 101, 116-7, 192, 213, 260, 264-5, 293-4, 296, 362
Dora (paciente), 183NA, 192, 194, 197-8, 200-2, 206-18, 223, 225, 230, 232-44, 246-9, 251, 254-5, 259-66, 267NA, 268-9, 271-2, 275-7, 282, 284-5, 287-8, 292-6, 297-8NA, 300, 303-4, 305NA, 311, 314, 316, 318, 320NT
drama teatral, 362

Édipo, 104NT, 149NA, 236; *ver também* complexo de Édipo
educação, 58NA, 75, 80, 82, 102, 115NA, 153, 157, 276, 341, 345, 360
elaboração ulterior, 163
Ellis, H., 20NA, 27, 30, 54NA, 75NA, 85, 98, 137NA, 144NA
embrião, 110NA
Emilia Galotti (Lessing), 368NT
emoção, emoções, emocional, 62, 74NA, 116, 158, 228, 351, 358-9
enamoramento, 46, 152NA, 237
enciclopédia, 291-3, 295-7, 305NA
energia libidinal, 135
energia sexual, 72
Enfant de 3 à 7 ans, L' (Pérez), 74NA
enfermidade(s), enfermo, 62,

67, 69, 97, 175, 185, 189-90, 193, 195, 197, 206, 218, 260, 269NA, 327, 347, 354, 359-60, 364-5, 372, 374; *ver também* doença(s), doente(s)

"Entstehung der Geschlechtscharaktere, Die" (Halban), 3INA

enurese, 97, 259, 264-5, 267NA, 268, 276, 278-9

enxaqueca(s), 192, 195

ereção, 68, 123, 203NA, 205NA

Ermafroditismo (Taruffi), 29NA

Eros, 18

erotismo, erótico(s), erótica, 36NA, 86, 118NA, 159, 166NA

escola de Nancy, 333

escolha objetal, 34-5NA, 42, 102NA, 110-1, 115, 121, 143, 147-8, 150-3, 159-60

"Escritor e a fantasia, O" (Freud), 127NT, 369NT

escuridão, medo da, 145

Esfinge de Tebas, enigma da, 103-4

espermatozoides, 132, 139NA

esporte, 115NA

esposa, 200, 205, 207, 214-5, 222, 232, 236, 266, 270, 299, 300NA, 302

essência da sexualidade, 171, 357

estômago, 213, 264

Estudos sobre a histeria (Freud & Breuer), 62NA, 180, 195, 314NA, 322, 332, 351NA, 356NT

Etcheverry, 41INT

etiologia da histeria, 182, 190NA, 268, 352

etiologia das neuroses, 168, 346, 348, 350, 352-3, 358-60, 374

Études de psychologie expérimentale: Le fétichisme dans l'amour (Binet), 47NA

Eu e o Id, O (Freud), 67NA, 8INT

Eu, o, 60NA, 135-7, 143NA, 355

Eulenburg, 20NA

Europa, 26

evacuação, 92, 126, 129

excitabilidade, excitação, excitações, 34NA, 41, 49-50, 66-8, 85NA, 88, 91, 94, 96, 111-9, 123-6, 128-33, 134NA, 135, 140-2, 144, 147, 157-8, 160-1, 164-6, 201, 203-4, 231, 233, 266, 305, 310, 332, 350, 356, 358, 362, 365, 375

excrementos, 44, 56, 204

fantasia(s), 63, 113, 127, 148-9, 198, 224, 228-32, 236, 289, 292, 296-7, 302NA, 303, 305, 306NA, 312, 316, 353-4, 358, 364

faringe, 87NT

fase fálica, 121NA

fase oral, 108

Fausto (Goethe), 47NT, 57NT, 184NT, 334

fé, 377

febre, 193, 293-5

ÍNDICE REMISSIVO

felicidade, 143, 213, 221, 232, 241
feminino(s), feminina(s), 29, 31, 32NA, 33, 34NA, 36-7NA, 48-9NA, 51NA, 53NA, 55, 104, 106, 109, 138-41, 153, 162, 203, 253, 263, 269NA, 280, 291-2, 350; *ver também* mulher(es)
Fenômenos psíquicos compulsivos, Os (Löwenfeld), 371
Féré, 54NA
Ferenczi, 35NA, 42NA, 79NA, 152NA
ferrovia, medo de, 114
fetichismo, fetiche, 45-7, 48NA, 58NA, 65NT, 71
fezes, 105
filho(s), filha(s), 43, 144-5, 149, 151, 162, 171, 188-91, 194, 197-8, 206, 209, 212-3, 219, 222, 234, 236-7, 243, 246, 255-6, 269, 281, 283, 293, 297NA, 300, 302, 318
Filoctete (Sófocles), 365
filogênese, 15, 169
Finger, 191NA
Finsen, 340
Fisiologia do amor (Mantegazza), 198
fixação, fixações, 27, 34NA, 42NA, 48NA, 49, 57, 58NA, 63, 128, 150-1, 156NA, 161, 163, 170-1
Fliess, 32NA, 37NA, 64NA, 81NA, 140NT, 264
fobia(s), 102, 203, 205, 218, 328, 372

fome, 20, 39-40, 221
"fome de estímulos", 42NA
fontes da sexualidade, 89, 128, 158, 165
força instintual, 138
formação reativa, 80, 157, 165
Franzensbad, 260, 269
"Frauenfrage und sie sexuellen Zwischenstufen, Die" (Arduin), 32NA
Freud: Biologist of the Mind (Sulloway), 75NT
Freud's Dora (Mahony), 320NT
Freuds Libidotheorie verglichen mit der Eroslehre Platos (Nachmansohn), 19
fricção, fricções, 83, 94
Friedjung, dr., 379
fruição sexual, 276
fumo/fumar, 86, 257-8, 281-2

Galant, 84NA
ganho primário e secundário da doença, 17, 219-20NA, 362
garganta, 87, 225, 230, 232, 270
garotos *ver* menino(s)
gastralgias, 264
Genesis, das Gesetz der Zeugung (Herman), 32NA
genital, genitais, 29, 34, 40, 42, 43NA, 44-5, 48-51, 54NA, 64, 68, 79NA, 83-4, 88, 91, 93NA, 95, 97, 99-101, 104-5, 107-10, 113, 115-6, 121-6, 128, 135, 140, 142, 144, 147, 158-61, 163, 168, 201, 204, 225, 237, 253, 262-3, 271, 278-80, 288, 291-2, 357-8

Geschlecht und Charakter (Weininger), 32NA
ginecófilas, correntes afetivas, 245
ginecologistas, 271
glande, 94, 126, 140
Gley, 31NA
globus hystericus, 87
Goethe, 47NT, 57NT, 184NT
gônadas, 36NA, 131-2
gonorreia, 260
gravidez, 106, 196NA, 296NA, 297NA
gregos, 33, 228, 366
gripe, 295
Groos, 74NA
Grundri der Heilpädagogik (Heller), 74NA

Halban, 31, 79NA
Hall, S., 75NA
Hamlet (Shakespeare), 338-9, 367-8
Hammerschlag, S., 378
Helgoland, ilha de, 282
Heller, 74NA
hemorroidas, 91
hereditariedade, 73, 145, 161, 188, 190NA, 229, 360
"Hereditariedade na etiologia das neuroses, A" (Freud), 190NA
hermafroditismo, hermafrodita(s), 22, 29-30, 33, 133
Herman, 32NA
herói(s), 362, 363-7
heterossexual, heterossexuais, 27, 32, 37, 64NA, 169

hidroterapia, 193, 343
higiene, 94, 144
hipnose, hipnótico(s), 42NA, 199NA, 263, 322-4, 326-7, 336-7, 351; *ver também* sugestão hipnótica
hipocondríaco, 189
Hirschfeld, 20NA, 22NA, 32NA, 36NA
histeria, histérico(s), histérica(s), 44, 59-62, 63NA, 64, 67-8, 71, 76-7, 85NA, 86, 88, 136, 142, 153, 162, 173-5, 178, 182, 184-5, 189, 190NA, 195-6, 199, 201, 205NA, 215-9, 222-3, 227-34, 242, 245, 265-6, 268, 271, 293-4, 296NA, 307-10, 313, 322, 328-9, 332, 338, 342, 344, 350-8, 372, 375
Hoche, 43NA
"Homem dos lobos" (paciente), 182NT
homem, homens, 21-2, 28-31, 32NA, 33-4, 35NA, 36NA, 37, 43-4, 46, 51, 62, 86, 95, 121-2, 131, 138-42, 151-3, 160, 188-9, 194, 202NA, 203-4, 208-9, 212, 214-7, 221, 224-5, 228, 232, 239, 241-5, 253, 258, 271-8, 281, 284, 287, 289-90, 292, 306NA, 317, 320, 369, 376-7; *ver também* masculino(s), masculina(s)
homoerotismo, 36NA
homossexualidade, homossexual, homossexuais, 22-3,

ÍNDICE REMISSIVO

27, 34NA, 36NA, 37NA, 64NA, 153, 169, 241-2, 298NA, 317NA; *ver também* inversão, invertido(s), invertida(s)
horror, 56, 150, 203, 226
Hug-Hellmuth, 75NA
humanidade, 43, 58NA, 147NA
humanismo clássico alemão, 379

idée fixe, 310, 344
ideias obsessivas, 218, 267NA, 350
identificação, 108, 260, 306NA, 362
Imago (revista), 93NA
imaturas, pessoas sexualmente, 38
impulso de olhar, 49NA
impulso sexual, impulsos sexuais, 18, 74, 77-8, 80-1, 93, 98NA, 111, 149, 157
incesto, 147, 149NA, 161
inconsciente, 0, 17, 34NA, 65, 150, 227-8, 233, 236, 238, 243, 245, 251, 262, 265, 275, 277, 297, 308, 326-7, 345
inconscientes, atos e processos, 61, 63NA, 65NT, 78, 96, 148NA, 150, 155, 217-8, 224, 229-30, 236, 259, 262, 272, 307-8, 312-3, 317NA, 344, 354-6
incorporação do objeto, 108
inervação, 68, 161, 351
infância, infantil, infantis, 17, 21, 23NA, 27-8, 34-5NA, 47-9, 51NA, 72-8, 79NA, 80-2, 84, 87, 89, 91-2, 95-101, 103-7, 110-2, 114-5, 117, 121-2, 126-9, 137-8, 141-2, 143NA, 145-7, 148NA, 149-53, 155-60, 164-9, 171, 188, 192, 200, 203, 221-2, 230-1, 236-7, 239, 246, 251, 255-6, 259, 261, 264, 267NA, 268, 273-7, 279-81, 296, 309, 351-9; *ver também* criança(s)
infantilismo da sexualidade, 71, 354
inibição, inibições, 27, 58NA, 80, 107, 122, 127, 132, 138, 141, 147, 153, 155-6, 168, 227, 229, 364
Inibição, sintoma e angústia (Freud), 147NT, 356NT
"inocência do espírito", 228
insônia, 83NA, 289NA
instinto de saber, 103, 106
instinto sexual, 20-1, 23, 26-8, 30, 33, 38-40, 42, 44-7, 52-3, 56-9, 61-3, 68-9, 71, 73-4, 80, 82, 83NT, 87, 95, 99, 101, 111, 115, 118, 119NA, 121-2, 126, 142, 144, 146-7, 155-6, 160-1, 163, 168, 170-1, 228, 355
"Instintos e seus destinos, Os" (Freud), 66NT, 136NT
instintos parciais, 64, 66, 99, 107, 109-11, 118, 121, 138, 357-8
inteligência, 76, 188, 197, 237, 304, 329
intercurso anal, 37, 44

ÍNDICE REMISSIVO

intercurso sexual, 105, 225, 230, 265-6, 270, 296NA
intercurso sexual com animais
ver animais, intercurso sexual com
Internationale Zeitschrift für Psychoanalyse, 19, 35NA, 79NA, 108NA
interpretação dos sonhos, 178-9, 184, 309
Interpretação dos sonhos, A (Freud), 149NA, 183, 236NA, 250NA, 273, 275, 288NA, 292NA, 309NA, 326NA
intestino, 91-2, 105, 109
"Introdução ao narcisismo" (Freud), 81NT, 86NT, 135NT, 137NA
"Introjektion und Übertragung" (Ferenczi), 42NA
inveja do pênis, 104-5
inversão, invertido(s), invertida(s), 20-33, 35-6NA, 37NA, 38, 44, 55, 63-4, 152-4, 201; *ver também* homossexualidade, homossexual, homossexuais
Inversion sexuelle (Chevalier), 32NA
irmão(s), irmã(s), 150, 186NA, 188-9, 191-2, 213NA, 214, 221, 234, 247, 256-7, 268NA, 283

Jahrbuch der schweizerischen Gesellschaft für Schulgesundheitspflege, 75NA

Jahrbuch für Kinderheilkunde, 82
Jahrbuch für sexuelle Zwischenstufen, 20NA, 22NA, 29NA, 31-2NA
Jahrbücher für Psychiatrie und Neurologie, 32NA
Janet, 310, 344
Jasão, 243NT
Joie de vivre, La (Zola), 166NA
judeus, 378-9
Jullien, 191NA
Jung, 137
juventude, 165, 194, 282, 379

K., sr. (no Caso Dora), 197, 199-201, 202NA, 205, 207-10, 212-5, 224, 238-40, 244, 246, 248-50, 252-4, 256-8, 270-1, 273-4, 276-8, 280, 283, 285, 290, 297, 299-304, 305NA, 306NA, 315-6, 318-9
K., sra. (no Caso Dora), 197-8, 206-8, 210-2, 214-5, 218-9, 223, 225, 233, 236-7, 241-5, 249-50, 254, 270, 274, 277, 289-90, 298NA, 303, 306NA, 317NA, 319
Kiernan, 28
Kinderfehler, Die (revista), 74NA
Koeppel, 4INT, 166NT
Konträrsexuale, 22
Krafft-Ebing, 20NA, 31, 32NA, 51, 54NA, 131, 229

lábios, 41, 43, 83, 85-6, 89-91, 119, 200, 202-3, 231, 263, 291

lactente, 82, 96, 143
Lang, 186NA
latência, 78, 79NA, 80-1, 110-1, 122, 143, 148, 157, 159-60, 165, 168
lavagem, compulsão a, 190
Lehrbuch der gesamten Psychotherapie (Löwenfeld), 333
leite, 85, 231
lembrança(s), 48NA, 76, 78, 96, 177, 186-7, 202-4, 256-8, 266-7, 268NA, 273, 275-6, 279-81, 293, 295-6, 298NA, 313, 315-6, 322, 325, 351, 354-5; *ver também* memória; recordação, recordações
Leonardo da Vinci, 336
Lessing, 368NT
leucorreia, 196NA, 261, 264, 267NA, 269, 271-2
libido, libidinal, libidinais, 19-20, 23-4, 27, 36, 42-3NA, 44, 49-50, 53, 62-3, 65, 69-70, 102, 108, 126, 131, 135-9, 141, 146-7, 148NA, 150-1, 237, 241-2, 265NA, 270, 350, 357, 359, 373-5
Liébault, 333
limitação do campo visual, 195
limpeza, 94, 190, 270NA, 273, 279-80
Lindner, 82-3
língua, 43, 83
Lipschütz, 37NA, 79NA, 132
López-Ballesteros, 41NT
Löwenfeld, 20NA, 333, 371-5
lues (sífilis), 162, 189, 191NA, 260

lúpus, 340
Lust, 20NA, 129NA
Lutando contra os bacilos do cérebro (Biedenkapp), 376
"Lutscherli, Das" (Galant), 84NA
Lydston, 28

Madona Sistina (Rafael Sanzio), 287, 292NA, 316
mãe, 34, 85, 106, 142, 144, 149, 151, 153, 190-1, 194, 196NA, 197-8, 206-7, 211-2, 231, 236-7, 252-3, 256, 260, 267, 269, 272, 279, 283, 285-8, 302, 305NA
Magnan, 25
Mahony, 320NT
Mal-estar na civilização, O (Freud), 140NT
mamar, 85, 143, 231; *ver também* amamentação/aleitamento
mamíferos, 36NA, 105
mania de limpeza, 279-80
Mantegazza, 198, 244
mão(s), 94, 125, 146, 176, 219, 231, 267NA, 268NA, 272, 334
marido, 190, 198, 207, 211, 214, 220NA, 221, 243, 302
masculino(s), masculina(s), 29, 31, 32NA, 33, 34NA, 36NA, 44, 49NA, 51NA, 55, 64, 95, 104, 109, 110NA, 123, 131, 138-41, 153, 162, 204, 231, 242, 245, 269NA, 288, 350; *ver também* homem, homens

masoquismo, masoquista, 42, 51, 52NT, 53, 54NA, 55, 65, 102, 116NA, 363-4
masturbação, masturbatória(s), 28, 37, 44, 73, 83, 85NA, 90, 93, 95-7, 100, 138, 140, 160, 196NA, 237, 259, 261-2, 264-8, 281, 350, 353; *ver também* autoerotismo, autoerótico(s), autoerótica(s)
Masturbation, Die (Rohleder), 90NA
material patogênico, 222, 311, 315
maturidade sexual, 62, 110NA
Medeia, 243
medicina, médico(s), 18, 24, 55, 84, 91, 175 7, 181, 183NA, 184-5, 189, 192-3, 196, 209, 218, 220NA, 222-3, 227-8, 230, 240, 257, 264, 267NA, 291, 294, 297NA, 304, 308, 312-4, 317, 322-4, 327-9, 332-4, 338-9, 343-4, 346, 364, 369
medo, 114, 116, 203, 205, 248, 250, 257NA, 264, 274, 278, 293, 362; *ver também* angústia
medo infantil, 145
memória, 23, 27, 76, 96, 177, 186-7, 206, 230, 249, 268NA, 282, 284-5, 325, 346; *ver também* lembrança(s); recordação, recordações
menina(s), 94, 97, 104, 138-41, 150, 152-3, 192-3, 200, 221, 226, 228, 237, 241-2, 245, 261, 269, 297
menino(s), 33, 93-4, 102, 104-5, 113, 138, 140-1, 146NA, 153, 228, 269NA
menstruação, 293, 296
Mental Development in the Child and the Race (Baldwin), 74NA
mercúrio, injeções de, 186NA
meretrizes *ver* prostituição
meta sexual, metas sexuais, 21, 37, 40-6, 49-52, 56-7, 64, 68, 70, 80, 87, 89-90, 106-9, 111, 121-2, 127, 142, 159-60
metabolismo sexual, 133, 359
micção, 94, 100, 204
Mistério do sono, O (Bigelow), 377
Mito do nascimento do herói, O (Rank), 148NA
mitologia grega, 243NT
Moebius, 20NA, 25NA, 71, 334
Moll, 20NA, 68NA, 75NA, 83NT
Monatschrift für Psychiatrie und Neurologie, 261NA
mons Veneris, pelos do, 48
moralidade, moral, morais, 53NA, 58NA, 62, 80-2, 98, 147, 155, 204, 276, 335, 346, 377
mucosa(s), 37, 41, 43-5, 64, 66-8, 85, 87-8, 92, 94, 109, 126, 202, 231, 271
mulher(es), 21, 28-31, 32NA, 33-4, 35-6NA, 37, 43-4, 48NA, 93NA, 98-9, 104, 121,

125, 131, 138-42, 151, 153, 160, 176, 189-90, 194, 198, 202, 206, 208-9, 211-2, 214, 220NA, 221-2, 226, 234, 236, 238, 241-3, 245, 254, 269NA, 271, 278, 288-91, 300, 302-3, 306NA, 318, 343; *ver também* feminino(s), feminina(s)

Munique, 371

músculos, muscular(es), 90, 112, 114-5, 139NA, 324

mutismo histérico, 215

Nachmansohn, 18-9

Näcke, 137NA

nádegas, 102

narcisismo, narcísico, narcísica, 34-5NA, 136-7, 143NA

nariz, 264

nascimento *ver* teorias do nascimento

náusea(s), 114, 202

necessidades sexuais, 20

nervosismo, 92, 145

Neue Freie Presse, 376

Neugebauer, 29NA

"neuralgia ovariana", 294NA

neurastenia, 59, 349-50, 374

Neurologisches Zentralblatt, 84NA, 350NA, 352NA, 355NA

"Neuropsicoses de defesa, As" (Freud), 355NA

neurose(s), neurótico(s), neurótica(s), 36, 59-60, 63, 65, 67-8, 70-2, 76, 78, 88, 91, 93, 96-7, 98NA, 100, 102NA, 108NA, 109, 114, 115NA, 119NA, 134, 136-7, 142, 145-6, 148-9NA, 151, 155, 158-9, 162, 164-5, 168, 170-1, 176, 178-82, 185, 189-90, 201, 229, 233, 237, 241, 259, 262, 266, 276-7, 295, 305, 308, 310, 312-3, 324-5, 328, 332, 335, 338, 340-1, 346-60, 367-9, 371-5; *ver também* psiconeurose(s), psiconeurótico(s)

nobreza, 153

nojo, 43-4, 50-1, 53, 56-7, 62, 80-1, 86, 98, 138, 155, 201, 203-4, 258, 271, 276, 281

Novas conferências introdutórias à psicanálise (Freud), 66NT, 147NT

números, simbolismo onírico dos, 288NA

nutrição *ver* alimentos, alimentação, nutrição

nutriz, 144

"Objektive Diagnose der Homosexualität, Die" (Hirschfeld), 32NA

objeto sexual, objetos sexuais, 21-4, 28, 30, 33, 34-5NA, 37-8, 40-2, 44-7, 48NA, 49-53, 70, 87, 97, 99, 107, 121, 124-5, 136, 143-4, 147, 151-2, 154, 228, 231

obsessão, obsessivo(s), obsessiva(s), 23, 36, 59, 68, 136, 152, 162, 190, 218, 267NA, 328, 342, 350, 352, 354-5, 371-2

ocasionais, invertidos, 22
ócio, 221
ódio, 65, 198
Oleum cinereum (mercúrio), tratamentos com, 186NA
olhar, 40, 49NA, 50, 51, 64, 68, 100, 101NA, 103, 112
onanismo, 90NA, 94-5; *ver também* masturbação, masturbatória(s)
ontogênese, 15, 54
oral, 108, 118NA, 159, 231, 298NA
orelha, 83, 231
"Organização genital infantil, A" (Freud), 110NA
organização sexual, 107, 109-10, 121NA, 159
organizações pré-genitais, 101, 107, 109, 110NA
órgãos sexuais, 31, 68, 79NA, 94, 131
orgasmo, 83, 267
ovários, 132
óvulo(s), 133, 139NA

paciente(s), 17, 26, 62, 87, 174-7, 180-1, 185-8, 190-1, 195-7, 199, 201, 202NA, 204-5, 209, 218, 222-3, 227-8, 230-1, 237-9, 267NA, 269NA, 271, 274, 276, 282, 284, 296, 297NA, 304, 307, 311-4, 316, 317NA, 318, 322-6, 328-9, 333-45, 349, 351, 354, 358-9
Pädagogische Pathologie, Die (Strümpell), 74NA

paedicatio (sodomia), 44
pai, 35NA, 149, 151, 153, 162, 182NA, 185, 188-91, 193-4, 197-8, 202NA, 205, 207-8, 210, 212-3, 218, 223-5, 230, 233-4, 236-8, 241-4, 246, 249, 253, 256-7, 259-61, 264, 266, 269-70, 272-3, 275-9, 281, 288-9, 293-4, 300NA, 303, 305NA, 315, 318-20
pais, 145, 147, 148NA, 149-52, 160, 188, 191NA, 194, 209, 211NA, 221, 228, 237, 266, 280, 284-5, 289, 293, 299-301, 305NA
paixão, 151, 213, 238, 241, 256, 304, 377
Palavras de Freud, As (Paulo César de Souza), 20NT
"pansexualismo", 18
Paracelso (Schnitzler), 220NA
paranoia, 59, 65, 68, 210, 354
parentes consanguíneos, 150
parto, 296-7, 306NA
Patients de Freud, Les (Borch-Jacobsen), 320NT
pé, 45, 48, 83, 296
pele, 49, 66, 68, 83, 85, 87-8, 102, 112, 115, 117, 157
peliça, 48
penetração, 142
pênis, 51, 104, 126, 142, 231
penitência, 223
pensamento(s), 32, 38, 48, 65, 150, 183, 187, 209, 216-7, 224-5, 232-5, 239, 241, 243-4, 251, 253-4, 256, 258-62,

266, 269, 272-5, 277-82, 287, 288NA, 289, 292NA, 297, 305-6NA, 307-8, 313, 322, 324-6, 328, 377
pequeno Hans (paciente), 182NA
Pérez, 74NA
peritiflite, 295
perversão, perversões, perverso(s), perversa(s), 18, 40-1, 43-4, 46, 48NA, 49-50, 51NA, 52-8, 63, 65-7, 69-72, 81, 86, 98-100, 104, 128, 135, 155-7, 160, 162-6, 168, 170-1, 176, 228-31, 241, 276, 309, 357-8
pesquisa sexual infantil, 103, 106, 148NA
Platão, 18
poluição, 97, 116, 130, 350
prazer, 20, 22, 41, 48-51, 54, 64, 68, 85, 87-8, 92-4, 100, 103, 107, 113-4, 121-2, 124-30, 134, 158, 160, 362, 364, 366, 369
precocidade sexual, 168
predisposição polimorficamente perversa, 98
pré-história da espécie humana, 159
preliminar, prazer, 122, 125-8, 160, 369
"Preliminary study of the emotion of love between the sexes, A" (Bell), 74NA
Preyer, 74NA
prisão de ventre, 293
privação sexual, 346

"Problema econômico do masoquismo, O" (Freud), 53NA, 124NA
problemas sexuais, 103, 346
processos afetivos, 115
processos sexuais, 68, 106, 119, 123, 131, 133, 135, 140, 228, 359-60
prostituição, 99
psicanálise, 14-8, 20NT, 23NA, 34NA, 46NA, 48NA, 55NA, 59-63, 85NA, 91, 98NA, 102NA, 103, 106-7, 112, 136-7, 139NA, 143NA, 149-50, 187, 217, 234, 242, 314, 322, 328-9, 338, 342-3, 359
psiconeurose(s), psiconeurótico(s), 59, 61, 63-5, 68-9, 71, 77, 135, 150, 155-6, 162, 164, 178, 183, 189, 218, 229, 268, 308-10, 317NA, 328, 334, 346-7, 350-4, 358-9, 373; *ver também* neurose(s), neurótico(s), neurótica(s)
psicopáticos, personagens, 361, 367-8
Psicopatologia da vida cotidiana (Freud), 76NA, 261NA, 319NA
psicoterapia *ver* terapia/psicoterapia
psique, 67, 184, 220, 263, 304, 314, 344-5, 366, 378; *ver também* vida psíquica
Psychopathia sexualis (Krafft-Ebing), 229
puberdade, 21, 23, 31, 35NA, 36NA, 69, 73-4, 79, 82, 95,

ÍNDICE REMISSIVO

105, 110-1, 113, 121-2, 126, 128, 132-3, 138, 141-2, 147, 148NA, 149-50, 152, 160, 163-4, 237, 241, 354
Pubertätsdruse und ihre Wirkungen, Die (Lipschütz), 37
pudor, 51, 53, 99-100, 155, 186
puerpério, 296NA
pulmões, 188, 269

química, 35NA, 67, 114, 132, 134NA, 135, 138, 309

Rank, 148-9NA
"Reassessing Freud's Case Histories" (Sulloway), 320NT
reativo, pensamento/reforço, 235
recordação, recordações, 17, 27, 48NA, 76NA, 153, 231, 248, 306NA, 324-5, 327, 353-4; *ver também* lembrança(s); memória
"reeducação para a superação de resistências interiores", tratamento psicanalítico como, 345
regressão, 156NA, 164NA, 168
rejeição da sexualidade, 62, 150
relações sexuais, 54, 196NA
religião israelita, 378
religioso, drama, 366
repressão, 17, 48NA, 59NA, 60-1, 64NA, 65, 69, 72, 76-7, 86, 88, 93NA, 100, 105, 111, 114, 138, 141-2, 153NA, 156, 160, 162, 164-6, 169, 184, 187, 203, 205NA, 229, 235, 239,

242, 258, 273-5, 305, 317, 325, 347, 356-8, 366-8, 372
repressão sexual, 61, 69-70, 138, 357-8
resistência(s), 18, 52-3, 56-7, 62, 98, 138, 179, 193, 220, 265, 276, 292NA, 304, 316, 325-7, 329, 337, 339, 345, 365, 367-9
retenção da massa fecal, 92-3
Revue neurologique, 191NA
Revue philosophique, 31NA
Rieger, 131
Rohleder, 90NA
Rousseau, 102

sacrifícios, gênese do drama nos, 363
sadismo, sádico, sádica, 51-3, 54NA, 55, 105, 109, 159, 306NA
sadomasoquista, instinto, 116
sangue, 296, 374
sapatos, fetiche sexual de, 48NA
satisfação sexual, 23, 39, 83NA, 84, 86, 114, 119, 126, 142, 157-8, 225, 289NA
saúde, 39, 71, 119, 188, 193, 198, 207, 214, 219, 221, 260, 275, 289, 327, 357
Schiller, 240NA
Schmidt, 177NA
Schnitzler, 220NA
Schopenhauer, 18
Schreber, caso, 182NA
Schrenck-Notzing, 20NA
Scott, 54NA
sedução, 28, 97-9, 140, 148NA,

160, 171, 237, 285, 353-4, 356
Seele des Kindes, Die (Preyer), 74NA
Seelenleben des Kindes, Das (Groos), 74NA, 83NT
selvagem, homem, 46, 170
selvagens e primitivos, povos, 26
sêmen, 106, 130
Semmering, 213
sensação, sensações, 20, 42-3, 48NA, 49-50, 54, 68, 81, 84-5, 87-90, 92, 94, 113-4, 116, 123-6, 128-30, 140, 200-2, 203NA, 204, 230, 237, 258, 264, 271-2, 284, 294NA, 325, 362-4
sensibilidade cutânea, 195
sentimento(s), 53, 80, 96NA, 100, 144, 157, 196NA, 212, 236, 300, 368, 372, 379
ser humano, 16, 20-1, 49, 79NA, 139NA, 145, 149NA, 159, 364, 378
"Sexual inversion" (Ellis), 27NT
sexualidade infantil, 72-3, 74NA, 79NA, 82, 87, 96, 102NA, 111, 121NA, 148NA, 171
Sexualleben des Kindes, Das (Moll), 75NA
"Sexuelle Abnormitäten der Kinder" (Bleuler), 75NA
sífilis *ver* lues
simbolismo, símbolo, 48, 93NA, 102NA, 113, 263
sintoma(s), 17, 36NA, 55-7, 59-65, 68, 71-2, 97, 100, 148NA, 150, 155, 164, 168, 174, 178, 180-1, 183, 187-9, 192-3, 195, 199NA, 200-3, 213-4, 216-20, 223-5, 228-9, 232-4, 238, 260, 265-7, 269-72, 284, 293, 294-6NA, 309, 310-2, 314, 317, 322-4, 328, 332, 337, 344, 350NA, 351-2, 354, 356-8, 374
"Sobre a etiologia da histeria" (Freud), 97, 200NA
"Sobre as teorias sexuais infantis" (Freud), 102NT
"Sobre lembranças encobridoras" (Freud), 76NA
"Sobre transformações dos instintos, em particular no erotismo anal" (Freud), 91NA
"Sobre um tipo especial de escolha de objeto feita pelo homem" (Freud), 151NA
social, drama, 366
sociedade humana, 365
sofrimento, 52, 64, 84, 220, 271, 363-7
sonho(s), 148NA, 177-9, 181, 183-4, 213, 224, 246-59, 263, 268NA, 272-8, 280-90, 292-5, 298NA, 300-1, 305-6NA, 309, 313, 315-7, 320, 326, 378
sono, 251, 272, 377
Spiele der Menschen, Die (Groos), 74NA
"Statistische Untersuchungen über den Prozentsatz der Homosexuellen" (Hirschfeld), 22NA
Steinach, 36NA, 132

Strachey, 64NT, 81NT, 96NT, 137NT, 143NT, 182NA, 356NT
Strohmayer, 68NT
Strümpell, 74NA
Studie über die Minderwertigkeit von Organen (Adler), 89NA
Studies in the Psychology of Sex (Ellis), 54NA, 75NA, 98NA, 144NA
Studies in the Psychology of Sex (Ellis), 27NT
Studies of Childhood (Sully), 74NA
subjugação, subjugar, 52
sublimação, sublimada, 50, 80-2, 103, 120, 165, 201, 229, 312, 315
substâncias sexuais, 126, 129-31, 309
sugar com deleite *ver* chupar, ato de
sugestão hipnótica, 23NA, 27, 314, 323, 335-7; *ver também* hipnose, hipnótico(s)
Sulloway, 75NT, 320NT
Sully, 74NA
superestimação sexual, 42-3, 45-6, 52NT, 141

tabes, 162, 186NA, 189, 191NA
tabus morais, 147NA
taedium vitae, 195, 199
Tarnowsky, 191NA
Taruffi, 29NA
teatro, 361, 362
tendência à inversão, 23NA
tensão sexual, 40, 123, 125, 128-30, 133
teoria da libido, 135, 137

teoria da sexualidade, 15
teoria dos instintos, 67
teorias do nascimento, 105
terapia/psicoterapia, 156NA, 162, 177, 183NA, 217, 222, 227, 233, 310-2, 314, 318, 322, 328-9, 331, 333-44, 347
ternura, 111, 150
testículos, 36NA, 132
Thalassa: A Theory of Genitality (Ferenczi), 152NA
timidez, 33, 186, 205NA
tireoide, 133
toque/tocar, 40, 49, 68NA, 74NA, 116, 125, 339
tosse, 192-3, 195, 199, 214, 217, 224, 230, 232, 236, 269-70, 294NA
Totem e tabu (Freud), 148NA
tóxicas, substâncias, 133-4, 309, 359
trabalho analítico, 181, 368
trabalho intelectual, 117
tragédia grega, 365
transferência, 136, 181, 254NA, 258, 312-6
transformações da puberdade, 121
Trauma do nascimento, O (Rank), 149NA
trauma(s), 149, 196, 199-200, 332, 351-2, 354-5, 360
Três ensaios sobre a teoria da sexualidade (Freud), 14, 230NA, 236NA, 268NA, 355, 357
tuberculose, 36NA, 188
tubo digestivo, 41

Über Entartung, Grenzfragen des Nervens- und Seelenlebens (Moebius), 25NA
Ulrichs, 31
umbigo, 105
umedecimento da vagina, 123
união sexual, 21, 41
"Untersuchungen über die früheste prägenitale Entwicklungstufe der Libido" (Abraham), 108NA
Untersuchungen über die Libido sexualis (Moll), 68NA
"uranismo", 25NA
uretral, erotismo, 118NA, 166NA
útero, 79NA, 148NA

vagina, 123, 126, 141-2, 271
variedade da constituição sexual, 161
venérea, doença, 260-1, 272
vergonha, 56-7, 62, 80-1, 98, 100, 138
Versuch einer Entwicklungsgeschichte der Libido (Abraham), 108NA
Versuch einer Genitaltheorie (Ferenczi), 152NA
vida amorosa, 40NA, 43, 74NA, 152NA, 245
vida psíquica, 17, 34NA, 63, 76, 123, 144, 170, 183, 220, 239, 251, 274, 309, 317NA, 326-7, 329; *ver também* psique
vida sexual, 15-8, 36NA, 39, 41, 53, 55, 56, 59-60, 63, 69, 72-3, 77, 79, 94, 98NA, 99, 101, 103, 107-11, 121-2, 127-8, 134-5, 141, 144, 148, 150-2, 155-6, 158-60, 162-4, 167, 170-1, 176, 204, 227-8, 267, 269NA, 296NA, 309, 345, 349, 351, 353, 373-4
Viena, 16, 19, 175, 189, 193, 208, 287, 293-4, 360
vingança, 277, 286, 289, 292NA, 293, 298NA, 300-1, 304-5, 317, 319
virgindade, 273, 292NA, 297NA
Vischer, 334-5, 346
vivências sexuais, 48, 352-4
vômitos, 86, 196NA, 271
Von Reder, 332
voyeurismo, voyeurs, 50, 99-100

Weininger, 32
Wernicke, 234

Zola, 166NA
zona anal *ver* ânus, anal
zona labial *ver* lábios
zona(s) erógena(s), 66-8, 70, 81, 85-90, 93-4, 99, 101, 107, 111-2, 118, 121, 123-30, 133, 134NA, 138, 140, 142, 144, 157-8, 203, 231, 270, 309, 358
zonas histerógenas, 89
"Zur Erklärung der konträren Sexualempfindung" (Krafft-Ebing), 32NA
"Zur Nosologie der männlichen Homosexualität (Homoerotik)" (Ferenczi), 35NA

SIGMUND FREUD, OBRAS COMPLETAS EM 20 VOLUMES

COORDENAÇÃO DE PAULO CÉSAR DE SOUZA

1. TEXTOS PRÉ-PSICANALÍTICOS (1886-1899)
2. ESTUDOS SOBRE A HISTERIA (1893-1895)
3. PRIMEIROS ESCRITOS PSICANALÍTICOS (1893-1899)
4. A INTERPRETAÇÃO DOS SONHOS (1900)
5. PSICOPATOLOGIA DA VIDA COTIDIANA E SOBRE OS SONHOS (1901)
6. TRÊS ENSAIOS SOBRE A TEORIA DA SEXUALIDADE, ANÁLISE FRAGMENTÁRIA DE UMA HISTERIA ("O CASO DORA") E OUTROS TEXTOS (1901-1905)
7. O CHISTE E SUA RELAÇÃO COM O INCONSCIENTE (1905)
8. O DELÍRIO E OS SONHOS NA GRADIVA, ANÁLISE DA FOBIA DE UM GAROTO DE CINCO ANOS ("O PEQUENO HANS") E OUTROS TEXTOS (1906-1909)
9. OBSERVAÇÕES SOBRE UM CASO DE NEUROSE OBSESSIVA ("O HOMEM DOS RATOS"), UMA RECORDAÇÃO DE INFÂNCIA DE LEONARDO DA VINCI E OUTROS TEXTOS (1909-1910)
10. OBSERVAÇÕES PSICANALÍTICAS SOBRE UM CASO DE PARANOIA RELATADO EM AUTOBIOGRAFIA ("O CASO SCHREBER"), ARTIGOS SOBRE TÉCNICA E OUTROS TEXTOS (1911-1913)
11. TOTEM E TABU, HISTÓRIA DO MOVIMENTO PSICANALÍTICO E OUTROS TEXTOS (1913-1914)
12. INTRODUÇÃO AO NARCISISMO, ENSAIOS DE METAPSICOLOGIA E OUTROS TEXTOS (1914-1916)
13. CONFERÊNCIAS INTRODUTÓRIAS À PSICANÁLISE (1916-1917)
14. HISTÓRIA DE UMA NEUROSE INFANTIL ("O HOMEM DOS LOBOS"), ALÉM DO PRINCÍPIO DO PRAZER E OUTROS TEXTOS (1917-1920)
15. PSICOLOGIA DAS MASSAS E ANÁLISE DO EU E OUTROS TEXTOS (1920-1923)
16. O EU E O ID, ESTUDO AUTOBIOGRÁFICO E OUTROS TEXTOS (1923-1925)
17. INIBIÇÃO, SINTOMA E ANGÚSTIA, O FUTURO DE UMA ILUSÃO E OUTROS TEXTOS (1926-1929)
18. O MAL-ESTAR NA CIVILIZAÇÃO, NOVAS CONFERÊNCIAS INTRODUTÓRIAS E OUTROS TEXTOS (1930-1936)
19. MOISÉS E O MONOTEÍSMO, COMPÊNDIO DE PSICANÁLISE E OUTROS TEXTOS (1937-1939)
20. ÍNDICES E BIBLIOGRAFIA

PARA MAIS INFORMAÇÕES SOBRE OS VOLUMES PUBLICADOS, ACESSE:
www.companhiadasletras.com.br